Евгений Сухов

Я-ВОР
в законе

Москва
«АСТ-ПРЕСС»
2001

УДК 82
ББК 84Р7
С 91

Сухов Е. Е.

С 91   Я — вор в законе. — М.: АСТ-ПРЕСС, 2001. —
432 с.

ISBN 5-7805-0260-9

Русская мафия ведет жестокую войну за сферы влияния. Несколько крупнейших группировок преступного мира, объединившись в одну мощную силу, рвутся к власти в России. В большой кровавой игре ставка сделана на самого молодого, но авторитетного вора в законе по кличке Варяг. Коронованный тюремным братством на великие дела, изменив документы, внешность и образ жизни, он делает головокружительную карьеру в политике и бизнесе.

УДК 82
ББК 84Р7

ISBN 5-7805-0260-9

Евгений Сухов

Я-ВОР
в законе

АСТПресс

ГЛАВА 1

Часы ожидания не пропали даром: теперь он знал распорядок дня Колуна, как свой собственный. Вставал Колун рано — в пять часов утра в его окнах уже горел свет. Ровно в шесть в сопровождении трех дюжих молодцов он выходил из дома и неторопливо бежал в сторону набережной. Трое крепких парней неотступно, словно привязанные, следовали за ним, создавая почетный эскорт. Позади плелась «Волга» серого цвета. Машина была выполнена на заказ: стекла у нее были пуленепробиваемые. Пробежка всегда продолжалась ровно пятьдесят пять минут. Следовательно, в это время, с шести до семи утра, он наиболее уязвим.

Сержант любил работать в одиночестве — меньше свидетелей. Трудное задание — это как игра в шахматы, и нужно правильно расставить фигуры, иначе сам можешь получить мат. Колун редко покидал дом, а если и выезжал, то всегда днем и при усиленной охране.

Сержант спрятался в подъезде дома и наблюдал за тем, как Колун разминается. Делал он это тщательно, как будто собирался по меньшей мере взобраться на пятитысячник. Рядом, лениво помахивая руками, грели суставы телохранители. По унылым физиономиям было видно, что им не доставляло особой радости это утреннее занятие и что они были вынуждены выполнять причуды шефа только потому, что тот неплохо платил. Колун был в прошлом борцом, и, глядя на его сильное тело, верилось, что он совсем не потерял своей лучшей формы. Мышцы сильных рук, сплетенные в три толстых каната, внушали уважение и зависть.

Сержант перевел взгляд на парней. Он знал, что каждый из них отличный стрелок, и если он промахнется, то ответная пуля сразу же полетит в него. Поэтому нужно предугадать следующий ход. За шахом сразу должен следовать мат.

Четверка уже размялась и неторопливо побежала в осеннюю темень. Некоторое время Сержант еще таился в подъезде, а потом, подняв воротник, пошел в противоположную сторону.

Целую неделю Сержант готовился к предстоящей операции. Сначала он хотел снять комнату напротив, чтобы окна выходили прямо на дом, в котором жил Колун, но потом решил отказаться от этой затеи. В этом случае он будет слишком заметен, и в дальнейшем не составит труда его вычислить. Даже если Сержант будет приходить поздно вечером, найдутся два-три свидетеля, которые смогут точно описать его портрет. Встречать объект лучше всего на дистанции, где он обычно проводит утреннюю пробежку, в этом случае у Сержанта будут несколько лишних минут, которые и позволят ему скрыться. Если же он будет стрелять из окна, люди Колуна смогут оцепить район, и тогда уйти будет куда сложнее.

Поэтому Сержант детально изучил маршрут Колуна. А тот был педант! За те две недели, что Сержант наблюдал за ним, Колун ни разу не свернул в сторону. На одном и том же отрезке дистанции делал ускорения, потом переходил на легкий бег, а у самой реки, глядя в мутную воду, считал пульс. Остается только решить, где именно подождать его. Лучше всего это сделать в то время, когда Колун будет бежать в гору. Скорость на этом отрезке у него будет небольшой, район этот густо заселен, и укрыть сможет любой подъезд, и бежать на ствол он будет грудью, широко открыв рот. В этом месте эскорт его поотстанет (во всяком случае, так было эти две недели), а он, подчиняясь спортивному азарту, вырвется далеко вперед. Вот таким он и примет смерть: с открытым ртом, в желании насладиться порцией кислорода, которую так никогда больше и не получит.

Несколько дней Сержант подбирал нужный ему дом, и его выбор пал на невысокое трехэтажное здание с просторным чердаком и высокой крышей. Именно чердак и крыша устраивали его больше всего: на чердаке можно было спрятать оружие и под утро явиться с пустыми руками, а крыша смыкалась с соседним домом, двор которого был проходным. Он уводил на соседнюю улицу, где Сержант поставит мотоцикл. Винтовку он заберет с собой и уложит в портфель, а когда будет проезжать по мосту, то бросит его в воду.

Когда все было готово, Сержант по черному ходу взобрался на чердак и стал ждать. У него было еще двадцать минут, чтобы подготовиться к выстрелу: ровно в шесть тридцать объект будет подниматься в гору. Сначала появится голова Колуна, потом плечи и уже затем грудь — вот тогда нужно будет задержать дыхание и, прицелившись, нажать спусковой крючок.

Сержант осмотрел винтовку, приладил оптический прицел и посмотрел через него в распахнутое окно. Видимость была хорошей. Сержанту нравилась эта винтовка, она вся была пригнана как будто специально под него. Он даже подумал о том, не оставить ли себе приглянувшееся оружие, но скоро справился со своим желанием — слишком велик риск. Кроме того, те, кто нуждается в Сержанте, всегда снабдят его оружием. За последний месяц Сержант сменил две винтовки, эта была третьей, и с ней особенно жаль было расставаться. К оружию привыкаешь так же быстро, как к женщине, а потом неожиданно для себя начинаешь понимать, что не можешь без него вообще. А когда расстаешься с оружием, то чувство, которое при этом возникает, сродни тому, когда расстаешься с любимой женщиной. И тут главное — научиться не привязываться, уметь оставлять без сожаления, как покидаешь без печали женщину, с которой провел всего лишь единственную ночь.

Оставалось пять минут. Скоро Сержант услышит звук работающего двигателя, а уже затем появится сам Колун.

Случилось все так, как предполагал Сержант. Сначала до него донесся звук работающего двигателя, а уже чуть позже появилась широкая фигура Колуна. Он бежал уверенно, нисколько не сомневаясь в неисчерпаемости своих сил. Глядя на его мощное тело, можно было подумать, что ему никогда не будет износа, настолько величавым казался торс, сильными ноги, но Сержант знал — как только он нажмет спусковой крючок, Колун просто превратится в груду бесполезного белка.

Вот уже из-под горы показались головы опекунов-телохранителей. Они делали над собой усилие, чтобы догнать своего крепыша-босса, и Колун, явно поджидая их, слегка сбавил скорость. В оптический прицел Сержант хорошо видел его круглое лицо. Оно совсем не выглядело утомленным, только широкий лоб покрылся крупными каплями пота. Майка была совершенно мокрой и прилипла к груди, еще более подчеркивая мускулистый торс. Сержант навел ствол в лоб, потом опустил его ниже, и мушка остановилась прямо у открытого рта, задохнувшегося от быстрого бега. Пуля вместо воздуха.

Здорово! Но в этот момент объект словно почувствовал опасность, слегка наклонил голову и побежал, наращивая темп, уверенно избегая сетки прицела. Что ж, можно и в грудь. Сержант неторопливо прицелился, взяв от пояса вверх примерно целую ладонь. Здесь должно стучать сильное сердце, выбрасывая порции разгоряченной крови по всем сосудам, наполняя вены. Сержант медлил еще мгновение, а потом спокойно надавил спусковой крючок. Выстрела почти не было — раздался щелчок, словно кто-то наступил на сухой орех, но Колун высоко взмахнул руками, оступившись. И прежде чем он упал, Сержант выстрелил второй раз — контрольная пуля угодила в рот, разметав в сторону осколки черепа. Сержант увидел, как к Колуну подбежал один из телохранителей, тотчас остановилась бронированная «Волга», из распахнутой двери выскочили три человека с автоматами.

Все просчитано: у него ровно четырнадцать минут, чтобы не торопясь отсоединить глушитель, разобрать винтовку и уложить ее в портфель, а потом по крышам уйти в проходной двор.

* * *

О том, что во время утренней пробежки был убит видный бизнесмен, на следующий день успели рассказать все центральные газеты. По радио эту новость объявляли дважды, а по телевизору показали распластанное на асфальте тело Колуна с куском белой ткани на лице. А еще через день группа бизнесменов за любую информацию об убийце обещала выплатить сто тысяч долларов, о чем было объявлено в информационных программах.

Большинство людей знало убитого как Виталия Геннадьевича Кудрявцева, преуспевающего бизнесмена, воротилу, который давно уже не считал своих миллионов. Он был человеком, для которого не существовало ничего невозможного — будь то дом с видом на Эйфелеву башню или встреча с президентом. Он был вхож во многие элитные дома, и его посещали самые известные политики.

Но только очень узкий круг избранных знал о том, что Виталий Геннадьевич был самой вершиной айсберга в преступном мире. И с его уходом айсберг тряхнуло так, словно ледяная махина натолкнулась на гору, куда более величественную, чем она сама.

Смерть Кудрявцева сняла негласное табу с его имени — информация о его грехах тут же просочилась в газеты, и они наперебой выдавали различные версии, пестря кричащими заголовками: «Наемный убийца убивает крупного мафиози!», «Кому выгодна смерть Кудрявцева?», «Кто поднял руку на «крестного отца» русской мафии?». Не находя ответа на эти вопросы, вся пресса была единодушна в одном: убийца Кудрявцева был профессионалом высочайшего класса и обладал завидным мужеством (два выстрела и оба — смертельны!).

В преступном мире в этот день был объявлен траур, и оперативные сводки свидетельствовали, что за ночь не было совершено ни одного ограбления, ни одного убийства, не было даже сигналов об угоне машин: так, по-своему необычно, криминальный мир города отметил уход вора в законе Виталия Геннадьевича Кудрявцева, больше известного среди них под кличкой Колун.

Здесь тоже ходили самые разные слухи о его смерти: одни говорили, что Колун убит за то, что нарушил одну из заповедей вора в законе — не работать. Другие считали, что он осмелился не сдавать деньги в общак. Третьи думали иначе — в самой верхушке народилась сила, которая готова устранить прежних лидеров, чтобы самим возглавить бизнес. Но сейчас дело Колуна больше смахивало на огромный авиалайнер, у которого во время полета заклинило руль, и, как его ни поворачивай, встреча с землей неминуема.

Колун контролировал большую часть города: рестораны, казино, базары, автостоянки, вокзалы, универмаги, коммерческие палатки, и сейчас все это хозяйство, которое еще несколько дней назад находилось в крепких руках, теперь грозило развалиться на куски. Колун был жестким хозяином, умевшим безжалостно расправляться с неугодными, и теперь, когда его не стало, его бизнес расползался прямо на глазах, и нужны были не менее крепкие руки, чтобы хватило сил вытащить на себя заклинивший руль и тем самым позволить самолету набрать нужную высоту.

Похороны назначили на третий день. На поминках решено было собрать сходняк, чтобы разобраться в ситуации: необходимо было определить направление поисков убийц и — самое главное — делу нужен был новый мощный лидер.

Встревоженный капитан милиции то и дело бегал к патрульным машинам и, как заведенный, говорил одно и то же:

— Сначала проедут четыре «мерседеса» в траурных лентах, за ними — поток легковых машин и автобусы. Движение перекрыть сразу с двух сторон и никого из процессии не задерживать. Пускай себе едут! Никак не реагировать даже в том случае, если они надумают перестрелять друг друга...

И когда наконец к перекрестку подъехал первый, красного цвета «мерседес», капитан прокричал в рацию:

— Будьте внимательнее! Всей колонне дать зеленый свет!

— Сколько будет машин? — озабоченно спрашивали в рации.

— Не знаю, но думаю, не меньше пятисот.

Машины двигались неторопливо. Эта длинная,

растянувшаяся на многие сотни метров колонна походила на змею, которая двигалась вперед, зная, что не найдется на земле силы, способной ее остановить. Она извивалась на широких дорогах, заставляя встречавшиеся на ее пути автомобили в страхе прижиматься к самому краю. Казалось, змея то и дело хищно поворачивала голову, словно осматривая свои владения, и, убедившись лишний раз в том, что не найдется безумца, который посмел бы помешать ей, медленно следовала дальше — по своим звериным делам.

Капитан милиции даже не пытался сосчитать участников церемонии — по всей видимости, их была не одна тысяча человек. В автомобилях сидели бизнесмены, деятели культуры, другие известные люди... И авторитеты, по привычке окруженные многочисленной свитой охраны, хотя каждый знал, что, когда они вместе, даже шестеренки государственной машины обломают о них свои зубья. Пришедшие на похороны были неоднородны по своему составу, их разделяли многие условности: деньги, прошлое, обиды... Но сейчас, как это бывало всегда, когда кого-нибудь из их рядов вырывала смерть, — все они ощущали себя единой силой.

Наконец змея выползла на центральную улицу. Ехавший впереди в сером «жигуле» капитан неистово орал и шипел в мегафон, заставляя встречные автомобили шарахаться в сторону.

— Грузовик с номером пятьдесят три сорок четыре, прижмитесь вправо!.. Грузовик с номером пятьдесят три сорок четыре, прижмитесь вправо! — Он смахнул с лица пот и обратился к шоферу: — Ну и денек сегодня выдался, — и в сердцах проклинал собственное невезение, похороны, начальство и, увидев встречную машину, снова хватался за мегафон: — Водитель синей «Волги», прижмитесь к правой стороне! Водитель синей «Волги», вам сказано: немедленно прижаться к правой стороне!

Змея доползла до кладбища и скрутилась в клубок на огромной площади, которая уже была огорожена.

Остальные водители, чертыхаясь, разворачивали машины и катили прочь, наматывая на колеса лишний десяток километров объездной дороги.

Гроб с телом Колуна подняли на руки и медленно, словно на плечах раскачивался драгоценный хрусталь, зашагали в сторону кладбищенских ворот.

— Хорошо идут, — уважительно привстал нищий. — Красиво, — и тут же отвесил низкий поклон на щедрую милостыню, брошенную на дно кепки.

— Гроб-то какой! Я и не видал таких, — откликнулся другой.

— Видать, из больших людей покойник-то, на заказ гроб сделан. А бархат-то какой дорогой!.. Благодарствую тебя, спаси и помилуй... — У старика округлились глаза от щедрого пожертвования.

Могила была вырыта на первой аллее, по соседству с собором. Ни одной могилы рядом, словно и после смерти Колун не желал ничьего близкого соседства.

Немного поодаль четверо парней растянули огромный ковер, на который со всех сторон стали сыпать деньги, а когда он прогнулся от тяжести, стоявший рядом мужчина распорядился:

— Сверните ковер и отнесите вдове.

Это был Ярослав Савинов, по кличке Гордый. Именно он, по решению сходняка, должен был принять огромную, словно флот, империю. Если Колуна можно было сравнить с флагманом, который указывал путь эскадре и умело преодолевал коралловые рифы, способные распороть толстую брюшину корабля, то Гордый был тончайшим прибором, позволявшим угадывать опасные мели.

— Скажите, что это еще не все. Полмиллиона зеленью она получит от меня.

Гроб уже поставили на краю глинистой ямы. Крышка была закрыта: разнесенный выстрелом череп выглядел жутковато.

Вдруг Гордый споткнулся и, сделав неверный шаг вперед, упал прямо на растянутый ковер. Деньги закружили в воздухе яркими разноцветными фантиками. В безмолвном ужасе замерли, как на фотографии, присутствующие... Гордый лежал без движения, будто пытался в жадном объятии завладеть щедрым подарком. Вот только поза его была неестественной и оттого казалась особенно жуткой.

Один из стоявших рядом перевернул безвольное тело на спину. Полными недоумения глазами Гордый смотрел в серое осеннее небо. Из дырки во лбу едва сочилась кровь. А за кладбищенской оградой негромко пророкотал мотоцикл и смолк в соседнем переулке.

ГЛАВА 2

До конца срока оставалось мотать три месяца. День в день. И трудно было понять, кто распорядился перевести его из воркутинской зоны в пермскую. Хотя наверняка решалось это на самом высоком уровне: не такой он мелкий вор, чтобы им запросто распоряжалось местное лагерное начальство. В воркутинских лагерях хотели было поднять бузу, но Варяг дал отбой и решил ехать. Видно, так надо. Иногда он умел укрощать себя и подчинялся слепому случаю, который воспринимал, как перст судьбы, и следовал ему почти суеверно.

Для Варяга это был обычный этап, благодаря которому через решетчатое оконце удалось посмотреть полстраны. Трудно было сказать, где он не был. Все объездил, как заправский турист: от Полярного круга до казахских степей.

В пятнадцать лет Варяг увидел свой первый столыпинский вагон, разбитый, как улей, на множество ячеек, в каждой из которых сидело по шестнадцать человек. Он был семнадцатым. Было душно и нестерпимо воняло. Варяг выбрал себе место около окна и дрался до крови всякий раз, когда кто-нибудь из соседей пытался вытолкнуть юнца ближе к

15

двери. Но то было пятнадцать лет назад. Тогда он был «баклан», сейчас — вор в законе.

Теперь на него одного был выделен столыпинский вагон. Он стал так велик, что ему одному принадлежали все камеры, в которых мог бы разместиться не один десяток зеков. Не всякий генерал может похвастаться персональным вагоном и таким вниманием со стороны начальства. На нарах лежали матрасы, подушки, одеяла, а какая-то добрая душа прилепила на стену трогательную картинку с красными тюльпанами.

Варяг лег на матрас и, заложив руки за голову, стал скучать. Вагон толкнуло, видимо, к составу прицепили электровоз, а через минуту поезд плавно потащило вперед.

При прощании один из уркачей, почти по-отечески обняв Варяга, сказал:

— Как ты и хотел, бузу поднимать мы не будем. Тебя повезут в отдельном вагоне. Деньги передадут кому надо. Так что к себе в люкс можешь заказывать все что хочешь: курево, водку, жранину, а то и бабу приведут. За все уплачено. А там, куда ты едешь, тебе уже готовят встречу. Будешь смотрящим в зоне, а через три месяца тебя заменят. — И, улыбнувшись золотым ртом, добавил: — Ты еще в вагон не сел, а нам уже маляву черкнули, что твое появление такой шухер среди петухов наделало, что они даже в ШИЗО проситься стали, лишь бы только в зоне не быть и эти три месяца переждать, — и уже без улыбки: — После освобождения чем заняться думаешь?

— Пока не думал. Время покажет.

— Я тут с уркачами переговорил, они хотят тебя на колымское золото перекинуть. Отказываться не станешь?

— Как сходняк решит, так и сделаю.

— Может, у тебя есть что-нибудь такое, что хотел бы передать на волю?

— На воле у меня никого не осталось... Хотя постой... — Секунду Варяг колебался. Сходняк никогда не одобрял душевных привязанностей, может, не стоило говорить об этом именно сейчас, но язык уже повернулся помимо его воли: — Любава у меня на воле осталась, нельзя ли с ней ночку в вагоне провести?

Уркач оставался невозмутим.

— Где она живет?

— Рядом. Воркутинская.

— Как зовут?

— Света.

— Адресок черкни. — И, когда Варяг написал адрес, уркач добавил: — Встретишь ты свою любаву. На каждой станции будете стоять почти сутки, на зону приедешь только через десять дней. Если все будет так, как задумано, то на шестые сутки она будет у тебя.

...Варяг закрыл глаза и стал ждать. Его не беспокоили, стерегли тихо, редко кто-нибудь из станционного начальства, таясь, решался взглянуть на знаменитого вора.

Варяг походил на дорогую птицу, запертую в роскошной клетке, к которой приставлена надежная охрана, чтобы пташка не упорхнула ненароком.

— Эй, как тебя там? — окликнул Варяг солдата, исправно несшего службу в вагоне возле «знаменитости». Зеленый совсем, салага, и двадцати нет. Будет на дембеле рассказывать, кого сторожить пришлось. — Знаешь, кто я такой?

Солдат охотно откликнулся с улыбкой:

— Как же не знать? Варяг! Инструктировали.

Этим было сказано все, повторять не нужно.

— Пивка принеси, да свежего. Сухота одолела. Воблу не забудь.

Солдат появился через минуту с бутылками в руках.

— Угостил бы я тебя, да не положено, по уставу нужно жить, охранять ты меня должен. Живи по уставу, завоюешь честь и славу! Так, кажется, у вас говорят?

— Да ты не убежишь, даже если дверь распахнута будет, — улыбнулся солдат.

— Почему же? — искренне удивился Варяг. Он слегка отхлебнул пива, оно было свежим и холодным.

— Потому что ты сам согласился в пермскую зону ехать, а сход воровской тебя поддержал.

— Ишь ты! И это тебе известно. Да, действительно не убегу, здесь ты прав. Ну, за твое здоровье. — Он аппетитно приложился к бутылке, намереваясь выпить ее до последней капли.

...Сход признал Варяга шесть лет назад, после чего он стал самым молодым вором в законе. О своей «коронации» он узнал через посыльного, который принес ксиву прямо в зону. Когда Варяг вошел, в бараке сразу установилась тишина. Было непривычно торжественно.

— У меня для тебя есть новость, — сказал посыльный. — Сходняк короновал тебя, теперь ты законный вор! Что передать сходу?

— Передай, что я горжусь этим, — и уже с улыбкой: — Как если бы родное правительство вдруг неожиданно вручило мне орден.

Шутка была принята, посыльный улыбнулся. Воры в законе не признают государственных наград.

— Так и передам. Теперь ты будешь смотрящий на зоне. Отныне ты здесь судья и высшая власть. Воры сказали, что они очень на тебя рассчитывают.

О том, что на зоне появился свой вор в законе,

зеки узнали чуть ли не раньше самого Варяга и уже воздали ему генеральские почести: кто-то смастерил корону, кто-то изготовил державу и скипетр, а самый дальний угол барака перегородили панелями и отвели почетное место, напоминающее номерной люкс в третьеразрядной гостинице. Нашлись даже обои — и комнатка стала выглядеть на редкость уютной.

На четвертом пальце правой руки у Варяга была выколота корона, но теперь и она уже не отражала того качества, которое он приобрел. Варяг сделался грандом преступного мира и поднялся на самую верхнюю ступень. В одной из воркутинских зон за хулиганство и дебош отбывал свой срок известный художник, который за пайку делал изумительные наколки. Правдами и неправдами, воспользовавшись деньгами из общака, Варяг добился того, чтобы к ним на зону перевели художника, который тотчас попал под его могучее покровительство. Именно этот доходяга сотворил самую главную наколку в жизни Варяга, которая возвысила его над прочими зеками: крест, а над ним — два парящих ангела.

Теперь он — ревнитель воровской чести, и за ним останется право на последнее слово.

В ксиве, написанной красивым ровным почерком, Варяг читал: «Мы тебя избрали единогласно. Некоторые говорили, что ты еще молод для больших дел, но достаточно было напомнить твои заслуги, и все пришли к согласию. Ты не раз собирал для братьев деньги на благое дело, начинал с отрицаловки и, где бы ты ни появлялся, всюду создавал группу неповиновения. Что и говорить, совесть у тебя чиста. А твой возраст как раз тот, когда начинают вершить большие дела. Ты вырос для них, пацан! Однако не забывай о старых заповедях законного вора, придуманных не нами: ты не должен иметь семьи, упаси тебя Боже пришить кого-нибудь лично, для этих целей всегда найдется мясник, старайся быть трезвенником. Впрочем, что мы тебе толкуем? Законы наши ты знаешь не хуже нас. Так следуй же им до конца! В общем, как говорили в старину, — держи масть и не уступай власть!»

...Вагон слегка подбрасывало на стыках, но это не мешало Варягу дремать. Он любил поезда, привык к ним, ведь в дорогах прошла добрая половина его жизни. На исходе был шестой день, и если верить уркачам, то на следующей станции его должна была ждать Светка. Варяг заставил себя подняться, посмотрел в зеркало. Зарос — на лице ровным слоем выступала пепельная щетина.

Еще не стар, самое время, чтобы жить.

— Эй, сторож! — окликнул Варяг своего стража. — У тебя лезвие найдется?

Солдат удивился неожиданной просьбе, но вида подавать не собирался и скоро принес лезвие, помазок, мыло.

Варяг долго и тщательно брился, скоблил кожу так, словно хотел навести блеск на месяц вперед, а когда кожа сделалась атласной, внимательно всмотрелся в свое лицо. Ему можно было дать на вид лет двадцать пять, прохладный воздух лагерей сказывался благоприятно, только усталые глаза и выдавали истину.

Варяг выходил из зоны четыре раза, но больше года быть на воле у него не получалось. Первый заход в пятнадцать лет: тюрьма манила юношеской романтикой; притягательны были наколки, блатные песни, заковыристые обороты воровской фени. Второй раз Варяг угодил за грабеж. На зоне он долго и очень серьезно считал, что, если б не случайность, он и дальше бы гулял на свободе. Позже тюрьму Варяг воспринимал философски — хорошо погулял, должна быть и расплата.

Больше двух дней одну и ту же бабу Варяг около себя держать не любил. Вот только перед последней ходкой сдал: не думал, что может влюбиться, однако и его угораздило. Натолкнулся на смазливую соску с голубыми глазищами и — пропал! Шесть месяцев свободы он прожигал так, как будто эти денечки были у него на этой земле последними: чудил, смеялся, балагурил, щеголял надписями на плечах: «Дайте в юность обратный билет, я сполна заплатил за дорогу».

Светка была красивая и бедовая, а именно такие ему нравились особенно. Она не тянула из него деньги, как это позволяли себе делать другие, — он сам засыпал ее дорогими подарками. Только один круиз по Средиземному морю вырвал такой кусок из его бюджета, что на эти деньги можно было купить, как минимум, три приличных автомобиля. Однако Светку не удивить, она только капризно поджимала губки, от чего делалась еще привлекательнее и желаннее. Четыре раза она навещала его на зоне, и Варяг шальным счастливцем ходил после этих встреч.

Поезд остановился. Караулу не нужно было повторять дважды, и солдат мотнул головой:

— Сейчас приведу.

Станция была небольшой. Поезд будет стоять здесь ровно пятнадцать минут, как раз хватит для того, чтобы сгрузить почту и набить до отказа тесные камеры зеками. Но его не потеснят, «сторожа» лучше под завязку забьют другие вагоны, чем рискнут нарушить его одиночество.

А что, если Светка не придет? От одной только мысли ладони вспотели. Он даже не допускал и мысли о том, что их встреча может не состояться. Пристала эта любовь к нему, как зараза, а сил, чтобы лечить эту болезнь, Варяг не находил. И есть ли такое лекарство!

Варяг услышал легкий шаг в самом конце коридора: уверенно застучали каблучки, и он вдруг представил себе, как жадно и выразительно смотрит ей вслед голодная, как и он сам, солдатня. И дай им сейчас волю, они будут совсем как зеки, которые только и мечтают задрать на бабе коротенькое платьице и продрать ее хором где-нибудь в тупичке вагона.

Светка вошла хозяйкой — она-то уж знала, кому принадлежит этот вагон. Знала, что не услышит в свой адрес ни словечка. Ведь шла она на свидание не к простому вору — она шла, потому что ее звал Варяг.

Варяг смотрел на нее через решетку — тонкие пальцы оплели железные прутья, в глазах боль. И солдат, стараясь не глазеть на Светку (Варяг видел, что это дается ему с трудом), сказал:

— У вас ровно двенадцать часов. Потом будет еще одна остановка, а после поезд покатит до зоны не останавливаясь.

И ушел, словно его и не было. А ключ, поторапливая свидание, торчал в скважине.

Никогда Варяг не ощущал в себе такого желания: он взял ее, даже по-настоящему не обняв. Обхватил жадно, молча срывая с нее одежду, и задохнулся, обжегшись прикосновением к ее горячему телу. Резко, почти грубо, вошел в нее и, когда она застонала, закрыл сразу ставшими сухими губами ей рот. Пожирая глазами ее лицо, брал ее в такт стучащим колесам. Светка лежала, крепко обняв его за плечи и зажмурившись от своего ворованного счастья. Стук колес становился все громче, заслоняя собой все остальные звуки. Светка выгнулась дугой, запрокинув голову и прикусив губу, и Варяг замер, пронзенный острым наслаждением...

Жизнь постепенно возвращалась в онемевшее тело, и, пожалев о том, что этот миг не может продолжаться вечно, Варяг прошептал:

— Я ждал тебя... Как никогда.

Он не без удовольствия наблюдал за тем, как девушка натягивала на себя темную полупрозрачную паутину модных колготок, которые соблазнительно обтягивали плавные изгибы бедер, полноватые красивые коленки.

— Я это заметила.

— У тебя еще есть кто-нибудь, кроме меня?

На миг их разделила неловкая пауза, но, расправив колготки на круглых икрах, она улыбнулась:

— У меня никого нет, Владик. Жаль, что ты не захотел ребенка. Сейчас ему было бы четыре годика. Это мог быть мальчик, и он мог быть похожим на тебя.

— Есть вещи, которые я не могу себе позволить. Я — вор в законе! Знаешь ли ты, что это значит? Я не то что семье, себе принадлежать не могу!

— Но ведь это и страшно!

— Моя семья — это воровская семья, лишь ей одной я могу давать клятву на верность.

— Ребеночка я могла бы подарить тебе и так.

— Ты красивая, молодая. Еще найдешь себе кого-нибудь другого...

— Тогда почему ты меня спрашиваешь, есть ли у меня кто-нибудь?

— Просто потому, что ты мне нужна.

— Как только ты выйдешь, мы можем жить нерасписанными.

— Я не должен оставаться долго на свободе, я обязан вернуться обратно.

Как же объяснить ей, что любая привязанность — это лишняя веревка на его руках, и держит она покрепче, чем сторожевые вышки.

— Что ты вообще обо мне знаешь, хорошая, кроме того, что на курортах я, не считая, швырял деньги? Посмотри на мои руки! Видишь, сколько меток! И если бы только руки! Все тело мое в шрамах, как и душа. Посмотри сюда, — показал

Варяг запястье. — Вот этот шрам видишь? В драке распороли вену, и от смерти меня отделяло всего лишь пятнадцать минут. А вот этот шрам на боку? Заточкой хотели распороть живот, и опять я был рядом со смертью. Ну где гарантия того, что мне не всадят пулю в затылок, когда я выйду из зоны? Это там мое слово закон... Я знаю этот мир. Может, тебе это покажется и дико, но тюрьма — мой дом. Я не имею права находиться на свободе больше года. Слишком долго я к этому шел, это не зачеркнуть одним махом. И потом мне могут этого не простить. Ты даже представить себе не можешь, что значит быть ссученным!

Светлана оделась, и коротенькая юбка оголяла красивые колени. За то время, пока они не виделись, Света похорошела: отрастила длинные волосы, в движениях прибавилось женственности, и она уже не напоминала языкастую медсестру, помогавшую хирургу зашивать его рану, когда он впервые увидел ее в операционной городской больницы.

— Сколько тебе лет?

— Двадцать два.

— Когда я приду в следующий раз, тебе будет двадцать шесть. Тебе нужна такая жизнь?

— Но у тебя еще срок не кончился, а ты уже говоришь о новом.

— Вот именно. Это моя судьба. Через три месяца я выйду на волю, но проболтаться на свободе имею право не более года: так положено. А потом пойду опять туда, откуда пришел. Ты такой хочешь для себя жизни? Конечно, за этот год я нагуляюсь так, как другой не сможет, даже если будет копить всю жизнь. Но поверь: у этого веселья горькое похмелье.

Поезд набирал скорость. Вагон мотало из стороны в сторону, и Света опять оказалась в объятиях Варяга. Получилось это как бы случайно — поезд виноват, но ей не хватало именно его рук — сильных, уверенных, вот так бы век и просидела, ощущая рядом его тепло.

Варяг отстранился, закурил. Никто не мешал их мимолетному счастью, только иногда в конце вагона раздавался негромкий шаг — это солдат выходил размяться. Варяг делал глубокие затяжки, щеки его глубоко проваливались, а на скулах намечались неровные морщинки.

Он уже ругал себя за слабость — не нужно было встречаться, помахал бы рукой из вагона, и достаточно... Только душу тоской травить. Надо бы сказать ей, что это их последняя встреча. Деликатно сказать, насколько это возможно.

— Хорошо, я подумаю, как нам быть, — удивляясь себе, сказал Варяг совсем другое. — Возможно, меня поставят контролировать колымское золото... Я попробую пробыть на свободе года два, и если осуществится то, что я задумал, тогда не вернусь туда совсем.

Он вдруг вспомнил, как шесть лет назад зона приветствовала нового законного. Вся столовая поднялась при его появлении, стуча посудой, колотя руками по столам. Караул, загодя предупрежденный об акции, смиренно стоял в дверях. Слаще, чем это беспорядочное громыхание, для Варяга не было звука, это бренчание казалось ему величественной симфонией. И когда он сел за стол, все дружно опустились вслед за ним.

Но Варяг помнил и другое. Как тем же вечером, в одном из самых темных закоулков зоны, три тени преградили ему путь. Сверкнула молнией заточка, и едва успевший увернуться Варяг почувствовал на своей щеке ее обжигающее прикосновение. Ни секунды не размышляя, Варяг бросился в бой. Ярость застилала кровью ему глаза, он обрушивал удар за ударом на головы нападавших, слыша только вскрики и хруст костей. Под ударом его головы хрястнула, забулькав кровью, переносица одного из них, и он повалился на землю кулем, еще в воздухе потеряв сознание. Варяг узнал его. Это был вор по кличке Водяной, не пожелавший смириться с тем, что его свергли с престола в угоду молодому, сильному Варягу. Шестерки Водяного, увидев, что хозяин лежит, поверженный наземь, в ужасе попятились, но Варяг бросился на них с удесятеренной силой. Схватив одного, который почти уже не сопротивлялся, Варяг с силой ткнул его головой в бетонную стену, и тот беззвучно стек по ней вниз.

Второго Варяг не стал догонять. И так было ясно, кто теперь настоящий хозяин на зоне. Он зашел в умывальню, смыл с лица кровь и, как ни в чем не бывало, вернулся в барак.

...Варяг улыбнулся своим мыслям. Светка, внимательно следившая за выражением его лица, поняла улыбку по-своему и, счастливо вздохнув, крепче прижалась к его плечу.

ГЛАВА 3

Владислав Геннадьевич пошуровал прутом в камине. Теперь в нем трудно было узнать Варяга. На пальцах даже не осталось следов от наколок, только там, где когда-то была корона, — маленький шрам. Не отпустил так легко венчальный символ — оставил отметину. Владислав Геннадьевич вывел на теле и другие наколки; только крест, возле которого вспорхнули ангелы, оставил, как память о воровской карьере.

Пластическая операция изменила и его лицо: нос удлинился, натянулась кожа на скулах, на подбородке появилась ямочка. Теперь он — не прежний Варяг — самый молодой и удачливый законник России, который контролировал несколько зон, о котором была наслышана половина прежнего Союза и знаться с которым считалось за великую честь. Чтобы услышать его мнение, ворам приходилось идти на немыслимые хитрости, посылать гонцов или ксивы за тысячи километров. И когда обратно возвращалось авторитетное суждение, оно воспринималось, как закон, нарушить который можно разве что под страхом смерти.

Он мог и дальше оставаться вором в законе — карьера, о которой мечтает каждый вор, но только единицам рукоплещет судьба. Чтобы быть вором, отмеченным властью, мало сидеть на зоне и в колонии, нужно иметь характер и недюжинный организаторский талант. Воров много, а коронованных воров всегда единицы. И здесь, помимо личных достоинств и беззаветного служения воровским законам, должно быть еще что-то такое, чего ты не знаешь о себе сам, но то, что непременно видят окружающие. И вот это «что-то» и дает полную власть. Если у царя — это скипетр и державное яблоко, предначертанные ему с рождения, то у воров — тончайшее чутье на лагерные заповеди: без крика, методом убеждения отстаивать свою правоту. Да так, чтобы, когда заговорил, все вокруг поумолкли. А может, это все, вместе взятое, и есть сверхпрочный сплав, который будет называться вором в законе.

Веселыми искрами разлетались в камине искры, рассерженным зверем в дымоходе гудел огонь, без дыма поедая высохшие поленницы. Разве он тогда подозревал, что существуют вершины гораздо более высокие, чем те, которых он достиг. Они не на виду, их постоянно скрывает туман, и их могущество скрыто под толстыми снежными шапками.

Это была стратосфера — выше просто некуда. Дальше — чернота. Космос. Вселенная. Именно здесь делят бывший Советский Союз; как рождественский пирог разрезают его на огромные куски, а лопают так, что и крошек на столе не останется. Они кромсают его уверенно, как делали это некогда члены Политбюро, забирают куски по аппетиту, и ровно столько, чтобы не поперхнуться. И совсем не случайно, что этих «небожителей» не может быть много, их — несколько, они избраны судьбой. А над всеми ними стоит только один, он-то и выбирает самый большой и самый лакомый кусок. Этим главным и был Владислав Геннадьевич, который был ранее известен воровскому миру, как законный вор Варяг, но только немногие посвященные знали эту тайну.

Варяг переродился, а вместе с тем вступил в новое качество, имя которому — высшая сфера. А это не только мраморный камин, трехэтажный коттедж, не уступающий самым лучшим западным образцам, машины, которые можно менять с такой же легкостью, как в молодости соришь деньгами; это — огромная власть, простирающаяся от моря и до моря. Владислав держал в своих руках сотни нитей, которые связывали его с разными уголками его большого дома. То наматывал ниточку на палец потуже, если кто-то осмеливался ему перечить, то ослаблял, если с его мнением считались. Варяг вошел в стратосферу в тот самый момент, когда воры, забыв о прежней спесивости, устраивались на службу к крупным воротилам, имевшим огромный теневой бизнес и отлаженные связи на Западе. Тогда он и дал себе слово не ломать эту пирамиду, а подчинить ее своей власти. Если он не запачкал свою воровскую биографию работой на правительство, то уж подавно не согласится работать на презренных фирмачей.

Это был непростой путь, и растянулся он на добрый десяток лет. Сначала нужно было проникнуть наверх, потом удержаться там, а потом, взяв на вооружение опыт большевиков, устранять неугодных, заменяя их на более покладистых. Так создался костяк, которым он управлял по своему усмотрению. И сейчас Варяг чувствовал, что ему тесны былые границы, как когда-то тесен был даже отдельный вагон. Он жаждал простора и потому все чаще обращал внимание на Запад; так когда-то древние азиатские кочевники с вожделением смотрели на богатые дворцы знатных иноземных вельмож. Никогда еще воры в законе не забирались так высоко. Но ведь раньше они даже и думать не могли о том, что когда-нибудь им придется делить сдобный пирог всего Союза.

Варяг любил сидеть у камина, здесь, возле огня, хорошо думалось. Иногда он брал в руки карты и, тщательно перетасовав, развлекался фокусами. Его чуткие пальцы не отвыкли от карт. Он легко разбирал игровые комбинации и, обладая крепкой, почти феноменальной памятью, моментально запоминал рубашку на обратной стороне, отмечая едва заметные различия в рисунке. Ему нужно было сыграть два кона, чтобы уже знать наверняка, какая масть в руках у соперников, и, памятуя о его талантах, на вторую игру игроки распечатывали новую колоду.

Вор в законе в карты должен играть отлично. Это одна из прописных заповедей. И свое мастерство Варяг довел до такой степени, что мог успешно соперничать с самыми искусными шулерами. И еще один закон — коронованный вор должен садиться играть только с равными себе. Но Варяг уже поднялся слишком высоко и давно не видел рядом равного, потому чаще всего играл сам с собой, с упорством каторжника продолжая шлифовать свое мастерство. Не поиграй он месяц, и пальцы тотчас утратят былую надежность. Так спортсмен, чтобы не потерять хорошей формы, совершает изнурительные ежедневные кроссы: для того чтобы всегда чувствовать себя уверенно, нужно не давать себе покоя.

Нелегок был путь к вершинам. Да, его объявили вором в законе, но по-настоящему он мог им стать, только дав клятву на могиле того, чье место должен будет занять. Этим человеком был вор изрядного ума и недюжинной ловкости, к которому неожиданно прилипло ученое словечко — Фотон.

Фотон умер в одной из печорских колоний и втайне от зеков был похоронен лагерной администрацией, которая боялась возможных беспорядков. Долго могилу Фотона скрывали, так как знали, что она породит нового законника, а когда наконец правда открылась, у свежего холмика с простым деревянным крестом выставили усиленный караул.

Начальник лагеря был суров и приказал: охранять могилу так, как если бы это был военный объект: «Стрелять во всякого, кто, невзирая на предупреждения, захочет приблизиться к могиле». Он знал, что у воров в законе есть традиция: новый урка должен давать клятву на могиле своего предшественника.

Тогда Варяг только освободился из зоны, и клятву у потемневшего креста должен был давать именно он.

Впервые Варяг возвращался в печорские лагеря не под конвоем, а по собственной воле. На плечах огромный рюкзак, в кармане разрешение на въезд в пограничную зону. Они представились геологическим отрядом, маршрут которого должен был пройти поблизости от могилы Фотона.

Молоденькие солдаты заметили приближение незнакомых людей и, сжав в руках автоматы, стали истошно орать, что пристрелят каждого, кто посмеет приблизиться.

— Не подходить! Откроем огонь на поражение! У нас приказ! Будем стрелять!

Разве мог предположить Фотон, что будет страшен и после смерти и что зароют его не на обычном зековском кладбище и не отправят тело к родным, а свезут за сотню километров.

Они решили не лезть на рожон и, накинув рюкзаки на плечи, пошли своей дорогой. Когда за горизонтом скрылся одиноко торчащий крест, Варяг дал команду остановиться. Это был его час, и он его не упустит. Как на него посмотрит сход, если он уйдет, так и не дав клятвы!

Закурили. Варяг привык видеть эти места через колючую проволоку, а сейчас, куда ни посмотри, — свобода! Она была везде: в заросшей кустами речке, в холмах, она наполняла воздух и уходила дальше, за горизонт. Свобода и вечный покой...

— У тебя все готово? — Он повернулся к мужику лет сорока, строгие настороженные глаза которого смотрели так, будто от всякого ожидали подвоха.

По своему характеру тот и сам бы мог подняться далеко наверх, но он был мясник, а они не очень-то почитались в уголовном мире.

— Да.

— Чтобы никакой суеты. Заберешься вон на тот холм и тремя выстрелами положишь всех. После того как исполнишь, махнешь нам рукой.

— Хорошо.

— А теперь ступай.

Мясник сделал последнюю затяжку, которая, как известно, самая сладкая. Он едва не обжег пальцы об огненный кружок, подобравшийся к губам, и, сплюнув прилипший к языку табак, стал неторопливо собираться: проверил ствол, аккуратно привернул оптический прицел и, махнув на прощание, стал взбираться наверх.

Варяг был готов к любому исходу.

В километре от могилы их ждала моторная лодка. Они проплывут вниз по реке километров тридцать, а потом машина отвезет их к самому аэропорту, где уже будут дожидаться билеты. Только бы солдатиков не обнаружили раньше, чем через пятнадцать минут: тогда они будут неуловимы. Риск есть, но он сведен к минимуму.

Мясник уже взобрался на холм. Варяг видел, как он подобрал себе место за огромным валуном и, удобно приладив приклад к плечу, стал целиться. Два выстрела прозвучали один за другим и только третий, явно запаздывая, несколькими секундами позже.

Мясник махнул рукой: все было кончено.

— Пошли! Живее! Да бросьте вы эти рюкзаки, они нам больше не понадобятся!

Базальт сухо хрустел под ногами. Два солдатика лежали рядом, третий — в нескольких шагах. Рты открыты, словно от удивления, ноги раскинуты, словно и после смерти хотели они продолжить свой бег. Они так и не поняли, откуда прозвучали выстрелы, потому и побежали навстречу смерти, и автоматы их были направлены в никуда.

Эти трое напоминали о жертвах, которые язычники приносили когда-то своим кровожадным идолам.

— Возьмите автоматы, если что... просто так мы не дадимся.

С Фотоном Варяг встречался несколько раз, и при каждой встрече тот покорял его какой-то житейской мудростью, густо замешанной на своде воровских законов. Он брался распутывать самые сложные воровские конфликты, умел убеждать, и самое странное было то, что потом почти никогда не оставалось обиженных. Фотон был примером для любого вора в законе, ему подражали, но он оставался недосягаемым. Разве мог Варяг подумать о том, что он станет его преемником и будет давать клятву на его могиле.

Это была честь.

— Прости, Фотон, — заговорил Варяг, — что поклон от братвы передаю так нескоро. Ты заслуживаешь большего. Почестей и роскошных похорон, водки и сытной закуски. Тебя не похоронили так, как надо; тебя просто бросили и присыпали землей. Спасибо на том, что хоть поставили на твоей могиле крест. Не очень ты почитал Бога, но твоя грешная душа сейчас с ним, на небесах! Ты всегда был справедливым в воровских спорах, вряд ли еще скоро найдется такой судья, как ты. Я клянусь, Фотон, продолжить твое дело, хотя бы приблизиться к тебе, потому что обойти тебя невозможно.

Клянусь соблюдать наши воровские законы: не нами они выдуманы, и не нам их забывать. Лучше жизнь свою положу, чем отступлюсь от них. — Варяг помолчал.

Убиенные солдаты тоже как будто внимали воровской клятве. Если нет, тогда отчего они так неподвижно замерли?

Варяг продолжил:

— Ты извини меня, Фотон, больше я сюда не вернусь. Не будет для этого у меня времени. А тебе вот от меня подарок.

Он достал бутылку водки, свернул алюминиевую головку и брызнул горьким содержимым на могилу.

— Пей, Фотон! Крепка водка, а тебе она вдвойне горькой покажется.

То, что осталось, Варяг поставил у самого креста. Бутылка слегка накренилась, но не пролилась. Словно и она охмелела.

— А ты, Господь, прости грешного раба своего, не будь к нему слишком строг. Поверь, он не самый худший из людей, как это казалось многим. — И впервые в жизни Варяг перекрестился, а потом, поклонившись, быстро пошел прочь, оставляя за спиной могилу, трупы и собственную прежнюю жизнь.

ГЛАВА 4

Освобождение обрушилось на него как всегда внезапно. Он уже не воспринимал его, как нечаянный дар, который нужно брать, а потом всю жизнь за него расплачиваться. Теперь это была некая ступень, с которой он должен шагнуть еще выше.

Поначалу он наслаждался свободой, как простой баклан, вырвавшийся из-под пристального внимания караульных вышек: кутил с бабами, сорил деньгами, которые валились на него невесть откуда, навещал старых друзей, быстро обзаводился новыми. Но очень скоро от всего этого устал и все чаще ловил себя на мысли о том, что начинает если не тосковать, то уж скучать по зоне. Это точно. Скажешь кому-нибудь — еще не поверят. Но все было именно так. Здесь, на воле, он был одним из многих: он терялся в толпе, на него не обращали внимания. Там, на зоне, он был личностью, с мнением которой считались даже самые отпетые, и не находилось смельчака, который пошел бы против его воли. И от этой ностальгии по жесткому лагерному порядку становилось тошно. Варяг понял, что год на свободе — слишком большой срок, и его потянуло туда, откуда он недавно вернулся. Вспоминались одноэтажные бараки, уютная каморочка, оклеенная светлыми обоями, гитара на стене. И вообще: чем та жизнь хуже этой? Свежий воздух, в конце концов! Работа? Так на то мужики есть, пусть они и вкалывают. А ему скорее пальцы обрубят, чем он возьмет молоток в руки. Само начальство к нему на поклон идет, когда план не выполняется. Просит, уговаривает, чтобы поднажал, поблажки сулит. Еще не известно, кто в лагерях большее начальство — администрация или вот такие урки, как он.

...В тот день от перепоя стонала голова. Варягу подумалось о том, что сходняк явно не одобрил бы его загула: уж слишком лихо отмечал он свое освобождение. Варяг и сам недолюбливал пьющих. Такие никогда не делали настоящей воровской карьеры. Но сейчас ему было абсолютно все равно. В такие утренние часы он становился злым, и знавшие Варяга старались не перечить ему, понимая, что можно нарваться на жесткий, словно кирпич, кулак вора. Он и сам не знал, где проводит время. Его водили с одной хаты на другую, подкладывали девок, и он удивлялся всякий раз и с трудом вспоминал, как она оказалась рядом с ним.

К Светке он не являлся нарочно. Хотел забыть. Но чем больше он совершал над собой усилий, тем навязчивее становился ее образ. Она вспоминалась ему именно такой, какой он видел ее в вагоне: коротенькое платьице, пушистые и светлые словно лен, волосы. Он помнил все: и как она села рядом, и как он сорвал с нее одежду и взял, как вокзальную шлюху. И еще помнил Варяг: при прощании — ни слезинки. Светка смотрела строго и прямо; видно, в ту ночь она многое для себя решила. И долго ей вслед смотрела солдатня, явно завидуя коронованному вору.

Варяг с трудом открыл глаза, но не увидел ничего, кроме множества пустых бутылок. Опять незнакомая хата. Из мебели — пара стульев и скрипучий стол, да еще на кухне радио орет.

— Очухался? — раздался голос откуда-то сверху.

Варяг повернул голову, и в затылке тупо заныло.

— Кто ты? — уставился он на незнакомца. — И где все остальные?

— Всю шушеру, что около тебя вертелась, я разогнал. Ты — вор в законе, не забывай этого! И если тебе приспичило вмазать, так нужно пить с теми, кто тебе по чину. Это то же самое, как при игре в карты: садишься играть только с равными! Или ты к мужикам хочешь перейти? А может, в обиженники?

Варяг похолодел. Даже голову отпустило. Обиженником называли человека, потерявшего авторитет среди воров. Многие тогда захотят на нем отыграться. Упавшего любому всласть ударить.

— А ты кто такой? — посуровел Варяг. — Откуда взялся, чтобы меня учить? Я сам ученый! Что ты из себя фраера захарчеванного гнешь! Пошел отсюда и чтобы я тебя не видел больше!

Незнакомец выслушал молча, словно раздумывал, а потом выставил вперед кулак, и Варяг увидел на среднем пальце державную корону. Она могла принадлежать только человеку из сходки. И даже более того — ее самому доверенному лицу. Вот уж кому никогда не играть в обиженку.

— Кто ты? — спросил Варяг, и тупая боль снова запульсировала в черепе.

Незнакомец опустился рядом. Ему на вид было не более сорока: поджарый, с сухим, слегка обветренным лицом, он казался еще моложе, и, только всмотревшись, можно было увидеть, как глубоки были морщины. Он пнул попавшую под носок банку из-под пива, внимательно проследил за тем, как она проделала свой нехитрый путь в угол и, звякнув обиженно о трубу, еще долго сетовала, вращаясь на боку.

— Об Ангеле слышал? — Ни ухмылки, лицо по-прежнему серьезно.

— Ты Ангел? — опешил Варяг.

Вор вору рознь. Если Варяг был коронованным вором, каких можно было насчитать по всему Союзу не более пяти сотен, то Ангел был единственным в своем роде. Законники в последние годы стали неоднородны: это были и нэпмановские воры и авторитеты. А Ангел был вором, которому доверяли все. Он был тем цементирующим составом, который накрепко связывал между собой камешки, разные как по своей форме, так и по составу. В некоторой степени Ангел был идеологом воровского мира, неукоснительным авторитетом для всех. Самые крупные операции шли с его благословения, региональные разборки решал тоже он. И во многом именно он руководил дележкой пирога, которую затеяли между собой коронованные законники. Одного слова Ангела было достаточно, чтобы укоротить зарвавшегося вора и отправить его в обиженники, а оттуда только одна дорога — петля.

Варяг почувствовал неловкость, словно молоденький солдат в присутствии боевого генерала.

— Одному из наших сороковник стукнул. Вот посиделки устроили, выпили малость. — Он явно оправдывался.

Последний раз он лепетал так лет шестнадцать назад, когда отец застукал его в окружении приятелей со стаканом в руке. И Варягу сейчас оставалось лишь ломать голову: отчего эта звезда сошла с небес и устроилась рядом с ним на стареньком топчанчике? А может, кто-то решил развенчать его, прослышав про многочисленные чудачества, которые он вытворял на свободе?

Варяг мгновенно перебрал все свои грехи, но, по его мнению, они были незначительны. А если случалось пить без меры, так это от радости. Если за выпивку в ад посылать, тогда в раю никого не сыщешь. И если Ангел пришел к нему для того, чтобы развенчать и превратить воровскую корону в шутовскую, то Варяг будет бороться до конца. Он потребует созвать сход!

От этой мысли сделалось легче, и в знак того, что он принадлежит только себе и сам волен распоряжаться собственной судьбой, Варяг, не оглядываясь на Ангела, поднял с пола бутылку с остатками вина и осушил ее до капли. Вот так!

Ангел терпеливо дожидался, пока Варяг утолит жажду, и с его губ не сходила едва заметная ухмылка, смысл которой знал только он сам.

— Ты в тюрьме сидел? — вдруг спросил Ангел.

— Только в изоляторах, — честно признался Варяг.

Не каждый сидел в тюрьме. Это было одно из самых страшных наказаний, которым администрация пугала наиболее строптивых. Даже самый закоренелый рецидивист делался послушным мальчишкой, когда ему угрожали замкнутые стены. А побывавшие в тюрьме имели полное право снисходительно посматривать на любого зека, справедливо полагая, что прошли на этой земле через чистилище.

— А мне приходилось... Четыре года сидел, — сообщил Ангел и спросил: — Сколько тебе лет?

— Тридцать.

— Мне тридцать девять. Когда мне было двадцать восемь, я попал в одиночку. Тогда мне казалось, что я буду сидеть там вечность. Единственным развлечением было гонять паука из одного угла в другой. Я даже придумал ему имя — Игорек. И очень боялся, что он сдохнет раньше, чем меня выпустят. Потом я ушел, а паук так и остался дальше мотать срок. Живучий оказался. Там, в камере, я нашел себе еще одно занятие — выискивать надписи, которые делали другие зеки, — и находил их на самых немыслимых местах: на решетке, в углах, а кто-то даже умудрился сделать надпись на потолке. Я так и не понял, как это сделали. Потолок высокий, до него не допрыгнуть, даже при всем желании. И мне тогда представлялось, что моя камера заселена всеми этими людьми, я даже пытался с ними разговаривать. А потом вдруг обнаружил, что пугаюсь собственного голоса. Меня выводили на прогулку только одного. Всего лишь на час! Единственное, что я видел, так это рожу своего надзирателя.

Варяг молчал. Да и что тут скажешь: только двум святыням подчиняется вор в законе — кресту и тюрьме...

— К чему я это говорю, Варяг. В тюрьме обострены все чувства, и любое даже самое малейшее событие, которое ты просто не заметил бы на воле, воспринимается, как нечто великое. Не подумай, что я решил прочитать тебе проповедь, ты сам с головой... Только жрать водяру среди десятка жиганов — не лучший способ скоротать время. На воле ты уже шесть месяцев, готов возвращаться обратно?

Как ни храбрился Варяг, но сейчас понял, что ему хотелось бы отгулять и этот шестимесячный отпуск перед новой отсидкой. А еще бы Светку повидать.

— Готов, — как можно спокойнее произнес Варяг.

— Что ж, отлично.

Ворот у Ангела был распахнут, и Варяг увидел у него точно такую же наколку — крест с летящими ангелами. Значит, Ангел представляет интересы нэпмановских воров. Варяг и сам принадлежал к ним, хотя ему и становился порой в тяжесть их аскетический минимализм.

— Только скажу тебе честно: не для того я сюда пришел, чтобы тебя об этом спросить, — продолжал Ангел. — Для этого можно было гонца послать. Мне ж интересно было посмотреть на тебя.

На зону ты не пойдешь. Пора тебе отходить от нэпмановских воров и переходить в авторитеты. И не спорь! Выслушай, а потом решай. Мы задумали тут одно дело. Ты молодой, должен работать на будущее. Когда мне будет пятьдесят, это дело принесет богатый урожай. И ты здесь будешь одной из ключевых фигур.

Варяг успел накинуть на себя рубашку. Без множества наколок он мало чем отличался от всякого другого смертного.

— Что я должен сделать?

Варяг уже был готов ко всему.

— Сначала ты умоешься и почистишь зубы. Терпеть не могу запах перегара! А потом я тебе объясню остальное.

Тон, с каким сказаны были эти слова, Варяг не простил бы никому, но перед ним был Ангел, и он покорно поднялся с топчана и пошел полоскать лицо.

Вода освежила. Полегчало. Даже боль в затылке сделалась глуше. Варяг стал с интересом рассматривать свое отображение. Зеркало было маленьким, видно только пол-лица, и Варяг долго вертел головой, прежде чем рассмотрел себя всего: прямой нос, узкий лоб, сухие щеки, выражение глаз настороженное и серьезное одновременно. Если бы не наколки на пальцах, его можно было бы принять за добропорядочного инженера, который каждый день, из года в год ходит на свою службу. А по лицу бери выше! Интеллигентное, без единого шрама: такие лица бывают у начальников, в которых без оглядки влюбляются молоденькие секретарши.

Когда Варяг вернулся в комнату, Ангел продолжал без всякого предисловия:

— О том, что ты — Варяг, придется забыть. Мы достанем для тебя чистые документы. Ты должен будешь забыть не только, что ты вор в законе, но и всю прошлую свою жизнь. Отныне считай, что ты родился заново и впереди у тебя новая жизнь. Тебе сделают пластическую операцию, чтобы тебя никто не мог узнать и чтобы тебе самому твое лицо не напоминало о прошлой жизни. И упаси Боже попасть тебе на зону под новым именем, тогда ты просто перечеркнешь все наши усилия Сход тебе этого не простит.

— Сколько человек будут знать мое новое имя? — поинтересовался Варяг.

Он всегда чувствовал, что рожден для великих дел, и сейчас ему казалось, что сама судьба шагает ему навстречу.

— О нем будут знать немногие. А Варяг просто исчезнет. Мы можем распустить слух, что тебя ткнули пером в одной из разборок.

— Меня не устраивает эта легенда!

— Ну тогда просто скажем, что ты исчез. Можно пустить слух, что ты уехал за бугор. На самом деле это все равно. Важно, чтобы ты жил с новым лицом.

Варяг был удивлен. Он ожидал чего угодно, даже вызова на сходняк, но судьба неожиданно изломилась сдобным кренделем и показала маковый бок.

— Но я чист, за мной ничего нет.

— Дело не в этом. Все гораздо сложнее и круче. Ты должен гордиться, что выбор пал именно на тебя.

— Что я должен буду делать?

— Об этом узнаешь позже. А сейчас нужно собираться в Москву.

— Могу я попрощаться с одной кралей?

— Это та, что гостила у тебя в вагоне?

Варяг удивился. И это тоже известно Ангелу!

— Да...

— Сейчас не будет времени, — неожиданно посочувствовал вор. — Внизу ждет машина, билеты на Москву уже заказаны, и через полтора часа мы будем в столице. Ты с ней потом встретишься, но тебя она увидит уже с новым лицом. А теперь собирайся.

— У меня ничего нет.

— Да, ты настоящий вор, если до сих пор не нажил добра, — ласково улыбнулся Ангел. — Тогда пошли.

И, пнув ногой валявшуюся на полу бутылку, Ангел красивым холеным зверем скользнул к двери.

Очутившись в Москве, Варяг понял, что отвык от шума большого города. Это тебе не безмолвная тундра с запахом багульника и с тремя бараками посередине. Звуки, запахи, лица — все было иным.

За время полета Ангел едва обмолвился десятком слов. Варяг тоже не лез с разговорами и, прикрыв глаза, слушал рев двигателей. Когда самолет пошел на посадку, Ангел негромко сказал:

— Нас будут встречать. Ни о чем не спрашивай. Куда везти, они знают сами.

Варяг попытался изобразить на лице равнодушие и согласно кивнул:

— Хорошо, пусть будет так.

Черная «Волга» нахально дожидалась гостей у самого трапа, и, когда Варяг садился в кожаные кресла, он успел заметить удивление на лицах окружающих, которые явно не понимали, за что такая честь самым обычным пассажирам. «Волга», ядовито фыркнув темным дымом, мягко набрала ход и, черной кошкой скользнув в ворота, покатила по шоссе.

Кроме Ангела в машине сидел еще один человек, представившийся Алеком.

Варяг не знал его. Алек без конца дружески улыбался, угощал дорогими сигаретами и наконец через полчаса пути обмолвился:

— Большой сход пройдет за городом. На такой

даче, где никому и в голову не придет нас искать. Эта крыша абсолютно надежна.

Варяг согласно кивнул, Ангел безразлично смотрел в окно.

Значит, все-таки сход.

Варяг хотел спросить, сколько будет народу, но вспомнил о предостережении Ангела и промолчал.

Машина выехала на шоссе, уверенно оставляя позади громоздкие автобусы, подвижные легковушки. Шофер был опытный, он умело лавировал между машинами, совсем не сбавляя скорости, и скоро они въехали в город.

— От пригорода эта дача километрах в двадцати. Скоро будем на месте. Нас уже ждут.

Варяг не любил Москву. Не любил за суету, за толпы на улицах; сам город все больше превращался в сплошную толкучку, не торгующую разве что атомными бомбами. Но сейчас ему все доставляло удовольствие: переполненные людьми улицы, обшарпанный асфальт и нетерпеливые гудки машин на перекрестках.

Варяг волновался. Сход — это всегда проба сил, экзамен, и нужно иметь собственное лицо, чтобы не затеряться среди этих генералов.

Конечно, ему и раньше приходилось бывать на сходках, несколько раз он их организовывал сам. Но все это происходило по-мелкому, где-нибудь на одной из зон, когда по воле случая или по договору с администрацией авторитеты сходились вместе. Чаще всего на такой сходняк являлось несколько воров в законе, каждый из которых отвечал за свою территорию, и, когда они собирались вместе, становилось ясно, что влияние свое они распространяют на тысячи и тысячи квадратных километров. Большой сход собирал до нескольких десятков урок, и на нем решались глобальные, стратегические вопросы.

— Большой сход? — спросил Варяг у Алека.

Тот, глядя на дорогу, улыбнулся загадочно:

— Самый большой.

Варяг кивнул. Дальше спрашивать не имело смысла — все равно Алек ему ничего не ответит. Да и Ангел, сидевший рядом, неодобрительно пошевелился.

Машина выехала на большое шоссе, и вскоре замелькали вдоль дороги березовые рощи, а когда автомобиль свернул на боковую дорогу, они сменились величественными елями.

Шофер сбавил скорость, и «Волга», мягко перекатываясь на кочках, словно лодка на горбатых волнах, съехала на грунтовую дорогу. Видно было, что еще вчера здесь прошел дождь, — земля раскисла, а ямы и колдобины были полны воды. Временами казалось, что через них можно переправиться только вплавь.

Но машина, словно амфибия, уверенно сползала в воду и, наматывая на колеса килограммы грязи, уверенно следовала дальше.

— Ну и дорога! — хмыкнул Алек и повернулся к Варягу. — Еще три дня назад такая жара стояла, — поделился он, — что хоть помирай. А потом как грянул дождь, все вокруг залил... Обычно мы здесь без хлопот проезжали, а сегодня прямо море разливанное...

— Может быть, оно и к лучшему, — неожиданно подал голос молчавший до сих пор Ангел.

Алек, мгновенно поняв намек, отозвался:

— Пока все чисто, никто ничего не вынюхивает, думаю, и дальше так будет. Люди, расставленные нами вдоль дороги, просигналили, что все тихо, можно ехать дальше. Еще пару километров проедем и, если никто не пасет, свернем, куда нужно.

Варяг удивился: как он ни смотрел по сторонам, однако не заметил никого, кто подавал бы какие-нибудь знаки их «Волге». Хотя, конечно, знаком ведь может быть и просто какой-нибудь предмет, брошенный у развилки.

Пока он размышлял об этом, Алек, явно подметивший его удивление, не без самодовольства сообщил:

— Мне подали еще один сигнал. Все в порядке, можем ехать дальше.

Вскоре машина подкатила к высокому дощатому, выкрашенному зеленой краской забору, за которым виднелся довольно скромный, средних размеров двухэтажный дом, наполовину скрытый высокими деревьями. Заметив висевшую над воротами камеру, Варяг усмехнулся: какой в ней толк при таком-то хлипком заборе? Но, когда ворота, недружелюбно скрипнув, отворились, он присвистнул: за дощатым забором был другой — пониже, но сделанный из кирпича, и пущенная по его верху колючая проволока была наверняка под высоким напряжением.

Распахнулись вторые, железные, ворота, и «Волга» въехала в большой двор, сплошь заставленный «мерседесами», «вольво» и БМВ последних марок. «Волга» здесь казалась бедной родственницей на пиршестве богатого кузена, теряясь среди великолепия дорогих автомобилей.

По двору с автоматами на плечах бродила дюжина быков, которые недоверчиво покосились на вылезавшего из машины Варяга, но, заметив его в обществе Ангела и Алека, сейчас же потеряли к нему всякий интерес.

Сходняк решил обезопасить себя от любых неожиданностей: по углам двора, на небольших вышках Варяг разглядел стволы гранатометов. Алек, заметив его взгляд, пояснил:

— Вообще до этого дойти не должно. При малейшей опасности нам сообщат по рации, и все разъедутся в разные стороны. Здесь с десяток тихих дорог. Нас не смогут застать врасплох, а тем более взять, даже если сюда подтянут целый полк — на дорогах будут работать группы заслона...

Варяг отметил, что Алек упорно не называет ментов своим именем, и улыбнулся его брезгливости, узнавая в нем себя.

— Из дома прорыт тоннель, который уходит далеко в лес, — слегка рисуясь, продолжал Алек. — Здесь, конечно, есть еще несколько сюрпризов, но о них лучше не распространяться. Чувствуй себя в безопасности, — заключил он, подходя к дверям дома.

Открыв двери, он радушно развернул ладонь, приглашая войти в дом.

В отличие от своего скромного внешнего вида, изнутри дом поражал воображение великолепием и размахом: все коридоры были покрыты пушистыми коврами, комнаты напоминали увешанные картинами дворцовые галереи, инкрустированная, выполненная на заказ мебель идеально вписывалась в каждый уголок, составляя единый гармоничный ансамбль с коврами, картинами и другими дорогими вещицами — часами, статуэтками, китайскими вазами. Драгоценные люстры мягким белым светом заливали богатое убранство комнат; гроздья хрусталя, ломая свет на радужные блики, разбрызгивали его во все стороны. Варяг сразу обратил внимание на чеканку, великолепным широким панно занимавшую трехметровую стену. Чеканка была выполнена в цвете и притягивала к себе взгляд, как это умеет делать только по-настоящему красивая женщина.

На чеканке была изображена парящая среди облаков Мадонна с младенцем. Из-за спины Мадонны осторожно выглядывали лучи креста.

Такая же картинка была наколота и у Варяга. Она была выполнена искусно, как и панно, и похоже, была сделана тем же автором. Та же цепь, что, спадая с руки Мадонны и мягко изгибаясь, проваливалась в облака; тот же хитон, бережно укутывающий плечи Девы. Эта наколка была своего рода символом и обозначала: тюрьма — дом родной. Варяг бросил последний взгляд на алый амофор Богородицы и по длинному коридору поспешил вслед за остальными.

Дом оказался на деле настоящим замком, в котором легко можно потеряться. Судя по всему, он вмещал в себя огромное количество комнат, коридоров, переходов и всякого рода закоулков.

— Чей это домина? — догнав спутников, спросил Варяг, и Ангел, резко обернувшись, строго посмотрел на него.

Алек, настроенный очень благодушно, весело отозвался:

— Если я скажу, чей это дом, ты все равно не поверишь. — На миг притормозив, он спросил: — Может, с дорожки — в баньку, а потом в бассейн?

— Не мешало бы и то и другое, — отозвался Варяг, обожавший баню.

— Тогда сюда.

Спустившись вниз по лестнице вслед за гостеприимным Алеком, Варяг понял, что под землей находится большая часть помещений дома. Хотя, по его мнению, места для бани хватило бы и наверху.

Подземный дом по своему убранству ничем не уступал верхним этажам и в чем-то даже превосходил их: стены комнат были выложены яшмой, пол — мрамором, а винтовая лестница закручивалась штопором, будто вознамерившись продырявить преисподнюю.

Сауна была верхом совершенства: обитый мореным дубом предбанник был расписан на тему «деревенская баня». Чувствовалось, что художник, обладающий недюжинным талантом и фантазией, повеселился на славу. Вот деловито натирающие друг другу спины мужики и бабы, а между ними на банных полках вдруг оказывалась пара скрещенных ног. Рядом — мужик и баба весело полощутся в одной большой кадке, за ними — тощая девка шлепает веником по круглому заду здоровенного детину, возлежащего на полке.

А вот незадачливая толстуха, которая сослепу

присела на полóк и не заметила лежащего там мужика. Девицы и отроки, невинно разглядывающие друг друга, бородатый старец, лапающий юную красу, — все персонажи выглядели так естественно, так органично вписывались в общий колорит, что казалось, вот-вот оживут.

Пройдя мимо бассейна с маняще голубой водой, гости подошли к стене, где на крючках висели белые пушистые халаты. Рядом лежали махровые простыни.

— Все стерильное, можете брать, что понравится.

Не дожидаясь остальных, Варяг быстро разделся, на манер древнеримской тоги повязал простыню и вошел в сухой банный пар. В нос ударил ни с чем не сравнимый запах сухого дерева, пропаренных листьев и еще чего-то ароматного, приятно раздражающего гортань.

— Эту травку хозяину привезли откуда-то с Приморья, — не давал скучать Алек. — Уверяли, что помогает от всех болезней сразу. А какой запах! Ладан так не пахнет, как эта травка.

Казалось, Алек задался целью вырвать улыбки у своих неразговорчивых гостей.

Варяг вдруг впервые в своей жизни подумал о том, как много он потерял, неотлучно находясь в зоне, скольких радостей лишил себя. Он сидел в парилке до тех пор, пока сердце не начало стучать гулкими ударами в виски, и, медленно поднявшись, отправился в бассейн. Он нырнул и почувствовал, как ледяная вода обожгла его разгоряченную кожу, и тело его завибрировало каждой своей клеточкой. Плывя под водой, он слышал, как гулко ухнули в бассейн один за другим Алек и Ангел. Варяг вынырнул, с удовольствием фыркнул и снова нырнул. Потом, выйдя из бассейна, с удовольствием растянулся на низенькой мраморной скамейке.

— Хорошо, — сказал он сам себе, но мигом оказавшийся рядом Алек подхватил, разрушая очарование момента:

— Нравится? То-то. Плитка какая, видал? Спецзаказ Такой во всей столице не сыщешь. На каждой плиточке какая-нибудь картинка нарисована, и ни одна не повторяется.

Он уже начал надоедать Варягу, и тот, лениво приоткрыв один глаз, со скрытым сарказмом спросил:

— А бабы где?

С соседней скамейки хмыкнул Ангел.

— Не то это местечко, чтобы баб приглашать, — не заметив издевки посерьезнел Алек. — Баб можно организовать и в другом месте.

Снова направляясь в парилку, Варяг заметил стоявшие на полочке телефоны. Один из них был без диска, и Варяг усмехнулся про себя: «Не в Кремль ли ведет этот телефончик?»

Тело благодарно ныло, прося то сухого пару, то освежающей бодрящей радости, и Варяг то томил себя сауной, то погружался в пьянящий холод бассейна. Он чувствовал, как выходит из него зона, как просыпается каждая клетка, начиная дышать в унисон с остальными. И тело, здоровое, крепкое, звенело единым оркестром, имя которому были молодость и здоровье.

...После бани Алек проводил их в комнаты. Варягу досталась комнатка на втором этаже: небольшая и уютная, с видом на просторный двор, где скучала охрана, развлекая себя тем, что расхаживала из одного конца в другой.

Варяг постоял возле окна, наблюдая за тем, как во двор одна за другой въехали еще несколько машин, из которых выходили хорошо одетые мужчины с цветом лица, который дает только хорошее питание и своевременный отдых где-нибудь на Канарах.

Неожиданно дверь отворилась, и Варяг увидел

старика, которому на вид можно было дать лет семьдесят пять: усталые глаза, глубокие морщины и темный цвет лица. Было видно, что старик много пожил и много видел. Своими внимательными глазами он разглядывал Варяга так, как будущий тесть присматривается к жениху своей единственной дочери: достоин ли?

За спиной у старика стояли Ангел и Алек.

— Что ж, именно таким я тебя и представлял. Думается мне, что я не ошибся в тебе. Ты тот человек, который нам нужен. — Он протянул сухую теплую руку. — Ты сказал ему, о чем речь? — повернулся старик к Ангелу.

— Как и договаривались, в общих словах. Остальное вы обещали рассказать сами.

Это подчеркнутое уважение к старику удивило Варяга. Неужели этот старый, как корни древнего дерева, человек и есть хозяин? Тогда почему он о нем никогда не слышал и даже не знает, как его зовут? А сам Ангел, беспрекословный авторитет в воровской среде, обращается к нему на «вы».

— Меня зовут Георгий Иванович, — продолжал старик. — Скорее всего, обо мне ты никогда не слышал. Мне хочется, чтобы ты никогда и никому обо мне не рассказывал. Зато о тебе нам известно почти все: ты самый молодой вор в законе в России, ты молод, здоров, авторитетен, будем надеяться, что также и умен. Портфель! — Старик протянул руку, и тотчас Алек вытащил большой портфель. Старик осторожно взял его, как бы пробуя на вес. — Здесь пятьсот тысяч долларов. Они тебе даются не за твои красивые глаза. Мы готовимся к большим делам и очень рассчитываем на тебя, ты должен всем нам помочь. Возможно, я не доживу до триумфа, но до него доживет Ангел, доживет Алек, доживут другие.

Варяг не знал, как себя вести, чувствуя себя скованным.

— Что я должен сделать за эти деньги? Если кого-то замочить, так это не по адресу.

Старик стоял, держа в руках портфель с деньгами.

— Знаешь ли ты, сколько воров в законе в бывшем Союзе? — спросил он.

— Около пяти сотен.

— Совершенно верно, — согласился старик. — И только пятнадцать из них стоят на самой высшей ступени. Только эти люди контролируют миллиарды, которые стекаются со всех концов бывшего Союза. Только эти пятнадцать решают, куда делать вложения и с кем иметь дело здесь и за рубежом. Именно они определяют генеральное направление воровской политики. Только они видят перспективы развития всего воровского и неворовского мира. Мы такой же живой организм, как и всякий другой, мы живем, мы развиваемся. И мы бы хотели тебя видеть равным среди нас... Вопреки нашим правилам ты будешь шестнадцатым, а теперь бери деньги.

Варяг взял портфель и почувствовал теплоту от старческой ладони. Старик продолжал тем же неторопливым голосом:

— Не думай, что мы пришли к этому сразу. Были свои трудности. Было много «за» и «против». И все-таки мы решили остановиться на твоей кандидатуре. Главные твои козыри — это ум и молодость. Если последнее проходит быстро, то ясный ум можно сохранить до глубокой старости, — старик улыбнулся, тем самым давая понять, кого он имел в виду. — Сейчас в этом доме находятся все пятнадцать, и тебе совершенно необязательно пока их видеть. Мы с Ангелом просто выступаем от их имени. Пока ты не станешь шестнадцатым, я не могу назвать тебе их имена. Конечно, некоторых ты знаешь, о некоторых, возможно, слышал, но не будем торопить время. У нас есть одно условие.

— Какое? — напрягся Варяг, готовый вернуть портфель.

— Воровской люд, как никто, реагирует на политическую ситуацию. Иначе нам просто не выжить. Но мы выжили при Ленине, выжили при Сталине, значит, будем жить и дальше. Ты должен изменить свою внешность, — и, заметив сомнение в лице Варяга, добавил жестче: — Это непременное наше условие. Прежний вор в законе Варяг должен для всех умереть. Вместо него обязан родиться совершенно новый человек. Ты изменишь лицо, выведешь наколки, ты обязан будешь научиться хорошим манерам и всему тому, что свойственно деловым людям.

— Во имя чего я должен идти на такие жертвы?

— Меняется политика, меняются и воры. Создаются новые структуры: экономические, политические, социальные, — загибал он пальцы. — Так было в Европе. Так было в Америке. И нам важно не остаться в стороне и глубоко проникнуть в политику, бизнес. Нам нужно твердо держаться в фарватере.

— А не проще будет подкупить нужных людей, если есть такие деньги? — кивнул Варяг на портфель.

— Если мы можем подкупить этих людей, то точно так же их могут купить и другие. Они ссученные, — впервые сказал старик воровское словечко. — А мы нуждаемся в своих людях, на которых можно рассчитывать на все сто процентов. Через них мы будем делать политику, внедрять свои деньги в экономику. Конечно, мы будем подкупать политиканов, чтобы они представляли в правительстве и Думе наши воровские интересы, но первую скрипку должны будут играть такие, как ты, Варяг. Теперь еще раз обдумай все основательно и скажи: согласен ли ты пойти с нами?

Варяг чувствовал в руке тяжесть портфеля. Пятьсот тысяч долларов!.. Несколько лет безбедной жизни... Но деньги мало интересовали Варяга. Его манила неизвестность, азарт, желание сделать что-то по-настоящему великое. Предложение старика походило на игру по-крупному, и такие головокружительные повороты судьбы Варяг обожал. Накрутить банк, чтобы сорвать его потом удачной картой!..

— Я согласен, что бы вы мне ни предложили. Я — вор в законе, и приговор схода для меня закон. Я согласен даже в том случае, если это не совпадет с моими убеждениями.

— Ты из Казани?

— Да, из Казани.

— Мне приходилось там сидеть, — улыбнулся старик, — так что считай меня своим земляком. Я знаю казанцев, это крепкий замес. И я знал, что ты ответишь только так. Мы не ошиблись в тебе. На следующей неделе назначена пластическая операция. Мы уже обо всем договорились с врачами. О том, что ты жив, будут знать только пятнадцать человек, для всех остальных ты исчезаешь навсегда. Ты не умрешь, ты будешь жить под другим именем, и это только самое начало большого пути. Ты должен поступить в университет, на экономический или юридический. Хлопоты о твоем поступлении мы берем на себя. Ты не должен быть замешан ни в каких делах, не должно быть даже привода в милицию. Запомни, ты — другой человек и мыслить должен по-новому. Идет обычная смена поколений, пройдет десяток лет, и такие парни, как ты, будут у руля. Мы проникнем в самые высшие структуры власти. У нас есть все: деньги, сила, авторитет, и единственное, чего нам не хватает, так это легальной власти. Вот ее мы добудем с помощью таких, как ты. Готов ли ты пойти на благое дело?

— Готов, — ответил Варяг взволнованно. Он вдруг понял, что это то самое мгновение, к которому он стремился долгие годы.

— Мы с тобой встретимся еще не раз, и наши разговоры будут длинными и серьезными. Через меня ты будешь получать инструкции. Но частых встреч я тебе не обещаю. Я бы не хотел, чтобы ты засветился. Я меченый, а тебе нельзя пачкаться. Для всех я давно исчез, но вполне уверен, что в комитетах подозревают о моем существовании. Если мы долгое время не будем давать о себе знать, это не значит, что тебя забыли. Мы будем оберегать тебя от неверных шагов, радоваться твоим успехам, спасать от возможных неприятностей. Ты будешь чувствовать нашу опеку, хотя и не будешь нас видеть. Мы дадим тебе телефон, по которому ты сможешь связаться с нами, но ты имеешь право воспользоваться им только в самой критической ситуации. Мы не требуем от тебя многого. Нэпмановские воры запрещают своим жениться, они слишком аскетичны. Так вот, ты можешь даже жениться, — махнул рукой старик. — Ту девушку в вагоне звали, кажется, Света?

Варяг сумел спрятать поглубже удивление и спокойно ответил:

— Света.

— Это свидание организовали тебе мы. У нас большие возможности, когда мы вместе. Ты же должен эти возможности усилить многократно. Только о зазнобе своей тебе придется забыть — никто не должен знать о твоей прежней жизни.

Лицо Варяга закаменело, желваки на скулах задвигались. Старик с интересом смотрел на него. Заметив это, Варяг взял себя в руки. «Это мы еще посмотрим», — подумал он, а вслух спросил:

— Можно вопрос?

— Задавай, — великодушно разрешил старик.

— Не могу же я родиться заново? Как же быть с моей биографией?

Старик улыбался и напоминал доброго деда, наблюдавшего за чудачествами любимого внука.

— Проблем действительно будет много, но мы собираемся обезопасить тебя максимально. Твои фамилия и имя будут самыми реальными. Но в отличие от большинства наших людей ты родишься за границей, так будет записано в твоем свидетельстве. За границей ты закончишь школу и некоторое время будешь жить там. Проверять это сейчас никто не будет. Нужно делать массу запросов, чтобы удостовериться в том, что так было на самом деле. А если и документы в порядке, других запросов уже не будет. А даже если и будут, комитет получит подлинные фотографии и справки. У нас достаточно связей, чтобы такого рода нестыковки решать без проблем. Это будет стоить дорого, но это выполнимо и не должно тебя беспокоить. Мы поработаем еще над твоей биографией. Скажем, ты длительное время мог болеть и лечиться за границей, а потом у тебя начнется настоящая жизнь. И конечно, ни слова о твоей прежней жизни. Биография у тебя должна быть абсолютно чиста. Детали тебе сообщат. Ты удовлетворен, Варяг?

— Вполне.

— Тогда готовься, парень. А теперь у меня дела, желаю тебе счастливой дороги, — закончил старик воровским пожеланием и вышел в сопровождении Алека, оставляя Варяга наедине с Ангелом.

Даже Ангел в обществе старика напоминал мальчишку, с опущенной головой стоящего перед строгим дедом. И когда старик удалился, Варяг готов был поклясться, что Ангел почувствовал облегчение.

— Кто это?

Ангел немного помолчал, словно соображая, стоит ли отвечать на вопрос, а потом уверенно произнес:

— Это Медведь.

— Медведь?! — едва не поперхнулся Варяг.

Это была легенда воровского мира. И сейчас эта легенда, потревоженная голосами, воскресла из мира прошлого и приобрела плоть. Она не только казалась осязаемой: ходила, разговаривала, делала распоряжения. Она вела себя так, как будто, кроме нее, здесь никого не существовало. Воскреснув из тьмы, она стала еще более величественной.

— Так вот он какой! А я думал, что его давно нет в живых.

Ангел усмехнулся своей знаменитой улыбочкой, которая шла от уголка рта к правому виску.

— Для всех остальных Медведь действительно умер. Он умер семь лет назад и похоронен на Ваганьковском кладбище. На гранитном обелиске ты найдешь его фотографию, дату рождения и дату смерти. Его гроб тоже не пустой, его занял один бродяга. Кого нет в могиле, так это самого Медведя. Думаю, комитеты облегченно вздохнули, когда узнали о его смерти. Представляю, как бы они удивились, когда б узнали, что он сейчас работает так же, как когда-то в нэпмановской молодости. Не знаю почему, но ты очень нравишься Медведю. Он выделил тебя среди многих, а когда узнал, что ты знаешь английский, да еще обладаешь феноменальной памятью и почти такой же дьявольской хитростью, сказал: «Больше никого не ищите. Это человек наш. Мне он нужен». Воры говорят, что ты на слух можешь запомнить несколько сотен цифр и произнести в той последовательности, в какой они были названы.

— Это правда, — Варяг улыбнулся. — Если не веришь, можешь проверить. Мне достаточно взглянуть один раз на обстановку, чтобы описать ее в точности. — И закрыл глаза: — Спрашивай.

Подумав, Ангел произнес:

— Что находится в правом углу?

Варяг ни секунды не задумывался, будто готовился именно к этому вопросу, и стал перечислять:

— В правом углу стоит кресло. На задней ножке — царапина, передних не видно, они скрыты ковром, который наброшен на кресло. Ковер желтого цвета с красными узорами в виде ломаных линий. На сиденье лежит спичечный коробок, он слегка приоткрыт, и оттуда торчит горелая спичка. — Варяг говорил так уверенно, как будто смотрел сейчас в правый угол. Сам же он удобно разместился на диване и бесстрастно перечислял дальше: — Над креслом на стене длинная полка. На ней стоит шкатулка из змеевика, ручка у шкатулки медная. Рядом со шкатулкой французский одеколон...

— Левый угол, — поразился Ангел.

Варяг переключился мгновенно, не оставляя себе на обдумывание ни секунды:

— В левом углу висит картина с полметра на метр, на высоте около метра восьмидесяти. На этой картине — хвойный лес, на переднем плане сломана сосна, рядом проходит тропинка и ведет на опушку. На полу стоит торшер с синим абажуром...

— Хватит, Варяг! Признайся, когда ты успел все это запомнить, — искренне удивлялся Ангел.

— Я и не запоминал, — с улыбкой признался Варяг. — То, что я видел однажды, запоминаю на всю жизнь.

— Как же это у тебя получается?

— Просто нужно слегка напрячь память и вытащить на поверхность то, что увидел. Ты можешь, например, сказать, сколько было ступенек в бассейне?

— Нет, — признался Ангел.

— Ступенек было пять. Четыре ступеньки были оклеены коричневой ребристой резиной, пятая находилась в воде.

— Я давно так не удивлялся, Варяг. Теперь я понимаю, почему о тебе ходят легенды, как об удачливом картежнике. Ты ведь чаще играешь в лобовую, признайся, ты запоминаешь рубашку на картах.

Варяг улыбался все так же лучезарно.

— В картах есть свои секреты, но рубашку я тоже запоминаю.

— Медведь никогда не ошибается в людях, мне кажется, что он не ошибся и на этот раз.

— Расскажи мне подробно об операции.

— Тебе изменят не только лицо, но и произведут микрохирургическую операцию на кончиках пальцев. Тебе пересадят другую кожу. Конечно, прежний рисунок можно было бы вытравить кислотой или ожогом, но это может вызвать подозрения, а так у тебя появятся совершенно другие отпечатки пальцев. Медведь просил меня лично проконтролировать предстоящую операцию, так что послезавтра тебя ждет новое рождение. Связь с законниками будет проходить через меня. Я тебе дам телефон, куда ты можешь звонить в любое время суток. В этот же день мне передадут о твоем звонке, и я найду тебя. По телефону лучше ничего не говорить. Мало ли! Закрой глаза, — вдруг попросил Ангел, Варяг закрыл. — Что стоит на журнальном столике?

— Если на остальное я не обращал внимания, то это я увидел сразу. На столике стоят бутылка русской водки, армянский коньяк «пять звездочек» и коньяк «Наполеон». И еще два простых граненых стакана.

— Совершенно точно! Открой глаза, и давай выпьем за твое предстоящее рождение, — Ангел стал откупоривать бутылку.

Разлив водку по стаканам, он обернулся к Варягу. В лице Ангела было нечто такое, что Варяг вдруг понял: с сегодняшнего дня он — Варяг — стал шестнадцатым.

ГЛАВА 5

Медведь сел в кресло и закрыл глаза. Острая боль пронзила правый бок, как будто дьявол своей когтистой лапой пытался добраться до самого нутра.

Эта боль была знакома ему. Она стала давать о себе знать два года назад и становилась все сильнее и продолжительнее. В больнице после обследования он поинтересовался у врачей о своем состоянии, но они отвечали общими словами и говорили, что недомогания возможны, и вообще возраст! Медведь понял, что дни его на этом свете сочтены, нужно только успеть сделать то, что задумал. Он с трудом приподнял правую руку, сумел дотянуться до тумбочки, на которой лежали таблетки, взял одну из них и проглотил. Боль не исчезла, но стало значительно легче. Он нажал на кнопку звонка, и дверь мгновенно распахнулась — перед ним возник Алек.

— Что можешь сказать? — спросил старик.

Алек в этой команде был чем-то вроде начальника контрразведки, он имел связь не только с воровским миром, свои люди были и в комитетах, которые щедро подпитывались за счет воровского общака. И если Медведь просил у него какую-нибудь информацию, то знал наверняка — она достоверна.

— Он чистый. Никакого компромата, никаких связей с ментами. Если бы это случилось, то воры бы его вычислили раньше. Умен, честолюбив. Я думаю, он как раз тот человек, который нам нужен. Ни перед чем не остановится и далеко пойдет. Воры говорят, что там, где он, — всегда порядок и сытный общак.

Медведь согласно кивнул. Он был согласен с Алеком, но права на ошибку не имел даже он, слишком высока была цена.

— Пусть он погостит у меня несколько дней, прощупай его еще раз, более тщательно. Если что обнаружится, то он отсюда живым не выйдет. Скажи, чтобы прослушивали его телефон, и, если будет хоть намек на связь с милицией, сразу сообщи мне.

— Хорошо. Если пожелаете, можем установить камеры. Мы сделаем так, что он их не заметит.

— Заметит! Никаких камер. Он обладает редкой памятью, он заметит, даже если чуть сдвинуть стул. Будем надеяться, что он чист. Только такой человек нужен нашей организации. Все. А теперь я хочу побыть один.

Алек вышел. Память навязчивым наваждением вернула Георгия Ивановича в далекую молодость. Он был прозван Медведем совсем не за крепкую стать и рост, как раз наоборот: Гоша был росточка среднего, сухощав, и что его отличало от множества воров, так это квалификация — он был медвежатник. И не просто какой-нибудь бесталанный потрошитель сейфов, а медвежатник думающий. Медвежатники вообще были почитаемым народом в воровском мире. Здесь, как нигде, нужна смелость, изобретательный ум. Профессия такая, что без риска не обойтись, а ко всему прочему нужны и умелые руки. Но Георгий Иванович был настолько силен в своем ремесле, что пользовался авторитетом даже среди медвежатников, которые уважительно и прозвали его Медведем. Кличка эта закрепилась и пристала к нему куда больше, чем настоящее имя. Воры-карманники смотрели на него снизу вверх, и не каждому из них он протягивал свою сухую теплую ладонь.

Последний раз он сел незадолго до войны, тогда они взяли сейф на одном из казанских заводов. Эту операцию Медведь считал одной из самых удачных в своей жизни. Сейф швейцарской работы казался неуязвимым — его не брали алмазные сверла, к нему неприменим был автогенный резак, он не боялся взрывчатки, и если и была на него узда, так она находилась в руках Медведя. Он приобрел за границей аналогичный сейф, неделями колдовал над кодовым замком, пробовал множество отмычек, а когда замок наконец сухо щелкнул, торжествующе показал изогнутую проволоку.

— Вот этой штукой я теперь выпотрошу любой швейцарский сейф. Ну что, братва, подставляйте карманы для миллионов!

Следующий этап операции заключался в том, чтобы проникнуть на завод. Этот завод больше напоминал крепость: стены его возвышались на несколько метров, по самому верху был проведен ток высокого напряжения, суровые охранники придирчиво изучали внешность каждого входящего. Но было единственное слабое место — система канализации. Медведь сам удивлялся тому, что администрация и охрана не уделяют ей достаточного внимания. Подземная часть завода напоминала запутанный лабиринт, прорытый трудолюбивыми кротами. Один из тоннелей уходил далеко в город. Конечно, входы были изолированы от внешнего мира громоздкими решетками, на которых болтались увесистые замки.

Однако для медвежатника такого уровня, как Гоша, это было мелочью: все равно, как если бы их не было совсем.

Медведь тщательно изучил канализационные сообщения, по секундомеру определил, сколько времени ему потребуется на отмыкание многочисленных замков и дверей, сколько уйдет на переходы по низким тоннелям, и только после этого взялся за дело.

Канализационный тоннель выводил прямо в здание завода. В этот час цеха были пусты, но в помещениях горел свет, где-то на верхних этажах раздавался размеренный шаг кованых сапог — это бодрствовал один из сторожей. Сейф находился на втором этаже за тяжелой чугунной дверью. На отмыкание двери уйдет сорок три секунды, потом нужно будет ее так же неслышно прикрыть. Дальше сейф. Он находился прямо напротив двери у стены, к нему подключена чуткая сигнализация. Ровно в три часа ночи будет устроено замыкание, которое продлится четыре с половиной минуты. За это время Медведь должен будет открыть сейф, вытряхнуть его содержимое в мешок и так же осторожно закрыть его. Мешков, судя по количеству денег, должно быть два, второй достанется компаньону. Уйдут они той же дорогой, которой проникли на завод. У выхода из канализационного люка их будет ожидать грузовая машина.

Все произошло именно так, как и рассчитывал Медведь, но через три дня его задержали. Медведь посчитал неблагоразумным исчезать сразу после ограбления. Нужно вести себя так, как будто ничего не произошло. Он показывался на людях, сделал даже попытку устроиться столяром на мебельную фабрику, но вечером третьего дня в его квартиру под самой крышей нетерпеливо постучали люди в военной форме. Уже по стуку в дверь Медведь понял, что пришли за ним. Так могут стучать только хозяева, а ты невольно начинаешь ощущать себя квартирантом. Нужно было выглядеть непринужденным и ничем не выдать своего беспокойства. Медведь открыл дверь и встретил гостей чуть ли не с улыбкой.

— Медведь? — поинтересовался один из них, тот, что был ростом повыше. Он тоже улыбался так, будто повстречал хорошего знакомого.

— Вы ошиблись. Я не Медведь, меня зовут Георгий Иванович, может, товарищ Медведь живет этажом выше?

— Не придуряйся, Медведь. Весь Союз тебя знает, как неуловимого медвежатника, а о твоем имени уж давно никто не помнит.

Форма шла этому паршивцу-оперативнику и наверняка сводила с ума буфетчиц из спецстоловой. Он явно не без гордости носил новые галифе и то и дело ласкал пальцами скрипучую портупею. Верзила оттеснил Медведя из проема дверей и по-хозяйски поинтересовался:

— Где прячешь деньги, Медведь?

— Посмотри у меня в пиджаке, может, наскребешь рубль с мелочью себе на ужин.

— А ты остряк, Медведь, только мы шутить не намерены. Куда же ты дел пять миллионов? Может, зарыл где-нибудь в саду под яблоней?

— Какие миллионы?

— Те самые, которые вытащил три дня назад из заводского сейфа.

— Тогда пошуруйте руками в помойном ведре, может, они там лежат, — любезно распахнул Медведь дверь в туалет.

Верзила хмыкнул. Он с удовольствием размазал бы этого наглеца по стенке, однако распоряжений по этому поводу у него не было.

— Пять миллионов вытащил именно ты. — Верзила уверенно расхаживал по комнате, оставив своего напарника у самых дверей, на случай, если Медведь попытается смыться. — Хорошо, если не ты, тогда кто из твоих дружков ограбил заводской сейф?

— Я не слышал ни о каких ограбленных сейфах.

— Такую чистую работу мог проделать только ты. Извини, Медведь, но придется тебя задержать. Пока мы не располагаем никакими доказательствами, но они у нас очень скоро появятся. А теперь руки! Я сказал: выставить руки! Вот так-то оно будет лучше. — И опер не без удовольствия защелкнул наручники на запястьях Медведя.

Месяц его продержали в одиночке, ни разу не вызывая даже на допрос, это был один из приемов психологической обработки, и Медведь был готов ко всяким неожиданностям. Потом его вызвал тот же самый опер и, положив пистолет рядом с собой на заваленный бумагами стол, сразу заявил:

— Медведь, мы знаем, что деньги вытащил ты. Нужно быть дьявольски хитрым, чтобы не оставить даже малейшего следа. Все замки на месте, ни один не сорван, и — ни одной царапины! Мы даже не знаем, как ты зашел и вышел, впрочем, теперь нас это не особенно интересует. Деньги найдены. Твой сообщник, с которым ты поделился миллионами, попался как жалкий фраер, соря этими бумажками в ресторане. Он же нам сообщил, куда ты спрятал свой мешок.

Медведь сидел не шелохнувшись. Слишком много он видел, чтобы сейчас попасться на дешевый выпад мента.

— Так что ты по-прежнему нищий, Медведь. Сообщников выбирать ты так и не научился. Я поднял твое дело и увидел, что ты трижды был предан своими друзьями. А ведь ты всегда много на себя брал и делился с ними поровну. Мне остается только пожалеть тебя, Медведь, но я предлагаю тебе свою дружбу. Мы не предаем своих друзей, наоборот, оказываем им всяческую поддержку. Мы прощаем тебе это ограбление, тем более что деньги уже у нас. Ты будешь с нами?

— Ты забываешь, что я медвежатник, а не продажный фраер. Это явно не по адресу.

— Ты не хочешь пожать протянутую руку?

— Поищи другого Иуду!

— Оказывается, ты силен в богословии?

— Я сам не хочу на вас, ментов, работать, но если бы это и произошло, то каждый вор стал бы пальцами тыкать в мою сторону и плевать вслед. Найдутся охотники, которые воткнут мне перо в бок.

— Медведь, у тебя нет выбора, — спокойно заметил опер. — Люди с такими руками, как у тебя, появляются на свет раз в пятьдесят лет, и остается только недоумевать, почему они не на нашей стороне. Ладно, я не хочу вести с тобой долгие разговоры. Знай, что ты даже получишь офицерское звание, если согласишься быть нашим консультантом по изготовлению сейфов. Возможно, тебе придется выполнять раз в неделю кое-какие небольшие задания по твоей основной специальности. Эти операции будут производиться в строжайшем секрете. К нам поступили сигналы о том, что некоторые военачальники и работники аппарата хранят у себя в сейфах документы, клевещущие на наш строй, а также строят планы по уничтожению руководителей партии и правительства. Это заговор, и дело весьма серьезное. НКВД должен знать все. Во всем этом ты обязан помочь нам разобраться, в том твой гражданский долг. За помощь мы готовы простить тебе некоторые твои прегрешения.

— А что будет, если я все-таки скажу нет? — вяло поинтересовался Медведь.

— Тебя просто не станет, — безразлично ответил опер и, взяв в руки пистолет так же беспристрастно продолжил: — Или ты выйдешь отсюда офицером НКВД, или тебя вынесут с простреленным черепом. Таковы инструкции. А теперь выбирай.

— Я не могу ответить так сразу, мне нужно хотя бы подумать, — тянул время Медведь.

Опер согласно качнул головой:

— Конечно, ты прав, это решение будет поворотным в твоей судьбе, и его нужно хорошо обдумать. Поэтому я даю тебе целых три минуты. Если ты не сможешь уложиться в них, при всем моем уважении к твоей персоне я вынужден буду тебе продырявить череп. А теперь думай, — опер взглянул на часы. — Прошла минута... Полторы... Тебе осталось думать еще минуту...

Медведь сидел неподвижно. Он нисколько не сомневался в том, что ровно через минуту грянет выстрел. Последнее, что он увидит, будет яркое белое пламя, которое изрыгнет из себя каленый вороной ствол, а потом наступит мрак. Наверняка по коридору его потащат за стоптанные башмаки, а руки безвольно будут раскиданы в разные стороны. Встречные оперы с интересом будут заглядывать в обезображенное выстрелом лицо и спрашивать:

— «Это и есть Медведь?».

— «Он самый» — будет ответ.

Возможно, воры во всех лагерях поднимут бузу. Не такой уж он незаметный, чтобы пропасть в кабинетах следователей, но его самого уже не будет.

И когда отверстие ствола темным зрачком остановилось у самой переносицы, Медведь проговорил:

— Я согласен.

— Ну, вот и договорились. — Опер неторопливо сунул пистолет в блестящую кобуру. Похоже, он нисколько не сомневался в согласии Медведя. — Начнешь работать уже с сегодняшнего дня. Работы будет невпроворот. Тебе оформят документы и переведут на довольствие, а завтра вечером тебе нужно будет, Георгий Иванович, распотрошить сейф одного из генералов. Мы давно хотим проверить его на благонадежность. Сейчас он как раз в отъезде, а через день мы вернем документы на то же место, в таком же порядке. Тебе все понятно?

— Пока да.

— За каждую операцию с тобой будут расплачиваться отдельно. Это будет что-то вроде премиальных. — Опер поднялся со своего места и присел на край стола.

У опера на щеке был небольшой шрам. «Интересно, кто его ковырнул?» — подумал Медведь.

Он пытался изобразить заинтересованность, и со стороны могло показаться, что Медведя вполне устраивает перспектива потрошить сейфы у государственных деятелей. Он знал о том, что ему не удастся уйти во время первого выхода в город, наверняка за ним будут следить. Малейшая попытка улизнуть может оказаться роковой. Сотрудничество с НКВД тоже не может продолжаться слишком долго, рано или поздно наступит тот критический момент, когда они поймут, что он становится опасным свидетелем, и его труп с дыркой в затылке найдет дворник где-нибудь в глухих тупичках окраинных улиц.

— Такая работа по тебе, — продолжал опер. — Обычный сейф, что орех расколоть. А швейцарских сейфов, думаю, больше не будет. Но помни, — опер даже выставил вперед палец, — главная задача — сделать так, чтоб хозяин ничего не заподозрил.

— Хорошо, я сделаю все, что вы хотите, — ответил Медведь, — но где гарантии, что вы меня не пристрелите после первого же взлома.

Верзила улыбнулся, теперь он выглядел на редкость добродушным.

— Ты нам будешь нужен еще долго, Медведь. Думаю, сотрудничество наше будет успешным.

На легковой машине Медведя подвезли к самому дому. Отмычкой, без особого труда, он открыл дверь. В коридоре под ногами тихо поскрипывал паркет. Его долго инструктировали, и Медведь знал, где находится сейф — в спальной комнате, в самом углу, у окна. Открыть сейф оказалось ребячьей забавой. Давно он не чувствовал удовольствия от легкой работы. Вот если бы так открывались банковские сейфы! В сейфе лежало несколько папок, он аккуратно стал укладывать их в сумку, а когда убрал последнюю, то увидел, что за ними пряталась толстая пачка денег, Медведь едва справился с искушением, чтобы не сунуть ее в карман, но, подумав, бросил в сумку и деньги. Потом так же аккуратно закрыл сейф.

— Папки в сумке. Они лежали в том же порядке, как я их уложил.

— Не смотрел? — подозрительно взглянул опер на Медведя.

— Это не в моих правилах.

— Знаю. Просто предупредил на всякий случай. Поехали, — сказал опер шоферу, и машина, горбатая и черная, гигантской крысой поползла прочь от дома.

Документы опер у себя долго держать не стал, и уже через день Медведь вернул папки на прежнее место, сюда же положил и деньги, перевязанные точно так же бумажным шпагатом. А еще через неделю Медведь прочитал некролог, который скорбно извещал о безвременной кончине выдающегося государственного деятеля. Это был хозяин той самой квартиры, куда он несколько дней назад приходил за документами.

Медведь открывал сейфы и дальше, и всякий раз такие визиты становились предвестием смерти, словно именно он тихими шагами заносил в дом беду. По ночам ему стали сниться кошмары; лица на некрологах смотрели на него строго, словно судьи при чтении приговора, и эти портреты на его глазах превращались в белые черепа. Он уж не мог избавиться от этих видений. Это был рок.

Не было случая, чтобы смерть обходила стороной дом, куда он совершил визит. Хозяин квартиры либо исчезал, либо его находили мертвым в разбитой машине. Медведь понимал, что идет какая-то крупная игра, уже выставлены ставки в десятки человеческих жизней, однако правил этой игры он не понимал. И он был готов к тому, что пройдет совсем немного времени и ангел смерти постучит и в его дверь.

Однажды Медведь решил полюбопытствовать, что же находится в папках, которые он извлекает из сейфа. Только он приоткрыл одну из них, в дверях появился верзила-опер.

Как всегда, он дружелюбно улыбался.

— Интересные документики, не правда ли?

— Я не читал, — захлопнул Медведь папку.

— Все понятно, — качнул головой опер, — ты открыл папку для того, чтобы взять бумажку и сходить с ней в сортир. Быстро в машину!

На мгновение Медведь испугался, но через минуту страх испарился легким облачком. Медведь пытался рассуждать логично: его не убьют сразу даже потому, что он — одна из карт, которая составляет большую колоду, и нужно соизволение туза, чтобы побить его масть. Кроме того, кто-то же должен положить обратно эти папки. На этот раз сейф был сложный — немецкой фирмы, а немцы умеют делать на совесть. Выходит, у него пока есть время, но вот сколько? Два дня? Три? А может быть, ему осталось жить всего лишь несколько часов?

Машина уже набрала скорость, а опер тщательно упаковывал папки. Он никогда не надевал на дело формы, все на нем было простым: свитер и старенькие брюки. Больше всего он сейчас был похож на работягу, спешащего после работы в пивную.

А может, они убьют его после того, как он положит папки обратно на место? Все будет смахивать на обычное ограбление. Такой метод в их практике. Если так, то у него в запасе по крайней мере еще целые сутки.

Опер повернулся к Медведю и спокойно сказал:

— Будешь сидеть дома, и до завтрашнего дня никуда не выходи. – Медведь согласно кивнул, уже понимая, что не ошибся в своих предположениях. — Сегодняшний клиент особенно серьезный, и нам очень бы не хотелось, чтобы произошла какая-нибудь промашка.

— Договорились. Не подведу.

Медведь не был бы вором, если бы кроме своей основной работы не промышлял бы в каком-нибудь богатом магазине. Он давно наблюдал за универмагом: чутье подсказывало ему, что вся информация пойдет ему впрок.

Однажды он попросил у опера, будто для работы, подробные описания и схемы отечественных и швейцарских сейфов. Просьба вора была удовлетворена немедленно. Похожий сейф находился в универмаге. Он даже прогулялся по залам, соображая, как лучше подобраться к цели. «Через крышу, — решил он. — Главное — сигнализация, потом мешки можно будет спустить на веревках во двор и выбраться самому».

Медведь понимал, насколько это мероприятие рискованно, но более безопасного варианта придумать не мог. Он поднял трубку, набрал номер и сказал:

— Это я. Сегодня в двенадцать. У меня двое.

Медведь не терял связи со своим прежним окружением. Он незаметно подбрасывал к будке сапожника записки, которые немедленно поднимались. В них он обговаривал детали предстоявшего дела.

Этот короткий монолог означал одно: двоих, которые стерегут Медведя у входа, нужно ликвидировать. До двенадцати нужно обесточить сигнализацию. В распоряжении у него будет только два часа, за это время он должен выпотрошить сейф, спуститься с крыши и на машине уехать как можно дальше от города.

Медведь не случайно решил остановить свой выбор именно на универмаге: сейчас там велись ремонтные работы, и здание, опутанное строительными лесами, словно паутиной, было уязвимым.

Самое трудное было — это уйти незамеченным. Медведь решил уходить через окно.

Ровно в десять вечера он встал и подошел к окну.

На противоположной стороне улицы остановилась машина, из темного нутра которой вышли три человека. Вечерние сумерки скрывали их лица, но Медведь знал, кто это: ему были знакомы их походки, привычки, жесты. Не нужно было вглядываться в темноту, чтобы понять, что это те, кого он ожидает. Сейчас они должны пройти по тротуару, потом на перекрестке перейти на другую сторону. Один из них, тот, что пониже ростом и пощуплее, по трубе залезет на второй этаж и проникнет на лестничную площадку. Двое других будут поджидать его внизу: они возьмут на себя сторожей. Все должно произойти быстро: три минуты — предельное время.

В это время на глухих казанских улочках народу не бывает, если что-то и помешает, так это преждевременная стрельба.

Как только трое скрылись за углом, Медведь неторопливо надел пальто, проверил портфель — ключи, отмычки, все на месте, — потом посмотрелся в зеркало. Отметил, что на висках появилось несколько седых волос, подумав, решил присесть на дорогу для удачи и только после этого открыл дверь.

Спускался он неторопливо. На нижнем лестничном пролете увидел свой недавний караул. Двое охранников сидели на полу, подперев спинами стены, и, если бы не безвольность во всем теле, можно было подумать, что они живые.

— Мы их оставим здесь, — вышел из темноты человек, — не тащить же их в машину. К тому же и места нет.

— Все обошлось?

— Убрали так, что и пикнуть не успели.

— Пойдем, у нас в распоряжении два часа. Через два часа должны прийти за мной и сменить этих.

— Уложимся?

— Все будет в порядке, я уже подсчитал.

Из подъезда вышли неторопливо. В жестах ни малейшей суеты, обычный прогулочный шаг. Тотчас подъехала машина, и они влезли вовнутрь.

— Вперед, к универмагу!

...С тех пор Медведь не попадался ни разу. После удачного ограбления универмага он лег на дно. Не уставал менять фамилии, внешность. Кем он только не был за это время! Медведь больше не взламывал сейфы, с этим ремеслом он расстался навсегда, он занялся организацией воровского дела. Шаг за шагом, год за годом собирал в своих руках власть в разных регионах, напоминая великого князя-завоевателя, который присоединяет к себе земли менее могущественных князей. Медведь скоро сосредоточил в своих руках гигантскую империю. Его могущество началось с того, что он просто был арбитром в воровских разборках, понемногу накапливал авторитет, а потом, устав от роли беспристрастного судьи, стал сам по своему усмотрению вершить судьбы. Медведь стал убирать неугодных, заменяя их на более сговорчивых, собирал слухи, порочащие честь воровских авторитетов, и потом давал им ход, привлекал на свою сторону крупных воров, а с некоторыми даже делил власть.

Однажды, пятнадцать лет назад, устав от жизни воровского отшельника, Медведь посмел появиться в свете и сразу заметил к своей персоне пристальное внимание комитета безопасности. Не забыли Медведя, и дело его не было отправлено, как он ожидал, в архив, казалось, оно дожидалось своего хозяина только для того, чтобы через многие годы предъявить ему обвинение. Были наняты лучшие адвокаты. Медведь не жалел денег, сорил ими так, будто это были конфетные фантики. Он чувствовал себя купцом, посетившим церковь в благословенную Пасху. Скоро его дело было прикрыто за давностью лет, по болезни и старости обвиняемого. Но, понимая, что теперь он не сможет сделать и шагу без пристального внимания со стороны заинтересованных лиц, Медведь решил исчезнуть и организовал себе пышные похороны, и не где-нибудь, а на Ваганьковском кладбище. Это ему удалось. Смерть патриарха была инсценирована настолько искусно, что в нее поверили даже воровские авторитеты. Со всех концов огромной воровской империи были присланы гонцы, которые стояли в очередь, чтобы снять перед его прахом шапку и возложить на могилу пышный венок. И только пятнадцать самых посвященных знали о том, что Медведь таится неподалеку и с умилением наблюдает за собственными похоронами.

...Печень отпустила, и Медведь решил это отметить — ничто так его не успокаивало, как рюмочка холодной водки. Медведь встал, открыл бар и плеснул из бутылки на самое донышко рюмки. Некоторое время он наблюдал за тем, как колышется на дне прозрачная водочка, как отбрасывает на хрустальные грани желтоватые блики, а потом уверенно залил в себя содержимое. Его кровь жаждала именно этого напитка. Только водка могла разогнать ее по жилам и вернуть телу былую энергию.

— Алек! — снова позвал Медведь, и тот сразу появился в дверях.

Алек был предан Медведю до самопожертвования и, если бы потребовалось, днями и ночами лежал бы у порога Медведя сторожевым псом.

Несмотря на свою непродолжительную карьеру в НКВД, Медведь у чекистов многому научился, в том числе и правилу: «Не доверяй никому!» Он не однажды убеждался в верности этого принципа и сейчас, следуя старой привычке, поинтересовался:

— Звонил ли куда-нибудь Варяг?

— Звонил, Георгий Иванович.

— Это интересно. Куда же? — Медведь наполнил вторую рюмку.

— Он звонил в другой город. Там живет прежняя его любовь, с которой он однажды провел ночку в поезде.

— Что же такого он ей говорил?

— Ничего не сказал. Как только услышал ее голос, так сразу положил трубку. Я потом заглядывал к нему, железный парень. На лице ни тени страданий.

— Хорошо. Иди пока к себе, Алек.

Медведь остался доволен. Он не ошибся в парне, Варяг созрел для больших дел. Он никому не проговорится о гостеприимстве, даже если из него будут тянуть жилы. Парень честолюбив, дерзок, смел, молод. Важно только направить все это в нужное русло. Конечно, это пока только дорогой алмаз, над которым придется изрядно поработать, чтобы придать ему правильную огранку. Пройдет совсем немного времени, и свет внутри бриллианта заиграет радужными бликами.

Вот только девушка эта... Ладно, потом. Потом надо будет разобраться...

В молодом Варяге Медведь узнавал себя. Когда-то и он был так же беспечно молод, так же честолюбив, полон планов, многие из которых удалось реализовать. Конечно, если бы у него был сын, то империю, которую он сложил из сотен кубиков, передал бы ему. Этому мощному зданию нужен крепкий хозяин, который не даст ему рассыпаться. В противном случае многие годы созидания пойдут насмарку. Из своего окружения нужно выбрать самого достойного, того, кто сможет справиться с этой ношей. Это дело непростое: нужно быть и дипломатом, и господином. Каждый вор — личность, не считаться с которой невозможно. За каждым стоит большая группа людей, на которую можно опереться в любую минуту. Чтобы подчинить себе эту группу, нужно завоевать доверие и уважение хозяина.

Медведь выпил и эту рюмку, и снова водка согрела его. Хватит. Очень не хотелось бы умирать на старости лет от перепоя. Он спрятал водку в бар, туда же поставил и рюмку.

ГЛАВА 6

Варяг долго не мог успокоиться, услышав голос Светы, мгновенно воскресивший в нем полузабытые воспоминания. Внешне он выглядел прежним — тот же ленивый взгляд усталых серых глаз, то же невозмутимое выражение лица. Единственное, что его выдавало, — это руки, которые никак не могли успокоиться: то возьмут книгу со стола и вдруг швырнут ее в угол; начнут листать журнал и закроют его с отвращением; или, потянувшись к какой-нибудь картине, начинают колупать краску. «Спокойно, спокойно, — внушал себе Варяг. — Возьми себя в руки. Ты вел себя куда более достойно и не в таких ситуациях, а тут от одного звука женского голоса сходишь с ума, как самец во время брачного периода. Если уж на то пошло, то ее можно будет увидеть и после операции. Можно даже жениться на ней. Весь вопрос в том, захочешь ли ты сам этого. Слишком многое вас разделяет. Для тебя будет лучше, Варяг, если ты выбросишь эту блажь из головы и начнешь думать о чем-нибудь другом. Сейчас я сосчитаю до десяти, и ее нужно будет забыть, хотя бы на сегодня. Раз... Два... Три...»

Однако, даже сосчитав до десяти, Варяг не смог забыть Свету. Ее образ был наваждением. Он казался сейчас наказанием за ранее совершенные прегрешения.

Варяг вспомнил, как увидел ее впервые, в хирургическом отделении городской больницы. Он лежал на столе совершенно обнаженный, с распоротым в драке животом, а она в синем халате и такого же цвета колпаке стояла рядом с хирургом и, подавая инструменты, с любопытством рассматривала его наколки. Он не видел ее лица, и только пронзительные синие, живые и веселые глаза сияли над марлевой маской. Хмыкнув, хирург спросил:

— Ну что, боец, кричать будешь? Или все-таки наркоз?..

— Я — вор, — неожиданно для себя заявил Варяг.

Она звонко расхохоталась:

— Да хоть палач. Боли-то все боятся!

А когда хирург зашивал его, он, морщась от боли, говорил:

— Сестра, а что, если мы с вами как-нибудь встретимся? В ресторан сходим или в театр...

Она смеялась и отвечала:

— Ты выживи сначала, ковбой, а потом уж будем про рестораны разговаривать...

А увидев ее без маски, Варяг был просто сражен ее красотой и вскоре после выписки из больницы заявился в отделение с огромным букетом роз. Светлана покраснела от удовольствия и сказала:

— Терпеть не могу ресторанов.

Как в омут, забыв обо всем на свете, бросились они в свой головокружительный роман. За всю свою жизнь Варяг никогда не был так счастлив с женщиной, и, когда ему снова пришлось отправляться на зону, он впервые шел туда с сожалением. Ему страшно не хотелось расставаться со Светкой, кроме того, он боялся, что за то время, что он будет сидеть, она забудет его и найдет кого-нибудь другого. Но этого не произошло: она писала ему длинные ласковые письма, приезжала на свидания, а когда он вышел, от счастья всю ночь прорыдала в подушку, уговаривая его бросить свою профессию.

И сейчас Варяг знал, что Светлана верна ему и любит только его. Они оба считали, что предназначены друг для друга и никто другой не сможет занять место одного из них.

...Варяг долго перебирал пальцами хрустящие листки журналов, теребил обшивку кресел и наконец, утомленный самоистязанием, тревожно уснул.

Всю ночь его мучили кошмары, и лишь под утро приснилась сама Света. Она гладила его по голове, целовала в губы и говорила:

— Ты же сильный, ты сам знаешь, что нужно делать. Поступай, как велит тебе твое сердце, а я от тебя никуда не денусь...

Проснулся Варяг в полдень следующего дня. За все это время никто не осмелился его побеспокоить. Он чувствовал, что оставил во вчерашнем дне свои опасения и теперь молодой любовницей его поджидала новая жизнь.

Варяг подошел к окну: во дворе все так же разгуливали парни с автоматами, вот только машин стало поменьше, видно, гости Медведя разъехались по своим делам, оставив Варяга отлеживать бока. Телохранители громко смеялись, о чем-то оживленно переговариваясь, и было видно, что жизнь в этом замке протекает для них безмятежным приятным отпуском. На миг Варяг почувствовал к этим здоровякам раздражение, которое скоро было забыто — так быстро забываешь о плохой погоде, если на улице не идет дождь. Без этих парней тоже нельзя, они часть той огромной машины, за рулем которой вот уже десятки лет сидит вор по кличке Медведь.

Варяг снова вспомнил о Светлане, но сейчас это не было так болезненно. Это уже не навязчивая идея, какой она была еще вчера.

Варяг чувствовал в себе перемену. Он жаждал действий. Похожее ощущение испытывают бойцы перед скорым наступлением, вот тогда ожидание становится тягостным, и даже мысль о возможной смерти не так страшит.

Скоро зашел Алек. Он так же добродушно улыбался, как и при первой встрече. И, не зная их отношений, можно было бы подумать, что они дружат по меньшей мере с десяток лет. Его улыбка не могла не обезоружить, но Варяг не сомневался и в том, что с таким же дружелюбием тот мог бы пустить в ход нож, если того потребует случай.

— Я еще раз связался с нашими людьми. Операция тебе назначена досрочно: сегодня на три часа. В это время в здании никого не будет, не считая врача, который будет тебе ее делать, и медсестры.

— Что мне следует делать, к чему готовиться?

— Тебе нужно будет просто лежать, а когда проснешься, твое лицо будет другим.

— Как же мне будут делать операцию, если они меня ни разу не видели? — засомневался Варяг.

— Открою тебе небольшой секрет. Мы готовились к этому раньше, твои фотографии и возможных претендентов уже изучались. Врачам было передано все, что они просили. Потом врач видел тебя сегодня утром, пока ты спал. — И Варяг понял, что чувство неловкости его не обмануло, когда он почувствовал, что кто-то пристально всматривается в его лицо. Такое ощущаешь даже во сне. — Врач сказал, что операция будет простой, но ты себя не узнаешь. Когда мы зашли в твою комнату, то ты все время повторял женское имя. Света, кажется?

От этого бесхитростного лукавства лицо Алека сделалось еще обаятельнее, на него невозможно было сердиться, и Варяг в ответ улыбнулся:

— У меня есть просьба.

— Если ты не попросишь звезду с неба, остальные просьбы выполнимы.

— Моя просьба поскромнее, — продолжал улыбаться Варяг. — Терпеть не могу вида крови. Пусть врач сделает так, чтобы, когда я открою глаза, не видел на себе простыню, забрызганную кровью.

— Постараюсь сделать так, как ты хочешь, — улыбнулся Алек.

Когда Варяга увозили, действительно были предприняты самые большие меры предосторожности: стекла в машине были затемнены, сам Варяг закутался по самый нос плотным шарфом, на голове клетчатое кепи. За рулем сидел все тот же безголосый шофер, казалось, что его совершенно не интересовало, что делается вокруг. Он следил только за дорогой и светофорами, а Алек ненавязчиво напоминал:

— Не беспокойся, операция будет проделана на самом высоком уровне. Не буду говорить, кто ее будет делать, эти имена тебе все равно ничего не скажут, но человек этот — виднейший в своей области. Его скальпель уже кромсал лица нескольких коммунистических лидеров из капстран. Теперь их не узнают не то что бывшие соратники, но даже родная мать. Если предыдущие операции были заказаны по поручению комитетов, то эта будет отличаться тем, что будет выполнена по решению сходки. Врач — наш человек. Его сейчас не интересует ничего, кроме денег. Не так давно он женился на молоденькой балерине, которая сосет из него деньги, как иссохшая почва.

— А если он меня выдаст?

— Не выдаст, — уверенно закачал головой Алек, — тогда он лишится не только своей хорошенькой жены, но и собственной жизни. И вообще, люди из комитетов не очень болтливы, к тому же

мы знаем про него еще кое-что такое, что заставит
·го держать язык за зубами, даже под пытками.

Машина уже преодолела суету и неразбериху центральных улиц и катила по узким городским улочкам, обойденным общим вниманием; только иногда
здесь встречались редкие прохожие, которые пропа-
дали в укромных подворотнях и двориках. Если
что-то и тревожило покой далекой окраины, так
это беспрерывный лай собак, которые чувствовали
здесь себя полноправными хозяевами вдали от ос-
новных городских магистралей.

Машина остановилась у серого неприглядного здания, ничем не отличающегося от множества других,
щедро разбросанных на многие кварталы во все
стороны. Отсюда Варяг должен был уйти новым
человеком.

— Ты пойдешь один, — сказал Алек, — ни к
чему толпой привлекать к себе внимание. Это один
из подпольных медицинских центров, и здесь не
только изменяют внешность.

— Здание уж больно неказистое, — кивнул Варяг
на обшарпанные стены.

— А ты на стены не смотри, здесь и не должно
быть помпезных фасадов с колоннами. Все должно
быть скромно, чтобы ничего не бросалось в глаза. — Он посмотрел на часы. — У нас еще есть
две минуты. Поднимешь воротник, надвинешь на
самое лицо кепку. Мы должны застраховаться от
малейших случайностей, на случай, если какому-ни-
будь дурню захочется тебя сфотографировать. У
входа тебя встретит миленькая сестричка. Ничего у
нее не спрашивай — она не должна слышать даже
твоего голоса. Ей платят за молчание, а это компенсирует любое любопытство. Она отведет тебя
туда, куда нужно. А теперь давай! Ни пуха!

— К черту!

Варяг взялся за ручку, мягко отворилась дверь,
но Алек слегка придержал ее.

— Самое главное забыл: сунь в карман вот этот платок, да чтобы самый угол торчал, а то не подойдет никто. А теперь иди!

Варяг вышел из машины, чувствуя, что в спину смотрят две пары внимательных глаз. Одним махом он преодолел три ступени и уверенно распахнул дверь. В вестибюле его действительно встретила хорошенькая сестричка с кротким, как у мадонны, личиком. Вместо приветствия она произнесла несколько слов:

— Вас ждут, следуйте за мной.

Внутренняя отделка здания, вопреки ожиданиям, удивила Варяга роскошью, здесь было хорошо и уютно. Чувствовалось, что здесь ценят чистоту и порядок: в коридорах — до блеска натертый паркет, на стенах ни пятнышка. Сестра уверенно цокала маленькими каблучками, увлекая Варяга в глубь здания. Ему доставляло удовольствие смотреть на ее красивые бедра и крепкие икры, и он не смог бы отстать от нее ни на шаг, даже если бы захотел. Наконец она остановилась против высокой двери.

— Постучите три раза, — сказала сестра и направилась дальше по коридору, мгновенно потеряв к нему прежний интерес.

Варяг дождался, пока смолкнет музыка ее каблучков, а потом постучался три раза. Дверь сразу распахнулась, и он увидел высокого худощавого мужчину лет пятидесяти, в белом просторном халате, плечи которого висели едва ли не до самого локтя, рукава закатаны, из них широкими лопатами торчали ладони. Врач радушно улыбнулся Варягу, приглашая войти. Чего не хватало в этой встрече, так это дружеского объятия.

«Интересно, сколько же денег отвалил Медведь за такой дружеский прием?»

Врач усадил гостя в удобное и мягкое кресло, долго и очень внимательно рассматривал его лицо. Наверно, так скульптор смотрит на комок глины, прежде чем придать ей подобающую форму. Потом подошел к Варягу и притронулся к его лицу мягкими прохладными пальцами, словно уже приступил к тонкому искусству ваяния, и тут же поджал губы — он явно был расстроен тем, что голова Варяга оказалась не такой пластичной, как он рассчитывал.

Варяг ощущал его прикосновение: вот пальцы заскользили по надбровным дугам, потом притронулись к глазным орбитам, пощупали зачем-то уши. Потом врач взял со стола две фотографии, одну из которых протянул Варягу:

— Узнаете, кто это?

С фотографии на Варяга смотрело его собственное изображение. Только вот когда они успели его сфотографировать? Машины, стеклянное здание. Ах да, это аэропорт, где-то здесь поблизости должен быть и Ангел. Ничего не скажешь, здорово снято, так, как будто он специально выставил напоказ свое лицо.

— Трудно не узнать, — улыбнулся Варяг.

— Вот именно. А на этой фотографии кто?

Варяг взял и другую фотографию, больше похожую на фоторобот. На ней был изображен совершенно незнакомый человек. Но что-то в его лице показалось Варягу неуловимо знакомым. Но вот что? После минутного раздумья Варяг вернул фотографию врачу.

— Мне кажется, я где-то видел этого человека, но где — припомнить не могу, хотя я никогда не жаловался на память, — пожал он плечами. — А здесь даже и не знаю что сказать.

Врач улыбнулся.

— Хотите сигарету?

Варяг не отказался. Закурили.

— Хотите, я вас удивлю?

— Попытайтесь. Это случается не так часто. Мне кажется, я вообще перестал удивляться в последнее время.

— Что ж, попробую. На второй фотографии —

тоже вы, — и, насладившись недоумением на лице собеседника, врач пояснил: — Только здесь вы после операции, которая вам предстоит. Фотография совершенно точная, она просчитывалась на компьютере, так что возьмите ее на память и потихонечку привыкайте к своему новому лицу.

— Спасибо, — Варяг взял фотографию.

Доктор поудобнее уселся в кресле, закинув ногу на ногу, и Варяг увидел красные носки в полоску. Врач не скрывал, что ему была приятна некоторая растерянность его пациента.

Варяг держал в руках обе фотографии, внимательно изучая их. Да, это действительно был он. Это занятие больше напоминало игру, где на одинаковых рисунках нужно было обнаружить ряд различий. Разрез глаз на второй фотографии был несколько шире, лицо выглядело посуше, уши совсем прижаты к черепу, нос аккуратен и прям.

Это был другой человек, и в то же время это был он.

— А представьте себе, если вы надумаете, скажем, отрастить усы или бороду. Вас и родная мать не признает.

— Если говорить об эстетике, где я буду выглядеть поприличнее? — смог улыбнуться Варяг.

— Вы интересный мужчина, — вполне серьезно говорил врач, — но после этой операции женщины сочтут вас особенно привлекательным, и — говорю на языке красавиц, которые готовятся к конкурсу красоты, — у вас улучшится форма носа, другим станет подбородок, будут подтянуты к самому черепу уши. После того как все заживет, пересадим кожу на кончиках пальцев и выведем наколки.

— Доктор, у меня к вам есть одна просьба.

— Пожалуйста, готов выполнить любую вашу просьбу.

— На груди у меня есть наколка: крест с двумя ангелами. Прошу вас, не выводите ее, она мне очень дорога. Расстаться с этим рисунком для меня все равно, как если бы у меня отобрали орден, который я заслужил бы кровью. Эту наколку не будет видно, даже если расстегнуть верхние пуговицы на рубашке.

Доктор удивленно вскинул брови.

— Хорошо, — внимательно посмотрев на Варяга, медленно произнес он. — Вы готовы к операции?

— Когда будете делать?

Доктор посмотрел на часы:

— Через пятнадцать минут.

— Готов. Только у меня к вам будет еще одна просьба...

— Об этой просьбе я уже знаю. Вы не увидите следов крови. Проходите, пожалуйста, вот в эту дверь. Здесь все уже готово к операции.

...В клинике Варяг пробыл почти две недели, и, когда наконец сняли бинты, Варяг отважился взглянуть в зеркало. Себя он не узнал. С прежним лицом он казался себе значительно привлекательнее, сейчас же на него смотрел молодой незнакомый мужчина с грустным выражением глаз. Где уж тут говорить об эстетике, хмыкнул Варяг, разглядывая свое новое приобретение. Но доктор предупредил его, что должно пройти время, прежде чем он отвыкнет от себя прежнего и привыкнет к своему новому обличию.

Очень удивили его пальцы, они казались ему слишком белыми, почти женскими — не было даже темных точек от прежних «перстней». Он не забыл расстегнуть рубаху — на груди наколка законника: крест и летающие ангелы, именно крылья небесных созданий должны унести его в новую жизнь.

Когда отеки и синяки, оставшиеся после операции, спали, в клинике появился Ангел — подтянутый, хорошо одетый, веселый. Пока Варяг переодевался, Ангел переговорил о чем-то с доктором.

Потом, с интересом поглядывая на новое лицо Варяга, повез его в ресторан — отметить новое рождение. По дороге он передал ему небольшую папку.

— Здесь все документы, которые потребуются тебе для новой жизни, — паспорт, свидетельство о рождении, — он улыбнулся своей скупой улыбкой. — Теперь тебя зовут Владислав Геннадьевич. Ты не будешь обижаться, если я буду называть тебя Владиком?

Варяг взял паспорт. Действительно, на отметке «имя и отчество» красивым писарским почерком было выведено: «Владислав Геннадьевич».

— Называй.

— Так вот, Владик, мы выписали тебе даже аттестат об окончании средней школы, полагаем, что очень скоро он тебе может пригодиться. Сможешь все это запомнить?

Варяг хмыкнул. Ему хотелось знать: всерьез это у него спросил Ангел или пошутил.

Ресторан оказался очень уютным; по тому, как встретили Ангела, было видно, что он здесь желанный гость.

— Нам отдельный зал и девочек, — уверенно распоряжался Ангел. — И чтобы накрыто было так, как для себя.

— Все будет по высшему классу, — суетился вокруг них толстый потный человечишка. — Не пожалеете. Что-то давно вас не было?

— Занят был.

Толстяк укатился на своих коротеньких и подвижных, словно шарниры, ножках.

— Что это за чудо? — поморщился Варяг.

— Директор ресторана, — отвечал Ангел. — Это одна из точек, где мы стрижем капусту.

— И какой процент?

— Немного, двадцать процентов.

Отведённый для них зал был небольшим, но очень уютным. Столы и стулья выполнены под старину с красивой резьбой по краям, ножки изогнуты, будто прогибались под собственным весом, но это только подчеркивало их изящество. Зал назывался зеленым и вполне оправдывал свое название: с потолка лился мягкий изумрудный свет, а скатерть и занавески были одного, бледно-салатного, цвета.

— Ты будешь жить в Москве. Мы купили тебе квартиру. Постарайся эту хату не засвечивать, води баб только по крайней нужде. Связь будешь поддерживать со мной или с Алеком. А теперь давай я плесну тебе винца в рюмку! За удачу!

Скоро подошли девочки. Бедовые и красивые. Одна из них, видно, та, что была предназначена Ангелу, жалась к нему ласковой кошкой, другая села Варягу на колени.

— Я сейчас приду, мне надо выйти, — сказал Варяг, деликатно смахивая девушку с колен.

— Ты куда? — спросил Ангел, не в силах расстаться с девицей.

— Все нормально, я сейчас буду.

— Не задерживайся, а то мы будем скучать.

Варяг вышел в холл. На стене висело несколько телефонов. Вокруг никого. Он набрал номер. Повезло сразу — на том конце провода что-то щелкнуло, и он услышал женский голос. Это была Света.

— Света, это я. — Голос у Варяга внезапно охрип.

— Кто — я? — почти сердито переспросила она.

— Ты меня забыла? — Варяг вдруг испугался, что она его не узнает. — Может, вспомнишь вагон, станцию?..

— Владик!

У Варяга отлегло от сердца:

— Он самый.

— Почему тебя так долго не было? — Он слышал, как она заплакала. — Я так тебя ждала... Ты ведь давно вышел... Мне показалось, что ты меня бросил...

— Нет, но, в общем, со мной кое-что произошло.

— Что-нибудь серьезное?

Он слушал ее родной голос и чувствовал, как в груди у него согревается сердце.

— Нет, это лучше рассказать при встрече. Когда мы с тобой встретимся, то ничему не удивляйся. — Варяг вдруг испугался мысли, что, возможно, Света — заложница его новой жизни. Тем, с кем он сейчас знается, не составит труда свернуть ей шею, как цыпленку. Она может быть опасной уже потому, что знала его прежнего. Он почувствовал, как мокрая рубашка неприятно прилипла к лопаткам. — К тебе никто не заходил?

— Нет.

— Не было ли неожиданных звонков?

— Не было. Владик, что произошло, ты меня пугаешь.

Может, он и вправду впадает в панику. Зачем им конфликтовать с ним, когда они собираются хлебать из одной миски.

— Ничего не произошло. И все-таки ты сейчас быстро одеваешься и уходишь. Когда тебе возвращаться в эту квартиру, я скажу...

— Но это же моя квартира...

— Я знаю, что это твоя квартира. Она останется за тобой, но пока ты будешь жить в другом месте, я дам тебе денег. А сейчас уходи!

— Но куда мне идти?

— Только не к родителям, тебя там найдут.

— Владик, кто найдет?

— Расскажу, все потом. Иди к своей подруге, как ее... Галя, кажется?

— Да, Галя.

— Будь у нее, я появлюсь на этой неделе.

Варяг повесил трубку и вернулся в зал. Девушка, сидя за столом, задумчиво курила, держа сигарету холеными пальцами. Глядя на нее, Варяг подумал, что предпочел бы сейчас деревенскую девку вместо этой лощеной красотки, у которой все — от кончиков наманикюренных ногтей до изящно закрученных локонов — предназначалось клиенту, проще говоря — на продажу. Он молча разглядывал ее до тех пор, пока она, почувствовав его взгляд, не обернулась.

— А мы тебя заждались, — кокетливо улыбнулась она.

— Неужто я так долго отсутствовал? — сумел Варяг изобразить изумление.

— Долго, — нарочито капризным голосом сказала красавица. — Я соскучилась... — И длинные холеные руки обвили его шею.

Он почувствовал прохладу ее тонких пальцев. Ангел уже забыл о существовании Варяга, полностью был занят своей девушкой: беззастенчиво тискал ее крепкое тело, укрывал ее крепким объятием, а потом, отстранив слегка, с интересом смотрел.

От былого великолепия на столе не осталось и следа. Недоеденные салаты облиты вином, в тарелках валялся пепел и сдавленные окурки, да и небольшой зал стал напоминать Варягу тесную камеру, где невыносимо зловонило прелой парашей. На воздух хочу! На воздух!

— Владик, почему ты такой грустный? — жеманилась прелестница.

Девушка была красивой и очень молодой. Наверняка она могла бы посоперничать за престижное звание «Мисс». На сцене она выглядела бы загадочной и недосягаемой. А сейчас он мог мять ее тело, сколько хотел. За все уплачено. Сколько же ей лет? Восемнадцать, от силы двадцать. Кожа на лице неправдоподобно гладкая и чистая, и никакого намека на будущие морщины.

— Если бы я рассказал о всех своих переживаниях, ты бы наверняка приняла бы меня за сумасшедшего, — попробовал отшутиться Варяг.

Варяг видел, что Ангелу давно наскучило застолье и он готов перейти к следующему этапу развлечений.

— Пойдем, оставим их вдвоем, — потянул он девицу за руку.

Уже у самых дверей его остановил голос Ангела:

— Владик, здесь по соседству комната. За нами приедут завтра.

Варяг кивнул и прикрыл за собой дверь. Несколько раз он ловил на себе настороженные взгляды Ангела. Может, они ему не доверяют, но ведь его жизнь вся на ладони. А может, они просто хотят, чтобы задуманный ими эксперимент проходил в более стерильных условиях? Только этим можно объяснить, почему они запретили ему увидеться со Светой.

Комната была уютной, с зелеными обоями, как и зал. Кроме небольшого стола здесь еще был и диван с кушеткой. Варягу сейчас хотелось одного: чтобы его не трогали. Он разжал объятия девушки и стал раздеваться.

— Я лягу здесь, — кивнул он в сторону кушетки.

— А разве мы ляжем отдельно? — искренне удивилась девушка. Для нее это было сюрпризом, она привыкла отрабатывать деньги честно. — Я тебе не понравилась? — Она вздернула подбородок и сразу стала похожа на девочку-подростка. — Что же во мне не так?

Варяг внимательно посмотрел на нее и неожиданно для себя спросил:

— Ты с родителями живешь?

— С дочкой, — машинально ответила она и спохватилась: — А что, это имеет какое-нибудь значение?

— Да нет, — пожал плечами Варяг, удивленно ее разглядывая. — Сколько же лет твоей дочке?

Девушка сразу помягчела, улыбнулась:

— Четыре годика.

— Четыре? А тебе?

Она торжествующе посмотрела на него:

— Двадцать три.

Варяг хмыкнул:

— Выходит, я ошибся... Я думал, тебе лет восемнадцать, ну от силы двадцать. И, хотя это тоже не возраст, выглядишь ты значительно моложе.

— Спасибо, мне все так говорят.

Варяг бросил рубашку на стул, неторопливо стал стягивать брюки.

— А как тебя зовут-то? — спросил он.

— Ирина. — Она с интересом его разглядывала. — А что это такое у тебя на груди?

Он мысленно чертыхнулся, вспомнив про наколку.

— Да так... в детстве баловались, — сказал он и увидел, как недоверчиво сузились ее глаза:

— Это воровская наколка.

Варяг улыбнулся и посмотрел ей прямо в глаза:

— Разве я похож на вора?

Немного подумав, она отозвалась:

— Не похож.

Смешно, по-собачьи наклонив голову набок, она продолжала его разглядывать. Варяг лег на кушетку. Помолчав, спросил:

— Тебе нравится твоя... работа?

Она снова задиристо посмотрела на него:

— Работа как работа. Не хуже других.

Он вдруг расхохотался. Ирина обиженно спросила:

— Ты чего?

— Какая ты... забияка.

Она фыркнула, потом тоже рассмеялась:

— Я всегда такой была. В школе вечно с синяками ходила... А ты?

— Что — я?

— Ты — забияка?

Он задумался.

— Пожалуй.

Он даже залюбовался теперь девушкой. Она была совсем другая, живая, что ли. Сидела, поджав ноги, на кушетке и хохотала сама над собой, как девчонка.

— Иди сюда, — вдруг позвал Варяг.

Она, продолжая улыбаться, встала с дивана и, смешно прихрамывая на своих длинных ногах, подошла к нему. Снова фыркнула, пояснив:

— Отсидела ногу.

— Какую? — заинтересовался он.

— Левую.

— Ну, давай сюда свою бедную ногу, сейчас мы ее приведем в порядок.

Он осторожно снял с нее чулки с кружевами наверху и прикоснулся пальцами к шелковистой коже ноги.

— Здесь чувствуешь? — напустив на себя строгость врача, спрашивал он. — А здесь?

— Чувствую... — отзывалась она, и голос ее становился все тише. — И здесь чувствую.

Он слышал, как сбивается ее дыхание, его руки двигались все смелее. Одним движением девушка скинула платье, и он увидел, что под ним на ней надеты только черные узкие трусики. Глядя на ее вздрагивающий плоский живот, торчащие вверх тугие груди с затвердевшими горошинами сосков, Варяг почувствовал, как долго сдерживаемое желание заставляет его тело напрягаться. Почти грубо схватив ее за волосы, он притянул девушку к себе и припал губами к ее горячему рту.

ГЛАВА 7

Медведь внимательно слушал Ангела. Первая часть операции прошла именно так, как они задумывали. Медведь сосредоточенно рассматривал фотографию Варяга и не узнавал его. Это был совершенно другой человек.

— У него остались на лице шрамы?

— Честно говоря, я этого не заметил, — отвечал Ангел. — Доктор сказал, что останется один под подбородком, но он практически не будет виден.

— Это хорошо. Особые приметы ему совершенно не нужны. Наколки вывели?

— Все перстни на его пальцах вывели. Не осталось даже точки, но доктор сказал, что с наколкой вора в законе Варяг расставаться не захотел. Он убедил его, что наколки не будет видно даже в том случае, если он расстегнет на рубашке верхние пуговицы. Доктор звонил. Я согласился.

Медведь улыбнулся. Ему определенно этот парень нравился все больше. Если он и посмел ослушаться, то только потому, что не хотел нарушать воровской кодекс, который был для него превыше любой молитвы. Да, им нужен именно такой человек.

— Как обстоят дела с его кралей?

— Она исчезла. Мои люди искали ее у родственников, подруг, но так и не нашли.

— Не забывайте, что одна маленькая оплошность может стоить большого дела.

— Мы помним об этом, поэтому ни на минуту не прекращаем поиски.

— Естественно, об этом не должен догадываться Варяг, иначе мы не сможем убедить его работать дальше. Все должно выглядеть естественным: она должна отравиться грибами, попасть под поезд. Думаю, здесь мне не нужно будет вас инструктировать.

Медведь не любил менять свою обстановку, поэтому годами в его комнате были одни и те же кресла, картины на стенах, казалось, что даже бутылки в баре стояли на своих местах. Однако Ангел знал, что это не так: его коллекция пополнялась постоянно и включала в себя лучшие напитки мира. Но все знали, что из этого огромного количества напитков Медведь предпочитал только «Русскую водку».

— Ее не мог предупредить сам Варяг?

Этот вопрос походил на приговор, и Ангел догадался, что сейчас в своих руках он держит судьбу Варяга. Его жизнь, что тростинка, нажал пальцами, она и обломилась.

— Едва ли! — убежденно отвечал Ангел. — Все это время я находился с ним неотлучно. В больнице его тоже пасли. Думаю, она просто куда-то уехала и скоро должна вернуться. Нужно немного обождать.

— Дождитесь ее обязательно.

— И еще... — Ангел помялся. — Медведь, наш Семен вообразил себя королем московских рынков. Он перестал отдавать в общак деньги.

— Ты не знаешь, Ангел, зачем ему столько денег? Он что, хочет иметь золотой унитаз или оклеить деньгами свой особняк? А ему не кажется, что если он так себя будет вести, то ему не потребуется денег вообще?

Семен не входил в число пятнадцати, но он был виднейшим вором, поэтому межрегиональный сходняк и доверил ему контролировать рынки. Однако здесь возникала опасность, что с его исчезновением часть рынков захочет выйти из повиновения и станет требовать автономию, слишком много в последнее время примешалось кавказских элементов. А они все настойчивее заявляют о себе. И надо отдать им должное: парни они дерзкие, клятву дают на кинжале и хлебе. А такую клятву нарушить невозможно. На обуздание рынков потребуется потом куда больше сил. Все это Медведь просчитал мгновенно. По-своему Семен незаменимый человек: он умел ладить с торговцами, кому улыбнется, а кому и пригрозит. Бывало и так, что строптивца заталкивали в машину, а потом уже не находили. Рынок — он и есть рынок. Кого здесь только не встретишь, конечно, в основном южане, но вот именно они и стояли за Семена горой.

Для прикрытия он держал на одном из рынков сапожную мастерскую, где вместе с ним работали два кавказца, и трудно было поверить, что любезные сапожники, всегда находящие несколько приятных словечек для смазливых девушек, — воры, перед чьим авторитетом склоняются даже самые непокорные.

Медведь продолжал:

— Будем надеяться, что это случайность, но за свою ошибку пусть расплатится. Накинь ему проценты за те месяцы, что он не выплатил. Пугать его особо не нужно, сам все поймет. Просто напомни ему зону: когда он там жевал белый хлеб с маслом, кто-то за него здесь работал. Так вот, этот лакомый кусочек он должен отрабатывать. Шутки шутить с ним никто не собирается. Скажи ему, что воры на зоне пайку пустую хлебают, и напомни про Гришу Сочинского. Он тоже в общак деньги не отдавал, а теперь его вдова оттуда же, из общака, кормится... С Якутии пришло золото?

— Гонец приходил. Сказал, что извозчики уже в пути и через пару дней будут здесь.

Якутское золото, как всегда, было неучтенным. Перекупщики скупали его у диких старателей, которые шастали в великом множестве по большим рекам и малым ручьям, намывая золото по грамму. Иногда рыжий металл находили и в отвалах, которые оставались после артельских старателей. Эта охота за диким золотом всегда проводилась в большой тайне, глубоко запрятанная от заезжих на промысел рыбаков и охотников, а тем более от местного начальства, которое ревниво охраняло свои необозримые золотые пространства. Достаточно было одной радиограммы в центр, чтобы на дикий промысел прилетел вертолет с вооруженными солдатами, которые быстро брали под опеку заезжих старателей. Эта работа была связана с двойным риском, ведь подобную неучтенную бригаду каждый норовил взять под контроль, чтобы попользоваться намытым золотом. В таких случаях золото пропадало вместе с людьми, и очень трудно было восстановить порвавшуюся нить. Но если все удавалось так, как планировалось, золото со всей Якутии через множество гонцов доставлялось в одно место, откуда оно неторопливо, как ишак с ярмарки, двигалось в единый общак. А цена каждого грамма, по мере приближения к Москве, повышалась в сотни раз.

Медведь знал, что в этом деле любые затраты окупаются многократно. Важно не скупиться — он щедро одаривал песком множество провожатых, которые составляли золотую тропу до столицы.

— Это хорошая новость. Мы станем чуть-чуть богаче... Распорядись, чтобы братве на 17 ИТК переправили триста кусков... Ну, а где сейчас Варяг?

— С ним все в порядке. Привыкает к своей новой внешности и гуляет по Москве.

...Варяг не гулял по Москве. Некоторое время он действительно бродил по городу, всматривался в прохожих, подставляя под их взгляды свое новое лицо. Он с интересом наблюдал за реакцией окружающих, но на него не обращали внимания совсем. Варяг был одним из многих. Он привыкал к своему лицу, как, бывает, привыкает к своему бритому лицу мужчина, долгое время носивший усы и бороду. Любая черточка ему кажется необычной и смешной. Но теперь это лицо будет стареть вместе с ним, дряхлеть, покрываться сеточкой морщин.

Варяг шел вдоль по набережной, с реки веяло прохладой. А хорошо!

Он решил еще побродить, так как хотел угадать: кто из беззаботно прогуливающихся сограждан приставлен к нему, чтобы дышать в затылок. Неважно начинается новая жизнь. А не бросить ли все это к чертям и сказать Ангелу так, как есть:

— Не потяну! Не по мне это! Согласен быть смотрящим города, на зоне, согласен быть просто вором, но чтобы из меня делали щеголеватого фраера с манерами аристократа?! Не выйдет! Я — вор!

Но тут же он отступал от своего решения, понимал, что никогда не пойдет против воли схода, а подобно послушному мерину подставит шею под любой тяжести хомут.

С другой стороны, Варягу, конечно, льстило, что выбор пал именно на него, — выходит, сходняк по достоинству оценил его способности. Что говорить, не сразу можно найти такого человека, который способен пересказать слово в слово текст на несколько страниц, едва прочитав его. Его способности были отмечены в колонии, где он заканчивал

среднюю школу. Он на спор перемножал четырехзначные числа, и преподаватель математики, крепыш лет тридцати пяти, который смахивал на учителя физкультуры, высказался определенно:

— Не по той дорожке ты пошел, на воле из тебя толк был бы.

Возможно, судьба готовила ему все эти испытания, чтобы сейчас он раскрыл себя в полной мере.
Вот он, его час. Настал.

Варягу пришлось побродить еще немного, чтобы
окончательно убедиться в том, что за ним не следят. И первое, что он решил сделать, — отыскать
Свету. Он поймал такси и поехал через весь город
к ее подруге. Варяг был у нее только однажды, но
прекрасно помнил трехэтажное здание из красного
кирпича. Он помнил, какого цвета была дверь, в
подъезде тогда не было стекол, вместо них листы
ржавого железа, и сильный ветер безжалостно тре-
пал их во все стороны.

— Останови вот здесь, — сказал Варяг и, распла-
тившись с шофером, вышел из машины.

Варяг не сразу зашел в подъезд. Раскурил сигарету. Осмотрелся. Вокруг никого.

Подруга Светланы жила на втором этаже, сразу
направо. Варяг поднялся и, поколебавшись секунду,
нажал на звонок. Долго никто не отзывался, а потом из-за двери раздался встревоженный голос:

— Вам кого?

Это была Света. Она разглядывала его в глазок
и не узнавала.

— Откройте, пожалуйста... я от Владислава.

И тут до Варяга дошло, что он изменился не
только внешне, другим стал даже голос.

Он почти физически почувствовал то замешательство, которое сейчас происходило за дверью. Прошло тридцать секунд, минута, и дверь нехотя распахнулась.

Перед ним стояла Света. Именно такой он увидел ее тогда в вагоне, такая же роскошная и красивая.

— Вы от Владика? Что он хотел передать?

— Может быть, в комнату пройдем? — улыбнулся Варяг.

Он вдруг почувствовал к себе неприязнь за то, что произошло в ресторане. Таким женщинам не изменяют, влюбившись однажды, берегут всю жизнь.

Варяг заметил в ее лице оттенок легкого замешательства. Может, она догадалась, кто перед ней стоит? Но уже в следующую секунду Светлана приветливо произнесла:

— Проходите, — и, когда Варяг перешагнул порог, она внимательно посмотрела на гостя. — Вы что-то хотели передать от него? Письмо?

Выходит, не шутил Ангел, когда сказал, что теперь его родная мать не узнает.

— Ты меня не узнаешь?

— Простите... нет. Мы с вами не встречались.

— Я же Владик, Светка. Да всмотрись ты в меня получше. Или я так безнадежно сдал за эти месяцы, что сам на себя перестал быть похож?

— Господи! Что же они с тобой сделали! — совсем по-деревенски всплеснула руками Светка и уже в следующее мгновение бросилась к нему на шею. — А я-то, как увидела тебя, сразу подумала, что больно на Владика похож. И на руки твои посмотрела: ладони вроде бы твои... — она вытирала льющиеся потоком слезы о колючие щеки Варяга, — только пальцы белые... Ну пойдем в комнату, чего в коридоре стоять, да и дверь прикрыть надо.

Она была такой соблазнительной, что Варягу до дрожи вдруг захотелось взять ее здесь же, в тесном коридорчике, как когда-то там, в вагоне. И она, словно почувствовав в нем желание, прижалась еще теснее. Чего не хватало, так это слов: «Ну бери меня! Бери! Я вся твоя!»

— Ты ведь меня напугал очень, когда позвонил. Сказал, чтобы я уезжала со своей квартиры, а ведь я даже родителей не предупредила. Они, наверное, с ума сходят, — лепетала Светка наивно. — Ты навсегда, Владислав? Я устала за тобой ездить то в Пермь, то в Воркуту. И все это только из-за нескольких свиданий. Я уже стала забывать, что я москвичка. Ты знаешь, сколько я прожила в Воркуте?

— Знаю, три года.

— Вот видишь. Так что же все-таки произошло?

— Многое, — с трудом освободился Варяг от объятий. — Попробуй не выходить из этой квартиры хотя бы полгода, я не знаю, как все может сложиться дальше, но, возможно, все и обойдется. Я не исключаю того, что стал болезненно мнителен. На, возьми деньги, дашь своей подруге, чтобы не обижалась. Я буду сюда приходить, только так мы сможем видеться, — достал Варяг из кармана толстую пачку купюр. — Только, ради Бога, ничего у меня не спрашивай. Наступит тот день, когда я тебе расскажу все сам, но дело серьезное для нас обоих.

— Как долго ты еще будешь здесь оставаться?

Света щадила его, и Варяг понимал это. Она хотела сказать нечто иное: «Когда ты снова вернешься на зону? Ведь ты вор в законе, а у вас свои правила, и если верить твоим словам, то именно там у тебя настоящая работа». Спасибо ей за то, что сумела подобрать нужные слова.

— В лагерь я никогда не вернусь, — сказал он.

Она прикрыла ладонью рот, и слезы еще быстрее побежали по ее щекам.

— Ну вот, — улыбнулся он, прижав ее к себе. — Вас, женщин, не поймешь. В зону ухожу — плачет. Не хожу в зону — тоже плачет.

101

Отстранившись, он посмотрел в ее заплаканные глаза. Ему и самому не верилось, что это она, Светлана, стоит перед ним — любимая, желанная...

Варяг сжал ладонями ее лицо и поцеловал.

— Скажи, что я могу для тебя сделать? Может, что-нибудь особенное? — спросила она.

— Пойдем в постель. Особенное сделаю тебе я.

Он целовал ее. Сначала груди, потом живот. Он не торопился. Нежный золотистый пушок, различимый только на самом близком расстоянии, казалось, подрагивал от возбуждения. Он пил ее, вкушал ее, обонял и наслаждался. Драгоценная его женщина! Божественный животик с аккуратным, западающим внутрь пупком... Он пульсировал, толкался, стремился заполучить его поцелуй. Она постанывала... Ее тело благодарно отвечало на ласку. Это хорошо! Внизу живота, где жесткие волоски щекотали нос, он ощутил горьковатый запах тополиной почки. Он всегда любил этот аромат ранней весны. Зарывшись в Светланину пахучую кудрявость, он различил множество запахов — ее любимых духов, чуть-чуть запах пота, чуть-чуть запах хорька и еще чего-то неясного.

— Боже, я умираю... что же это, Господи, — стонала она. — Так у меня никогда не было...

Она была права. В конце концов мужчина может забыть о себе, о своем удовольствии, думал Варяг, и сейчас он особенно неистовствовал.

Бились ее ноги, зажатые у него под мышками.

— О-о-о... — звук взмывал к потолку, то затихая, то усиливаясь. Наконец он перешел в один громкий всхлип, и наступила тишина.

Он положил ей голову на живот. Мышцы сначала подрагивали, потом затихли.

ГЛАВА 8

Теперь Варяг понимал, что Медведь ничего не говорит зря, — все было именно так, как он задумал: Варяг изменил свою внешность, поступил в университет. Следующей его задачей было вжиться в новую жизнь и не затеряться в ней.

Неожиданно для себя Варяг почувствовал вкус к учебе, которая давалась ему невероятно легко. Может быть, потому, что он был в свои 30 лет старше остальных студентов, а может быть, потому, что, имея немалые деньги, не был, в отличие от остальных, озабочен необходимостью подрабатывать себе на жизнь. А скорее всего — потому, что ему было достаточно один раз просто прочесть учебник, чтобы не только прочно усвоить прочитанное, но и выучить его практически наизусть.

Когда-то он удивлял своей памятью только воров, коротавших с ним время на нарах, теперь его феноменальные способности вызывали радость у преподавателей и зависть — у однокурсников. А проучившись два года и сдав экстерном все экзамены за третий и четвертый курс, он вообще попал в число лучших студентов.

Варяг вел замкнутый образ жизни и почти ни с кем не общался. Иногда он связывался с Ангелом, который старался теперь называть его Владиком и, выслушав бывшего вора, удовлетворенно гудел в трубку:

— Молодец, Владик, видим, что дело твое движется. О тебе ходят легенды. Кто бы мог подумать, что ты такой способный. Вот скоро среди нас появится юрист, занимающийся международным правом. Это как раз то, что нам нужно. Кому, как не нам, осваивать западные рынки. Нужны будут деньги, дай знать.

Медведь оградил Варяга от всех дел, опасаясь потерять его. За все это время они встречались только дважды, и патриарх довольно точно пересказывал ему все университетские новости. Оказалось, что он был знаком со многими профессорами, однако причину короткого знакомства с университетской элитой раскрывать не стал. Было ясно, что этот престижный вуз — еще одна ниточка, которую Медведь уверенно держал в своих крепких пальцах. Медведь обладал редким качеством — видеть перспективу, понимая, что средства, вложенные сейчас, обернутся многократной выгодой. Варяг для него был неким банком, акции которого год от года должны только подниматься. Он был в курсе того, что Варяг занимается по индивидуальной программе, по окончании вуза свою дипломную доработанную и дополненную работу должен будет представить в виде кандидатской диссертации; знал и о том, что на него претендуют три университетские кафедры и еще две из других вузов предложили место с перспективой возглавить кафедру. А академик Нестеренко звал к себе продолжать занятия наукой в перспективном направлении.

— Вот бы они попадали со своих профессорских стульев, когда узнали, кто ты есть на самом деле.

— Да, я тоже об этом часто думаю.

— Ладно, пожалеем их профессорские задницы.

— Академик Нестеренко все спрашивает у меня: «Молодой человек, где же вы были раньше? С вашими-то способностями!» И меня всякий раз подмывает сказать правду.

— Лучше не надо. Оставим все так, как есть. Дело выходит даже лучше, чем я предполагал. Мы, конечно, знали, что ты способный, но ты сумел превзойти даже лучшие наши ожидания. Теперь я уже подумываю о том, что тебе, возможно, и не стоит уже так ярко выделяться. В этом случае ты всегда будешь на виду, а это может быть чревато осложнениями.

Однако по-другому Варяг уже просто не мог. Если он стал первым среди воров, то почему ему не сделаться первым среди студентов? Уже на следующий год он планировал экстерном закончить вуз с предоставлением дипломной работы. В принципе работа уже была готова, и он показывал ее Нестеренко. Полистав ее, академик серьезно сказал:

— Молодой человек, у вас светлая голова. Мне думается, что пройдет десяток лет и вы будете не менее известны, чем некий академик Нестеренко. Вы словно родились для науки. А этот ваш проект о Европейском союзе заслуживает самого пристального внимания. Молодой человек, я могу сказать вам вот что. — Он прикрыл папку, и темная сухая ладонь академика осторожно опустилась на белый картон. Варягу подумалось о том, что совсем недавно точно в такой же папке, скрепленное скоросшивателем, лежало его дело под номером 7314, дело об известном воре в законе, а сейчас перед ним лежал проект его научной работы. — Эта работа может вполне сойти за конспект будущей диссертации, вам просто нужно будет кое-что расширить, проставить кое-где акценты, и работа будет считаться выполненной. У вас светлый ум, цепкий взгляд, из вас получится настоящий ученый. И только, ради Бога, не останавливайтесь на достигнутом, не затягивайте со сдачей государственных экзаменов, защищайте диплом и сразу же переходите к кандидатской диссертации. Вы вполне созрели для больших дел. — Варяг посмел улыбнуться. Такими же словами его напутствует и Медведь. — Вы говорите, что никогда не пробовали поступать в университет?

— Никогда.

— И кем же вы тогда работали?

— У меня было очень много специальностей. Работал грузчиком, одно время шофером, приходилось и старателем на Севере, золото намывал. Всего и не перечислишь!

— Парень с такой светлой головой работал грузчиком! Это по меньшей мере безрассудно, если не сказать преступно, молодой человек. И то, что вы пришли сюда, в наш вуз, это вполне закономерно, вы просто ощутили в себе потребность совершенствоваться. Конечно, это могло произойти и пораньше, но и сейчас не поздно, вы как раз подходите к расцвету своего мышления, а оно происходит у вас весьма бурно. Такое бывает только у самых одаренных личностей. А эта ваша работа о Европейском союзе, — опять покачал головой профессор, — для меня вообще откровение. Хотя этой тематикой я занимаюсь всю жизнь. Вы раньше никогда не интересовались этим вопросом?

— Никогда. Раньше думалось о другом.

— Это тем более странно. Вы так прочно входите в науку, как будто работаете в этой области по крайней мере с десяток лет. Откройте же мне секрет, как вам все это удается?

— Секрета особого нет, Егор Сергеевич. Сижу в библиотеке, конспектирую. Перечитал сотни две книг, которые относятся к этой проблематике. Еще, может быть, и потому получается, что в свое время не умел ценить время, вот наращиваю упущенное сейчас.

— Чтобы перечитать за такое короткое время столько книг, нужно не вставать из-за стола с утра до ночи!

— Я читаю очень быстро, — возразил мягко Варяг.

И вправду: Варяг читал так быстро, что со стороны казалось, будто он просто листает страницы.

— А иногда важен просто смысл написанного. Очень много интересного материала идет на английском языке.

— Откуда вы знаете английский язык? И насколько я понял, вы владеете им очень хорошо.

— Английским языком я интересовался всегда, а занялся им всерьез уже здесь.

Это было правдой. Английский язык Варяг начал постигать еще в колонии, будучи подростком. Английский, неожиданно для него самого, захватил и сделался любимым предметом. А когда через два года он был переведен во взрослую зону, его соседом оказался внешторговец, отбывающий срок за какие-то крупные махинации с валютой, торгаш и сам увлекся, занимаясь языком со смышленым парнишкой. Разве мог он тогда представить, что эти занятия пригодятся его талантливому ученику для написания диссертации?

Нестеренко развел руками.

— Вы одаренный человек. Диссертация получилась очень и очень весомой. Мне кажется, что вы нащупали новое направление в науке, которое скоро заинтересует очень многих. Вам повезло, здесь вы будете первым. Великолепное начало!

Уютно сидя в мягком кожаном кресле, Варяг внимательно слушал собеседника. Ему нравилось в старом академике все — быстрая речь, молодые огоньки в глазах и даже его манера поглаживать руками прохладный мрамор столешницы большого стола, за которым он сидел. Варягу нравилось и то, что, будучи известным ученым, настоящим светилом науки, Нестеренко отнюдь не был чужд простым человеческим слабостям. Страшный сердцеед в прошлом и любитель крепких напитков в настоящем, он успевал всюду — выпускать монографии и ухаживать за хорошенькими аспирантками, посещать международные научные симпозиумы и провести вечер-другой со старыми друзьями за бутылкой хорошего вина. Варяг никогда не видел академика унылым, усталым или больным, хотя, наверное, как и любой человек в его возрасте, Нестеренко болел и уставал. Варяг любил наблюдать за учителем, когда тот, загораясь от собственной, только что пришедшей ему в голову идеи, тут же бросался ее реализовывать, заражая окружающих своей энергией, всегда бьющей из него ключом.

...Нестеренко погладил седину и, хлопнув ладонью по столешнице, воскликнул:

— И все-таки я не перестаю удивляться вам! Как вы успеваете все?

Варяг скромно опустил глаза.

— Были в моей жизни наставники, которые научили меня рационально использовать свое время, — уклончиво сказал он. — Не могу сказать, что тогда, в юности, я им был благодарен, но теперь мне этот урок пригодился.

Академик некоторое время задумчиво смотрел на него, потом вдруг переменил тему:

— Посмотрите на этот стол. Как вы думаете, сколько ему лет?

Варяг посмотрел на огромный стол, занимавший весь угол просторного кабинета академика.

— Не знаю, Егор Сергеевич, — пожал он плечами, — судя по виду, очень древний.

— Ему более ста пятидесяти лет. — Нестеренко пальцами, будто ощупывая, пробежался по мрамору. — Сейчас таких столов уже не делают. Он был выполнен на заказ, из крепкого мореного дуба и мрамора. Раньше ведь как бывало?.. Приходил мастер, осматривал комнату, учитывая не только ее размеры, но и вид из окна, и только потом принимался за работу... И мрамор этот тоже не простой. Он привезен из Италии, и если вы присмотритесь, то увидите на плиточках очень интересный рисунок. За этим столом сидело восемь академиков и целый отряд разных чиновников... А сейчас он — в моем ведении... — Нестеренко лукаво посмотрел на Варяга. — Я ведь к чему это все говорю?.. А к тому, что есть у меня такая надежда... Мечта, можно сказать... Я надеюсь, что когда-нибудь и вы, Владислав, сядете за этот стол и будете не худшим его хозяином.

Варяг, глядя на него, вдруг подумал о том, что Нестеренко чем-то напоминает ему Медведя. Та же бьющая через край энергия, властность, такие же умные глаза и отеческая манера разговора. Каждый из них достиг вершины в своем деле, и каждый хотел видеть своим преемником его, Варяга.

— Спасибо за поддержку, Егор Сергеевич.

Попрощавшись, Варяг направился к двери.

— А знаете, — вдруг сказал ему вслед академик, — Вероника о вас спрашивала. Вы как-нибудь позвоните нам, мы будем очень рады.

— Непременно, Егор Сергеевич.

Варяг знал, что звонить академику он не будет. Он не станет этого делать потому, что у него чертовски хорошенькая младшая дочь. Было бы непростительной глупостью заставить ее влюбиться в себя. Интересно, что бы она сказала, увидев в постели на его груди двух здоровающихся ангелов. Девочка она неглупая и сказочке о мальчишеском баловстве вряд ли поверит. Наверняка она поделится своими сомнениями не только с папой-академиком.

Варяг и так уже совершил ошибку, приняв предложение Егора Сергеевича отведать у него дома чашку кофе. На следующий день его разыскал Ангел и дружески, с располагающей улыбкой на губах, посоветовал избегать близких отношений с семьей академика. Варяг этот совет воспринял, как решение сходки, и больше в дом академика не заходил.

Знание английского Варяг проверял на валютных проститутках, которые назойливыми жужжащими осами кружили вокруг гостиниц, набитых иностранцами. Гладко выбритый, безукоризненно одетый, словно английский лорд, он представлялся им лакомым кусочком. Даже их опытный критический взгляд не мог распознать в нем соотечественника. Варяг разговаривал по-английски, целовал дамам руки, заказывал в номера букеты цветов и подчеркнуто бережно относился к долларам. Иногда он вез одну из девочек к себе на квартиру и, нежно шепча английские слова на ухо, брал ее. Женщин совсем не удивляла его наколка в виде креста и двух ангелов. Весело щебеча, они втолковывали непонятливому иностранцу, что похожие наколки делают их соотечественники, отбывающие срок.

Но однажды он чуть не погорел.

В одном из валютных ресторанов Варяг познакомился с юным очаровательным созданием лет восемнадцати. Девушка училась на втором курсе факультета иностранных языков и неплохо знала английский. Все было как обычно — американский незатейливый юмор, разговоры о небоскребах и гангстерах и тонкий, полный романтики секс до утра.

А проснувшись, Варяг вдруг обнаружил, что девица как-то странно смотрит на него.

— А ведь ты не американец, — сказала она по-русски.

— Как же ты догадалась, птичка? Наколка, что ли? — спросил, удивляясь, Варяг, подбирая рубашку со стула.

— И наколка тоже, но они разные бывают. А с крестами мне приходилось видеть и у настоящих американцев и англичан. Просто во сне ты по фене

110

говорил. У меня брат несколько лет за драку сидел, и я кое-что понимаю.

— И что же я такое говорил?

— К тебе как будто приходили несколько заключенных и спрашивали твоего совета, чтобы решить спор, а ты им все говорил, что не имеешь права решать, потому что ты уже не вор. Ты им говорил, что стал другим. Это правда?

— Что правда?

— Ты действительно вор? — беззастенчиво поинтересовалась девица.

Внутри у Варяга все похолодело. Вот где пригодилась выучка изображать из себя английского лорда. Спокойно. Улыбнись и никакого волнения.

— Чудачка! Откуда же вор может знать английский язык?..

Ему удалось ее убедить, но с тех пор в этом ресторане Варяг больше не появлялся.

...Выйдя из кабинета академика, Варяг вдруг почувствовал острое желание выпить водки. Такое случалось с ним, когда он внезапно начинал тосковать по своей прежней жизни и теперешняя жизнь казалась ему слишком пресной, напрочь лишенной будоражащей кровь опасности, разгула, куража. После тюремных нар Варягу не хватало общения — может, потому он и позволял себе иной раз зайти в ресторан и пропустить в одиночестве стопку-другую, а то и пригласить к себе какую-нибудь девочку, чтобы наутро, забыв ее имя, легко расстаться с ней навсегда.

Особенно одиноко чувствовал он себя в стенах университета, среди чистеньких элитных мальчиков и девочек, рядом с которыми он — и не без основания — ощущал себя умудренным жизнью стариком. Глядя на их такие разные и в то же время такие похожие своей наивностью лица, он всегда помнил о том, что, когда они еще носились с мячом по двору и читали с упоением «Трех мушкетеров», он, Варяг, постигал премудрости жизни, сидя на нарах.

Варяг прибавил шаг, направляясь к расположенному неподалеку небольшому ресторанчику, в котором любил иногда посидеть, но, не дойдя до него нескольких кварталов, остановился в задумчивости возле телефона-автомата. Одна мысль давно уже не давала ему покоя. Он знал, почему ему было тоскливо, знал, по какому делу чесались руки. Неважно, кем ему суждено стать — академиком или президентом: он был и останется вором, и только воровское дело может зажечь снова огонь в крови.

— А почему бы и нет?.. — сказал он себе и вошел в кабинку автомата.

Он решительно набрал телефон Ангела. После непродолжительного молчания в трубке раздался его уверенный голос:

— Кто там еще?

— Убавь спесь, Ангел, это я.

— Что случилось? — Голос Ангела стал озабоченным.

— У меня к тебе есть дело. Если не занят, приезжай.

— Где ты?

— В сквере, на Тверской.

— Буду через полчаса.

...Ангел был педантом не только в одежде, так же аккуратно он относился и ко времени: с исходом тридцатой минуты у чугунной решетки сквера остановился «мерседес» красного цвета.

Ангел любил красный цвет, считая, что он приносит ему удачу, и сейчас, глядя, как он вылезает из карминно-красного «мерседеса», Варяг усмехнулся: из накладного кармана пиджака Ангела кокетливо выглядывал уголок такого же цвета платка.

— Надеюсь, Владик, что у тебя действительно

что-то серьезное ко мне, — мягко сказал он, усмехнувшись. — Мне пришлось та-акую киску оставить...

Варяг кивнул без тени улыбки:

— Садись, не пожалеешь.

Смахнув со скамейки невидимые пылинки, Ангел присел рядом и поежился. Глядя на качаемые ветром верхушки деревьев, сказал:

— Кто бы подумал — середина июля!.. — Потом повернулся к Варягу: — Рассказывай.

— Знаешь, — поделился вдруг Варяг. — Я ведь теперь студент...

Ангел, приподняв бровь, посмотрел на него. Варяг продолжал:

— И, как у всякого студента, у меня много свободного времени. Слишком много, даже не знаю, куда его девать... Так, хожу по улицам, размышляю. Вот, зашел как-то в универмаг и — представь себе — вдруг подумал о том, что его можно легко ограбить. Среди белого дня и безо всякого риска. Просто взять деньги и спокойненько уйти.

Варяг замолчал, ковыряя веточкой влажную землю. Ангел ждал. Он уже успел убедиться, что Варяг ничего не говорит просто так. Если он об этом заговорил, значит, в голове его уже созрел серьезный план.

Мимо прошла молодая мамаша, держа за руку своего сынишку, у которого был до смешного серьезный и важный вид. Варяг проводил глазами эту чудную пару и, когда они ушли на значительное расстояние, заговорил снова:

— Все очень просто. Сразу с открытием магазина нужно будет поставить кассовые аппараты, а вечером просто забрать выручку и уйти.

— Разве у них нет своих кассовых аппаратов? — чуть ерничая, спросил Ангел.

Варяг был серьезен:

— В том-то и секрет, что все они в скверном состоянии. Директор давно уже послал заявку на их замену, но она — как это у нас бывает — просто затерялась.

Ангел заинтересованно посмотрел на собеседника:

— Откуда ты знаешь?

— Случайно узнал у одного из студентов. Если мы появимся со своими аппаратами, директор подумает, что ему просто повезло и бюрократические задницы наконец-то пошевелились. Я уверен, что он даже документов не потребует, но на всякий случай нужно будет какие-нибудь ксивы начеркать.

Ангел озадаченно посмотрел на Варяга. Потом полез в карман, достал пачку сигарет, долго хлопал себя по карманам в поисках зажигалки. Закурив, глубоко затянулся.

— План хорош, — наконец проговорил он. — Странно, что до этого никто не додумался раньше. Нужно, конечно, еще кое-какие детали обсудить... — Он снова искоса посмотрел на Варяга. — Слушай, скажи мне откровенно, Варяг, тебе что — деньги нужны?

Варяг знал: скажи он «да», и Ангел, не задумываясь, вынет из кармана пачку долларов.

— Нет, — мотнул головой он. — Денег у меня хватает.

— Тогда что же?

Варяг разозлился:

— Ты и вправду не понимаешь или притворяешься? Думаешь, дело в моей ненасытности?

— Да не похоже. — Ангел пожал плечами. — Просто хочу понять.

— Дело не в деньгах, повторяю. Деньгами вы меня обеспечили, но ведь бабки — это еще не все! Ты, похоже, стал забывать, что я — вор! — Глаза Варяга угрожающе сверкнули. — И вор не из последних! Мне нужен риск, я нуждаюсь в мясе, в настоящей мужской жратве, острой такой, чтобы жгло во рту и щипало в желудке. От зелени меня начинает тошнить — ведь по натуре я волк, а не заяц! Я и так себе на горло наступаю. Если бы мои кореша видели меня в этом костюмчике, они полопались бы со смеху! — Он рванул на себе борт дорогого пиджака, с треском отлетела пуговица. — Это дело нужно мне не для денег — для удовольствия!

Ангел широко улыбался.

— У меня скоро мозоль на заднице будет от сидения на университетских стульях, — пожаловался ему Варяг.

Ангел, не удержавшись, фыркнул.

— Ничего смешного! — снова вскинулся Варяг. — Ты хочешь, чтобы я совсем потерял свою воровскую квалификацию!

— Да нет. — Ангел просто сиял от удовольствия. — Я наоборот очень рад, что ты не хочешь становиться другим. Настоящий вор всегда останется вором, какие бы пиджаки он ни надевал. Хорошо, что ты рассказал о своей идее, а не вышел с ломом крушить витрины и кассовые аппараты. — Он снова достал сигарету. Закурив, деловито поинтересовался: — Сколько капусты мы можем получить с этих касс?

Варяг задумался.

— Сразу трудно сказать. Каждый день по-разному, но в этом универмаге оборот большой, и валютные отделы там есть. Ну, пяточек таких мустангов, — Варяг кивнул в сторону «мерседеса», — купить можно... Ну как, сговорились?

— Сам что хочешь иметь?

— Ничего! Вы мне дали достаточно, и мне еще долго долг отрабатывать.

Ангел щелчком отправил сигарету в кусты.

— Договорились. — Он поднялся. — Но без доли мы тебя не оставим. — Он стиснул рукой плечо Варяга и направился к машине.

— Подожди! — Ангел остановился возле автомобиля и терпеливо подождал, пока Варяг к нему подойдет. — Что обо мне на зонах говорят? Забыли небось?

Ангел почувствовал скрытую горечь в его словах и ответил:

— Когда-то ты был самым молодым вором в законе, а просто так вором не становятся. Тебя еще долго будут помнить.

— Ты не ответил на мой вопрос.

— Мы пустили слух, что ты уехал за бугор и в России появишься очень нескоро, а может... вообще не появишься! Тебя нет, Варяг! Ты исчез, так что привыкай к новой роли, а она у тебя не самая худшая.

...Через пять дней все газеты в один голос писали о том, как был ограблен самый большой магазин в городе. Скромно умалчивая о величине ущерба, статьи наперебой рассказывали об изобретательности грабителей, их дерзости и ловкости, пытаясь угадать, чей изворотливый ум разработал эту операцию. И конечно же, никто даже и предположить не мог, что к крупнейшему ограблению года приложил руку один из лучших выпускников университета, в прошлом известный вор по кличке Варяг.

Волна подобных, не менее изобретательных ограблений прокатилась по другим крупным городам России, ярко продемонстрировав безграничность, присущую русской халатности и доверчивости.

...Ангел, посмеиваясь, перечитывал газеты, и, когда зазвонил телефон, он, в том же благодушном настроении сняв трубку, весело гаркнул:

— Кого еще черт принес?

— Это я. — Варяг, как всегда, не называл себя. — Спасибо тебе.

Ангел хохотнул:

— Теперь твоя душенька довольна?

— Да. — Варяг тоже засмеялся. — Теперь я могу спокойно писать диссертацию!

— Удачи тебе.

— Спасибо... — Голос Варяга стал задумчивым, и Ангел почувствовал, что он еще не все сказал. — Слушай, Ангел... У меня тут есть одна идея...

— Что-о?

— Да вот... Университет, понимаешь... Скажи, ты хоть немного с банковскими операциями знаком?

— Ну.

— И что такое — авизо, тоже знаешь? А что такое — фальшивые авизо?..

ГЛАВА 9

Медведь был тяжело болен. Болезнь быстро прогрессировала, и на исходе третьего месяца, когда ему внезапно полегчало, Медведь неожиданно для себя обнаружил, что его интерес к жизни иссяк. Горсти таблеток, бесконечные уколы не избавляли его от боли, и теперь его куда больше волновала собственная печень, чем приток миллионов в воровскую казну. Особенно нестерпимой становилась боль по ночам. Изнывая от бессонницы, Медведь вертелся на своей постели, перебирая в памяти прошлое. О будущем думать не хотелось. Единственное, чего он сейчас страстно желал, — закрыться в своем доме, навсегда отгородившись от внешнего мира, и наблюдать жизнь только по телевизору. Его удерживала только власть, которая — он чувствовал это — ослабевала с каждым днем так же быстро, как угасало его измученное болезнью тело.

Ему было больно видеть, как империя, которую он создавал и крепил год от года, расползалась прямо на глазах, и он прекрасно понимал, что, умри он сейчас, не оставив преемника, ее разорвут на куски новые хозяева, желающие строить свое будущее на развалинах его, Медведя, могущества. Его болезнь показала, что они только и дожидались момента, когда патриарх прочно сляжет, чтобы погреть руки у его еще теплого праха. Мысль о том, что его дело, которому он посвятил всю свою жизнь, может погибнуть вместе с ним, помогла ему на время вернуться к жизни. Рано они сколачивают ему гроб, думал Медведь не без злорадства, чувствуя, как силы возвращаются к нему. Даже смертельно больной — он может крепко ударить!

Во что бы то ни стало нужно было вернуть прежнее величие и, оставив после себя достойного наследника, спокойно отправиться в мир иной. Дюжина избранных воров должна или признать его, прежнего своего хозяина, или уйти совсем. Так было всегда и так будет теперь, чего бы это ни стоило.

Медведь ни на секунду не допускал мысли о том, что он может оказаться недостаточно сильным и пятнадцать воров, составив против него единый блок, просто-напросто сместят его с трона и сами выберут из своей среды нового императора. Хотя власть его и пошатнулась, все же она была еще достаточно крепкой, чтобы он смог справиться с ними.

Единственным человеком, которому Медведь доверял безгранично, оставался Алек. Все эти месяцы он неотлучно был со своим боссом, и в его глазах Медведь всегда видел только преданность и беспокойство. И надежда — когда он увидел, как загорелся в глазах хозяина прежний огонек, как спала смертельная желтизна и голос его стал таким же властным, как и прежде.

Как только Медведь почувствовал в себе силы подняться, он вызвал Алека.

— Ты разговаривал со всеми из пятнадцати?

— Да, Георгий Иванович.

— Что же они тебе сказали?

— Они сказали, что у них накопилась к тебе масса вопросов и они не прочь собраться все вместе.

Медведь вскинул голову, почувствовав угрозу. Раньше он собирал сход, теперь они сами настаивали на встрече. Вот лишнее доказательство тому, что он отпустил вожжи.

Алек внимательно следил за хозяином. Почувствовав его взгляд, Медведь улыбнулся добродушно:

— Вот что я тебе посоветую, Алек, — сказал он, поднимаясь с постели, — никогда не старей... — Он взял со стула теплый стеганый халат, набросил его на плечи. — Давай-ка попаримся, а, дружочек? Пора бы мне свои старые кости погреть... — И, уже направляясь к двери, бросил через плечо: — Передай всем, что я согласен встретиться. Чем раньше соберемся, тем раньше разойдемся... В субботу.

...Банька встретила его восхитительным жаром, настоянном на аромате трав и разогретого дерева. Медведь вдыхал этот пощипывающий ноздри аромат и чувствовал, как расправляется его измученное болью тело, как наполняется жизнью каждая клетка и отступает болезнь.

Конечно, у него хватит сил, чтобы справиться с четырнадцатью избранными законниками (Варяга он к ним не относил). Несмотря на внешнюю немощь, Медведь еще был силен. Пускай крона обветшала, он все еще держится за жизнь множеством корней, которые глубоко пробуравили землю, зарывшись в самые ее недра. Он все еще тот самый Медведь, по одному слову которого вершатся великие дела и миллиарды текут в нужном направлении. А деньги — это реальная власть и сила. Совсем нетрудно нанять пяток киллеров, чтобы одного за другим отправить всех непокорных в мир иной. Можно пойти и другим путем — запереть за ними ворота и здесь, под стенами дома, подыскать укромное местечко для братской могилы...

Однако Медведь не хотел идти таким путем. Не для того он создавал свою империю не один десяток лет, идя по трупам, чтобы, поддавшись секундной слабости, все перечеркнуть. Его задача сейчас — сохранить то, что он сделал. Теперь, когда его империя окрепла настолько, что сделалась силой, способной вести борьбу даже с официальным правительством, когда его люди прочно сидели в силовых ведомствах и министерствах, а денег стало столько, что скоро весь мир будет вынужден считаться с ней, — он не мог все это уничтожить. Ведь не ради денег все это создавалось Медведем, и даже не ради власти как таковой — ради идеи, воровской идеи!

Но и здоровый организм может погибнуть, если болезнь парализует нервную систему, а пятнадцать законников — это главный нерв его дела, его спинной мозг.

У Медведя никогда не было семьи. Его дело — вот его семья, его жена и дети, и избранные воры, которые сейчас противостояли ему, — тоже его дети. Нет, он не будет убивать их, наоборот — он будет беречь каждого из пятнадцати, как любящая мать бережет своих детей. Если им потребуется охрана, так он удвоит ее, утроит, если нужно — усилит в десять раз...

Некоторое время Медведь размышлял. Он нуждался в поддержке. Даже Ангел не всегда понимал его. Им нужны годы, чтобы научиться мыслить так же масштабно, как это делает он. Весьма кстати было бы появление на сходе Варяга. И чем не повод — представить его каждому из четырнадцати. Но, подумав, Медведь решил отказаться от этой затеи — нужно приберечь козыри на конец игры.

Он назначил сход на субботу. Все четырнадцать

подъехали точно в срок. Медведь, как всегда, был гостеприимен, выходил навстречу каждому из подъезжавших, дружески похлопывал по плечу, улыбался.

Воры приезжали на своих роскошных автомобилях, как и полагалось, в окружении телохранителей. Любезные улыбки, шутки, словно предстояла дружеская попойка за тесным семейным столом. Медведь знал, что каждый из них пристально всматривается в его лицо, отмечая про себя то, как сильно сдал Медведь со дня последней встречи. Может, оттого он и старался держаться непринужденно, что удавалось ему с трудом и уж совсем никак не вязалось с его осунувшимся лицом. Воры также посматривали друг на друга, пытаясь угадать того, кто может стать Медведю достойной заменой. Может быть, он сумеет перешагнуть через свою гордыню и сам назовет своего преемника. А почему бы и нет? Время всемогущего Медведя близится к концу, и он не может этого не понимать.

Для приехавших законников величие Медведя было вчерашним днем. Они прибыли сюда для того, чтобы вместе с ним выбрать нового человека, у которого должны быть сильные руки, способные удержать власть.

За обедом, следуя многолетним неписаным правилам, не было сказано ни слова о деле. Гости отдыхали с дороги, с удовольствием налегая на хорошую закуску и запивая ее некрепким белым вином.

Говорили о женщинах, о еде, о машинах и обо всем том, о чем могут болтать мужчины, собравшись в одном месте по воле обстоятельств. Медведь готовился к этому дню — у него, как у хорошего режиссера, имелся крепкий сценарий, который позволит ему высветить главное место сцены. А сначала сауна, бассейн, дорогое вино и никаких разговоров о деле! Любое дело — оно требует максимальной собранности и ясного ума, и не следует его разбазаривать среди застолья, мешая с крепким вином.

Медведь внимательно наблюдал за каждым из них. Интересно, кого же они сами пророчат ему в преемники? Может быть, это Гуро? Грузин с сочным породистым лицом и с замашками разорившегося князя. Он любил рассказывать о том, что предком его был сам князь Багратион, и действительно имел некоторые реликвии, которые указывали на его благородное происхождение; говорил, что в его жилах течет кровь и русских царей. И попробуй разбери, где здесь правда, где ложь. Гуро так же сладок в речах, как может быть сладким грузинское вино, и так же опасен, как затаившаяся в засаде рысь — никогда не знаешь, когда ждать от нее броска. Гуро любезен всегда, но с той же любезной улыбкой он может затянуть на шее шелковый шнур каждому, кто посмеет перейти ему дорогу. Но только не Медведю, и совсем даже не потому, что у Гуро просто не хватит на это силенок, а потому, что Гуро у него в большом долгу, который никогда не забывается. Все дело в том, что четыре года назад он фактически купил у сходняка титул вора. Это тот редкий случай, когда его короновали, пренебрегая главными заповедями воровского мира. Конечно, он стал бы вором в законе так или иначе, но на это потребовалось бы еще три или четыре года, чтобы своими делами доказать первенство над равными. Но Гуро решил поторопить события и выложил два миллиона долларов. Это совсем не значит, что каждый вор может короноваться таким образом. Даже при наличии денег нужны большие заслуги перед миром, а они у Гуро были. Свою воровскую карьеру он начал с отрицаловки, а значит, страдал. Гуро прекрасно знал о том, что этот титул он не смог бы приобрести без разрешения Медведя, а следовательно, находился у него в долгу. И ему еще придется долго горбатиться на Медведя, благодаря которому он и был включен в число избранных.

Поразмыслив, Медведь решил, что Гуро не осмелится занять его место. Тогда кто?

Следующим в его списке был Лис. Тонкий, долговязый, с длинными загребущими руками, казавшимися красными от множества веснушек и родинок, Лис был почти лысым, и только у самых висков торчали кусты непокорных рыжих волос. Свою кличку Лис получил не только за ржавый цвет кожи, он был очень хитер, дьявольски изобретателен, а о его коварстве среди воров говорили много. Воровской промысел в молодости он начал с того, что приглашал девушек в театр, потом отлучался во время спектакля, по номеркам забирал их верхнюю одежду, после чего благополучно исчезал. Не брезговал он и тем, что появлялся в доме покойника, представляясь его близким другом, брал деньги на организацию похорон и благополучно пропадал. Много позже воровская среда, преодолев в себе отвращение к юношеским похождениям Лиса, приняла его в свою элиту. Однако былой запах покойницких не улетучился даже со временем, и смыть его с себя он не смог даже тогда, когда занялся серьезным промыслом. Если очередь в выборах дойдет и до него, то четырнадцать законных вспомнят про трупный запах. Конечно, Лис хитер, умен, но не настолько, чтобы подняться на его место.

Цедя водку сквозь зубы, Медведь остановил свой взгляд на Федуле. Этот представлялся широким добродушным увальнем. Даже сейчас, поймав взгляд Медведя, он дружески и беззащитно заулыбался. Федул походил на крестьянина, которого только что оторвали от сохи и затолкали за барский стол со множеством напитков. И бедный крестьянин, ошалев от увиденного, прикладывался то к одной, то к другой бутылке и никак не мог утолить изголодавшуюся утробу. Он неумело, а подчас просто коряво вел себя за столом — громко гоготал, тыкал пальцами в картинки, на которых были запечатлены голые девки, и вставал из-за стола для того, чтобы подтянуть на самую грудь сползающие штаны. Ну чем не деревенский дурачок, которого приглашают на свадьбу только для того, чтобы ради хохмы он мог съесть таракана или опрокинуть на голову горшок с манной кашей.

Однако каждый из присутствовавших воров знал, насколько обманчиво первое впечатление. За внешней безобидностью и веселым добродушием пряталась кипучая и неуемная натура с железной волей. Большую часть своей жизни он провел в тюрьме, в том числе и в одиночке. На его неуемную натуру и добродушный нрав, казалось, не могли подействовать ни толстые стены тюрем, ни мрачные маски окружавших начальников. Наоборот, чем больше было вокруг уныния, тем чаще раздавался его смех. Он был умен не той воровской ученостью, какую подростки начинают приобретать в колониях, а той крестьянской смекалкой, которая досталась ему в наследство от предков, испокон веку поклонявшихся земле. Воры со смехом вспоминали случай, когда он еще в начале своей воровской карьеры, притворившись эдаким деревенским лапотником, сумел вывезти со склада магазина машину, груженную доверху телевизорами. Однако это видимое добродушие могло в одно мгновение превратиться в необузданную ярость, если он замечал неуважение, а тем более пренебрежение к своей персоне.

Конечно, Федул был опасен, но он не принадлежал к тем людям, которым не составляет труда скрывать свои антипатии. Он мог любить до самозабвения и так же неистово умел ненавидеть. Если он и был хитер, то той деревенской хитростью, которая никогда не могла перерасти в коварство.

Другое дело — Граф! Вот кто реально мог претендовать на место Медведя. Этот мог подсидеть кого угодно. Спокойный, расчетливый, с холодной улыбкой на тонких губах, он многим внушал ужас.

Первый срок Граф отбывал в пятнадцатилетнем возрасте, когда в ссоре с приятелем сгоряча ткнул того отверткой. Второй получил уже в колонии. Там же к нему прочно прилипла кличка Граф, которая очень кстати подходила к его на редкость правильному аскетическому лицу и высокомерной манере вести разговор. Даже походка у него была по-барски неторопливой и очень уверенной. Было видно, что он знал себе цену. Даже голову он держал по-особенному, высокомерно посматривая на окружающих. Взгляд жестких глаз всегда направлен в упор, будто ствол охотничьего ружья. Графа боялись неспроста, ходили упорные слухи о том, что на его совести двое законных воров, посмевших в свое время не признать его. Граф никогда не кричал, даже не повышал голоса, но слова, сказанные им, всегда были услышаны. Их слышали даже в том случае, если он произносил их шепотом. Ровным, почти равнодушным голосом он миловал и отпускал грехи, тем же тусклым тоном взыскивал должки.

Граф был сильной фигурой, и Медведь опасался его всерьез.

И, конечно, реальным претендентом на власть мог быть и Ангел. Он был признанным третейским судьей на воровских сходах, обладал недюжинным умом и реальной властью. Кроме того, он был до безрассудства смел, честен и обладал тем самым обаянием, которое необходимо для того, чтобы воры захотели видеть такого человека у руля. Это был своего рода воровской кураж, которого многие из сидящих рядом были напрочь лишены и который так нравился в Ангеле самому Медведю.

Остальные девять законников, хотя и были хороши каждый на своем месте, — вряд ли имели шанс удержаться на престоле. Но и они тоже представляли для Медведя скрытую угрозу — по меньшей мере это были голоса, от которых зависело решение схода. Кроме того, всех их объединяло сейчас недовольство существующим положением дел, они представляли собой единый кулак, направленный против больного и теряющего силы Медведя. И простоватый Леха Тверской, симпатизирующий Федулу, и опасный, истеричный Дуче, явно тяготеющий к Графу, и жадный до денег Дед, и проштрафившийся недавно конфликтом с южанами Поляк — все они, сидя за гостеприимным столом Медведя, нет-нет да и поглядывали на осунувшееся от болезни, пожелтевшее лицо хозяина, ища в нем признаки надвигающейся смерти.

Медведь терпеливо дожидался, пока все насытятся. Доброжелательно глядя на гостей, сам подливал наливку и водку, стараясь никого из четырнадцати воров не обидеть своим невниманием.

Один из пятерых мог реально встать на его место, а может быть, кто-то еще, кого он не разглядел, и Медведь стал внимательно рассматривать остальные лица. Гости отвечали Медведю любезностью, и совсем не верилось, что кто-то из них способен бросить в Медведя камень.

Завтра решится все. Нужно дождаться утра.

По комнатам разошлись глубокой ночью. Медведь с облегчением вздохнул, оставшись один, а потом, приняв снотворное, попытался уснуть.

Он прозевал рассвет и проснулся глубоким утром, которое оказалось слякотным и серым.

Его уже ждали. Он неторопливо поднялся, оделся в серый костюм, на ногах старомодные штиблеты, подумав, нацепил на шею бабочку (напоминание о нэпмановской молодости) и прошел в комнату, где в мягких уютных креслах сидели все четырнадцать. Лица у всех спокойные, чуток строгие, походило на то, что Медведь пришел на суд. Но судить он собирался сам и потому уселся во главе стола, скрестил руки.

— Вы хотели встречи? Я вас слушаю, — было первым, что он произнес.

В зале наступила тишина.

Хоть и было два дня разминки, но кто знал, что это начнется именно так. Резковато как-то вышло. Можно было бы помягче, и гости, словно почувствовав неловкость, хранили молчание.

Наконец заговорил Ангел:

— Медведь, мы собрались здесь ради нашего общего дела. В последнее время, надо признаться честно, они шли далеко не самым лучшим образом. Мы не добрали десятки миллиардов при обмене старых денег на новые. И это все из-за твоей болезни, кто нам компенсирует потери?

Медведь слушал внимательно. Бой начался. Значит, все-таки Ангел? Ну что ж, это тоже можно было предвидеть. Надоела роль справедливого арбитра в воровских заварухах, и он решил попробовать править сам.

— Вы хотите сказать, что это я придумал реформу с деньгами? — искренне удивился Медведь.

— Нет, Медведь, — мягко возразил Ангел, — ты не придумал реформу с деньгами. Но когда нам нужно было действовать, ты валялся со своими болячками, и мы не смогли воткнуться со своими деньгами в Центральный банк.

— Твое нездоровье плохо отражается на наших делах, — с ледяным спокойствием произнес Граф. По его лицу пробежало нечто похожее на улыбку, казалось, он искренне жалел старика. Но Медведь знал, споткнись он, Граф будет первым, кто наступит на распластанное тело. — Может, тебе лучше отдохнуть, подлечиться. А мы позаботимся о тебе, лечить тебя будут лучшие врачи.

Это лечение — один из предлогов отставки. Достаточно полгода не браться за дело, и все быстренько сообразят, что ты лишняя фигура на доске большого бизнеса. Но просто так Медведь уходить не собирался. Он был создан для борьбы.

— А разве часть денег вам не удалось переправить в Среднюю Азию, где они сейчас в работе?

— Удалось, Медведь, — заговорил Гуро, — но ты пойми нас, дарагой, на этом дэле мы потеряли много, а могли бы сохранить все! Ты знаешь, как мы тэбя уважаем, но и ты нас уважай, подскажи, как умэньшить потери?

— Мне мои пацаны рассказывали, что в одной тюрьме старыми деньгами воры оклеили все стены, — радостно сообщил Федул, и, глядя на него, можно было подумать, что речь идет о чем-то действительно очень забавном. — Мы потом подсчитали, сколько там денежек было, так оказалось, что мы могли бы купить не один свечной заводик. Другой вор предлагал начальнику тюрьмы полмиллиона долларов только за шесть часов выхода на свободу, чтобы успеть обменять законные денежки из общака, но безуспешно. Все наши деньги превратились в фантики для сортиров, — все так же весело размахивал руками Федул.

— Вы несправедливы, — вмешался Лис. — Из них можно сделать конфетти на Новый год. Здесь мы с парочки миллионов могли бы выручить пару сотен. Потом я предлагаю еще один ход: можно развешивать деньги на елке, как игрушки. Неплохое бы получилось зрелище — елка в миллион рублей! Объясни нам, Медведь, как ты собираешься вернуть нам эти деньги? Мы год готовились к этой ситуации, почему же тогда не были спасены наши миллиарды? Наверняка сейчас вся ментовка страны потешается над нами. Я даже представляю, как они лыбятся, когда видят сортиры, оклеенные старыми деньгами.

Медведь хранил молчание. Казалось, что он ничуть не озабочен теми обвинениями, которые бросали ему воры. Граф забросил ногу на ногу и, словно следователь на допросе, стрелял своими кабаньими глазками в желтое лицо Медведя.

Выждав, Медведь заговорил. Спокойно и властно, так, как говорил всегда:

— Я согласен с вами. Мы потеряли много денег. Они сумели нанести серьезный удар. Но это не нокаут, мы с вами выдерживали и более серьезные удары. Значительная часть вины лежит на мне. Да, я был болен. Да, я не мог встать с постели. Да, мне нужно было связаться с банками и заранее подготовить всю операцию. Всего этого я не смог сделать. Видно, я действительно стар и нам нужно выбрать другого. — Во взглядах собравшихся Медведь видел напряжение, все ожидали, что он назовет преемника. — Я сам создал эту империю, она кормит нас, кормит зону, позволяет держать в руках полстраны, и мне не хотелось бы рушить ее бездарными решениями. Я не желаю, чтобы моя болезнь отразилась на интересах дела. Как вы решите, так и будет. Решение схода для меня закон.

Каждый из них мог стать во главе. И каждому из них до великого Медведя не хватало самой малости: его житейской мудрости, которая органично вживалась в знание воровских традиций; не хватало его имени, связей, осторожности, а главное — интуиции, чутья на ситуацию. Медведь был из старого поколения воров, из самой его элиты, перед которой ломали шапку карманники, фармазонщики, форточники и прочие низшие чины. Медведь привык к почитанию. Он был знаменит еще тогда, когда самый старший из присутствующих на этом сходе писал в колыбель. Неужели так состарился Медведь, что вот так просто отказался от борьбы?

130

Если Медведь уйдет, то с ним уйдет весь тот опыт, который он собирал десятилетиями так, как бедняк копит по грошику на лошадь. Каждый из них в отдельности будет слабее него, это понимали все, поэтому за столом повисло молчание.

— Медведь, — расколол тишину Ангел, — мы понимаем, насколько важна твоя роль. Знаем, что каждому из нас до тебя пока далеко. Даже если сейчас мы надумаем избрать человека, ему потребуется три-четыре года, чтобы вникнуть во все проблемы. Но это слишком расточительно, чтобы бросать несколько лет неизвестно на что. — Ангел вновь взял на себя роль арбитра. Он тонко чувствовал обе стороны, а сейчас они хотели примирения. Это было написано на лицах. Если кто и рвался сейчас к власти, так это только Граф. Но он один ничего не значит против всех. — Ты нам нужен, Медведь, но мы хотели бы застраховать себя от подобных... случайностей. Деньги, которые мы собираем, принадлежат не только сходняку. Они расходятся по тюрьмам, зонам, остаются во вкладах за границей. Но что же мы сейчас скажем корешам, которые мотают срок? Им нужны деньги, а грева нет! Как бы ты сам поступил с тем человеком, который посмел бы разбазарить такую прорву? — В таких спорах отношения упрощаются, и он уже не обращался к Медведю, как к старшему, называя на «вы».

— Я бы устроил мерзавцу автомобильную катастрофу, — улыбнулся Медведь. — Конечно же, ты прав, Ангел. Если бы кто-то посмел прикарманить даже часть из пропавших денег, его просто бы не нашли. Но вы забываете, что денег я не брал. Их отобрало у нас государство, оно же нас и рассаживает по зонам, вот к нему и нужно обращаться с претензиями. Единственное, в чем я виноват, так это в том, что не вовремя слег! Но я делал все, что мог. — Медведь почувствовал, что настала та

131

самая минута, с которой нужно переходить в наступление. — Так вот что я вам скажу, пусть ваши авторитеты сдирают со стен сортиров наклеенные деньги, пусть вытаскивают их со всех заначек. Есть один человек, который нам всем очень обязан, так вот, он поможет нам вернуть все наши деньги. Что вы на это скажете? — Это был главный козырь Медведя, который он оставил под самый конец игры. — Да, я болел, но я не бездельничал.

Медведь обожал готовить сюрпризы. Все знали, что и сейчас не обойдется без них, но никто не мог предположить, что он сможет приготовить такой подарок.

В полумраке коридора, прислонившись к косяку, стоял Алек и взглядом, полным восхищения, наблюдал за Медведем, и, когда их взгляды встретились, старый вор сложил губы в улыбку.

ГЛАВА 10

Четыре года прошло после окончания университета. За это время Варяг несколько раз был за границей, стажировался по международному праву в Швейцарии, а во Франции собирал материал на докторскую. И быстрая его защита не удивила никого: он впрягался в работу сразу и легко тащил непомерный для многих груз.

После защиты диссертации он устроил большой банкет. Был снят ресторан на четыре сотни человек. Перепуганный швейцар то и дело бегал к Варягу:

— Владислав Геннадьевич, опять идут! Дверь открывать?

Варяг, находясь в хорошем расположении, щелчком небрежно сбрасывал пепел горящей сигареты и почти задиристо отзывался:

— Открывай, батя! Это все приглашенные!

И когда наконец все стулья оказались заняты, Варяг коротко распорядился:

— Вот теперь можешь никого не пускать. На вот тебе зелененьких за страдания, — тиснул он в ладонь старику десять долларов.

Варяг прошел в зал. В самом конце стола, ничем не выделяясь среди четырех сотен приглашенных, сидел старик, который любезно разговаривал с пожилой дамой. Варяг видел, что на ее просьбу подложить салата он расторопно зацепил ложкой нашинкованной свеклы и положил ей в тарелку. Никто, кроме трех человек из сотни других присутствующих в зале, не знал, что это был знаменитый вор, живая легенда по кличке Медведь, вполне оправдывающий эту кличку и редко когда покидающий свою уютную теплую берлогу. Для того чтобы это все-таки случилось, нужны были весьма уважительные причины, и сейчас был именно тот случай — Варяг защитил докторскую.

Старик, заметив взгляд Варяга, прикрыл глаза: «Я не ошибся в тебе». Среди приглашенных были Алек и Ангел, которые так же, как и многие, налегали на деликатесы, запивая их марочными винами.

Медведь сейчас для многих оставался загадкой. Его невозможно было понять, как нельзя одним взглядом вблизи увидеть всю гору. Часто он действовал по какой-то сверхъестественной интуиции, которая могла совсем не поддаваться логике, и, как правило, оказывался прав. Так же интуитивно Медведь почувствовал в Варяге личность, которую, прежде чем отправить в большую жизнь, нужно выпестовать и выкормить, как крикливого желторотого птенца. А потом лети себе, птаха! Теперь было понятно, почему Медведь три года назад не хотел выпускать из своих рук бразды правления: втайне от всех он готовил смену, и эту смену он видел теперь в Варяге, который креп год от года. Сейчас Медведь с обожанием смотрел на Варяга.

Сидя рядом с академиком Нестеренко, Варяг улыбался гостям, целовал дамам руки, важно вел беседы с коллегами и очаровывал приглашенных академиков отличным знанием английского.

Наблюдая за Варягом, Медведь вспомнил свою молодость, когда уркам не разрешалось даже читать газеты. Любое печатное слово было презираемо, а теперь его воспитанник бегло изъяснялся на иностранном языке. Он обаятелен, обходителен, любезен, умен — за таким могут последовать самые сильные и непокорные.

Воровской мир уже прочно разделился на воров старой и новой формации. Старые воры были законники, следовавшие заповедям воров, которые исходили из далекого нэпа, за ними устойчиво закрепилось прозвище «нэпмановские воры». Они продолжали находиться в плену воровской романтики двадцатых годов, когда преданность воровской идее ставилась превыше денег. Урка не смел не то что ударить, даже обругать себе равного. Сейчас для воровской идеи наступали смутные времена: появилось другое поколение воров, которые с легкостью вживались в новые экономические условия. Они были дерзки, многочисленны и для достижения своих целей не останавливались ни перед чем, подкупая несговорчивых, уничтожая строптивых.

Медведь был вором старой закалки. Он свято соблюдал традиции, и, видимо, потому в свое время он подолгу сиживал в тюрьме. Но он не мог не понять: что для двадцатых годов было важно, теперь становилось слепой кишкой. Раньше за один только разговор с тюремной администрацией вора могли лишить всех прав. Сейчас иное — воры охотно шли на сговор с администрацией, выклянчивали дополнительные поблажки. Еще несколько лет назад воры представляли из себя единое целое, не придавая значения размолвкам, которые происходили в воровской среде, рассуждая просто: «В какой семье не бывает ссор?» А когда Медведь выступил идеологом нового направления, прихватив с собой перспективную молодежь и почти отказавшись от старых урковских традиций, прежний воровской суд приговорил его к смерти.

135

Медведь был вынужден «уйти из жизни». Теперь он скрывался в доме, который больше смахивал на неприступную крепость времен феодальных войн.

Однако старый сходняк постепенно расползался по всем швам. Он походил на ветхую одежду, которую напялил на себя удалой молодец, вот оттого и трещит она под мышками и расходится огромной дырой между лопатками. Законников покидали все, кто не хотел больше ютиться в тесных бараках, кто желал свободы, денег, реальной власти. Они попирали один из незыблемых принципов старых урок — не иметь своего имущества. Вот среди этого множества отказников Медведь и черпал молодую кровь, они становились самыми верными его союзниками, именно они каждый год расширяли его империю.

Эта скрытая война между двумя лагерями законников приобретала иногда вид лопнувшего чирия, и тогда в подворотнях находили трупы с рваными ранами на груди и размозженной головой.

Но старые урки внушали Медведю уважение. Они следовали и второму принципу вора в законе — не предавать. И никакое объяснение не могло послужить оправданием. Иногда старики казались ему наивными в своей слепой вере: разве не глупо пропадать по тридцать лет в тюрьмах и колониях только потому, что ты — вор. Медведь знал и таких, которые отказывались выходить на свободу после окончания срока. Своим самопожертвованием они напоминали факел, который будет светить молодежи, пришедшей им на смену. Так фанатики на площадях сжигают себя перед толпами народа, чтобы дать новую жизнь красивой идее. Он знал таких воров. Многие годы некоторые из них были его друзьями. А лет двадцать назад он сам был одним из них. И только тяга узнать что-то новое заставила его пойти своей дорогой. Только многими годами позже он понял, что ему были тяжелы их многочисленные обеты: безбрачия, вечного братства, да сколько их там! В тягость была и сама жизнь, лишенная многих благ.

По-настоящему крепнуть Медведь стал лет пятнадцать назад, когда по всему Союзу появлялись цеховики, которые гнали продукцию для себя, выставив в спину государству огромный кукиш. Внешне такие предприятия могли выглядеть вполне благопристойно: там трудились рабочие, которые отрабатывали свою восьмичасовую смену, там даже было соцсоревнование с переходом знамен в лучшие бригады, там выявлялись передовые рабочие и вручались значки «Ударник коммунистического труда», и только три-четыре человека знали, что предприятие это подпольное.

Медведю пришлось проявить всю свою находчивость и изобретательность, чтобы выявить целые подпольные заводы: он подсылал туда «рабочих», «бухгалтеров», а когда досье составляло внушительную силу, заявлялся к директору сам. Просил немного: десять — пятнадцать процентов, которые в дальнейшем обрастали многомиллионными прибылями. Именно накопленный капитал позволил Медведю подняться к самой вершине. Уже без оглядки на сходняк он распоряжался такими суммами, какими не могли располагать правительства некоторых республик. А это толкнуло к следующему шагу: с чемоданом в руке, доверху набитом деньгами, Медведь беззастенчиво входил в самые важные кабинеты и просил совсем уж малость — не мешайте работать! Теперь дело катилось не по проселочной дороге с буераками, без конца собирая под себя все кочки, а летело лайнером, с каждым годом набирая все большую высоту.

Вот именно тогда дружная семья воров — сходняк — стала менять свое лицо, именно тогда выявились законники, которые не желали идти ни на какое сотрудничество с теневиками и предпочитали забирать все. Но была другая группа, которая хотела потихоньку пощипывать подпольный бизнес, имея при этом устойчивый ручеек прибыли. На следующем сходняке, который проходил в Казани, Медведь предпринял попытку примирить самых авторитетных воров. Сюда же пригласили и цеховиков, которые, словно овцы перед оскаленным волком, сбившись в небольшие кучки, вели тихие разговоры. Сходняк проходил задушевно, напоминая разговор старых друзей. Медведю тогда удалось невозможное: он убедил своих нэпмановских друзей-воров заняться делом и влиться в теневую экономику, правда, сходняк потребовал увеличить их долю, и теневики стали отчислять ворам от своей прибыли уже двадцать процентов.

Но кто тогда мог подумать, что это только углубит наметившийся разрыв. Действительно, год-два они жили в мире, но так живут волки, присматриваясь, чтобы затем вцепиться друг другу в горло. А потом их дороги уже разошлись, и, казалось, навсегда.

Медведь часто вспоминал своего друга, коренного законника, семидесятилетнего урку, который шалел от злости, когда попирались прежние традиции воровской чести:

— Не бывало такого, чтобы воры работали на барина! Вор может украсть, ограбить, даже убить, но не работать! А сейчас что получается? Они платят нам двадцать процентов, как служащим на фабрике! Может, они нас еще и в ведомостях заставят расписываться? Нам принадлежит вся прибыль до последнего гроша! Пришел вор, и будь добр, выложи кошель на стол! А нет, так мы тебя живого в гроб заколотим. Нам не по пути с теми, кто забыл прежние традиции. Пусть они организуют свой сходняк, если для них деньги важнее, чем воровская идея! Урка не принадлежит себе, урка принадлежит всем! — Старый вор никогда не называл себя законным, он был урка! Справедливо полагая, что «вор в законе» придумали сами менты. — У него даже кровь не та, что у других зеков: погуще и покраснее будет! Что это за урка, который запирается на своей даче, вместо того чтобы быть в зоне!

Никакие разговоры не могли его убедить, что пришло другое время, что нужно меняться, нужно приспосабливаться к иным условиям: старик твердо стоял на своем.

Медведь снова с надеждой посмотрел на Варяга, которому предстояло довести до совершенства то, что создал он.

...Академик Нестеренко поднялся из-за стола. Был он сед, величав, благороден и красив. Он очаровал всех, так может покорять уходящая за горизонт яркая сверкающая комета.

— Друзья мои, — начал торжественно он, — сегодня у нас не совсем обычный день, а для меня это была не совсем обычная защита диссертации, хотя, как председатель Ученого совета, я не высиживал на множестве всяких других. Она знаменательна тем, что была написана в фантастически короткие сроки, что вовсе не умаляет других ее достоинств. Диссертант привлек огромный материал, обращался к источникам, о которых я даже и не подозревал. А ведь взял он совсем непростую тематику — международное право! Но с более стройной теорией мне просто не приходилось встречаться. Владислав Геннадьевич чрезвычайно талантлив, и, что говорить, я, академик Нестеренко, завидую ему. Завидую его таланту, умению рассуждать по-новому, способности красноречиво излагать свои мысли — как на бумаге, так и в разговоре. Он действительно блестящий ученый! А его способность к языкам меня просто восхищает! — искренне восторгался Нестеренко. — Мы сначала не хотели форсировать учебу, но потом заметили, что он уже не умещается в студенческие рамки, пришлось назначить ему индивидуальный график, — улыбался Нестеренко, — а скоро он уже и кандидатскую подготовил. За ваш светлый ум, молодой человек!

Варяг поднялся и осторожно тронул рюмкой бокал академика. Тонкие стекла зазвенели, и на белую узорчатую скатерть упала красная капля. Варяг улыбался, и только один Медведь знал тайный смысл его улыбки. «Они бы все попадали со стульев, если бы знали, что сейчас на уме у моего мальчика».

Банкет продолжался, и опьяневший Нестеренко продолжал восхищаться Варягом, поворачиваясь то в одну, то в другую сторону:

— У него светлая голова! Я никуда его от себя не отпущу, не пройдет и трех лет, как он возглавит институт. Это моя смена. Я часто за ним наблюдаю, как он работает, как в это время он совершенно от всего отключается, так могут немногие. Клянусь, за свою долгую жизнь мне не приходилось видеть более способного человека.

Стареющая дама кокетливой школьницей засматривалась на седовласого академика, было видно, что она положила на него глаз:

— Не перехвалите, Егор Сергеевич.

— Его не перехвалишь, — поймал Варяг на себе взгляд Нестеренко, такими же глазами на него смотрел Медведь.

Варягу захотелось выкурить сигарету. Он поднялся и, стараясь, чтобы никто не заметил, вышел в коридор.

В холле ресторана было тихо. А в зале веселье набирало силу, и за столом то и дело слышался голос Нестеренко, который, сбросив с себя академическую чопорность, был сейчас забавным стариком и интересным собеседником. Он умело поддерживал за столом разговор, извлекая из своего далекого прошлого занятные истории.

Варяг вспомнил, как однажды академик поразил его. Это было прошлым летом, когда Нестеренко пригласил аспиранта к себе на дачу, где собирался показать ему черновик статьи. Было жарко, и Варяг неосторожно расстегнул на рубашке две верхние пуговицы.

— Вы, наверное, не знаете, Владислав, но в свое время мне за некоторые свои убеждения пришлось сидеть в Соловецких лагерях несколько лет. Может быть, вы слышали, что такое СЛОН?

Ему ли не слышать про СЛОН?!

Три вора в законе, которые давали ему рекомендации на законника, были оттуда. Одного из них Варяг считал почти своим отцом, именно он увидел в пятнадцатилетнем пацане будущее, звали его Мишка Топаз. Частенько он распахивал бушлат, показывая здоровающихся ангелов, и говорил безусому мальчугану:

— Чти, салага, воровские законы, себя в обиду не давай, и со временем тебе позволят вот такую же наколку нацарапать.

Как он мечтал тогда о такой наколке!

Но на слова академика Варяг сдержанно отвечал:

— Первый раз слышу, Егор Сергеевич.

— А зря — знаменитейшие были лагеря. Каких только людей не приходилось видеть. Были там и белые, и красные, и зеленые, и академики, и шантрапа всякая, но были и авторитетные урки. Немного, всего человек пять, но были! И вот у всех у них была такая наколка, как у вас: два ангела здоруются через крест. И у меня наколка есть, не уберегся я. Вот смотрите. — Академик закатал рукав, и на мускулистой развитой руке Варяг увидел заходящее за горизонт солнце, от которого отходило четыре луча. Значит, он провел там четыре года. — Эта наколка говорит о том, что я сидел на Севере, а вот эта аббревиатура СЛОН, — показал он на буквы, — что значит Соловецкие лагеря особого назначения. — В голосе профессора по-прежнему сквозило разочарование. Вот, дескать, поговорить об этом хочется, а не с кем, и Варяг едва сдержался, чтобы не ответить по фене.

Варяг выглядел смущенным и неловко стал застегивать на рубашке пуговицы.

— В детстве баловались, вот мне мальчишки и выкололи такую.

— Но почему именно эту? За такую наколку воры спрашивали строго, могли даже убить.

— Я в этом совсем не разбираюсь, но у одного моего детского друга отец, кажется, имел точно такую же наколку. Вот с нее и копировали.

Академик только хмыкнул, и было видно, что он не очень поверил словам Владислава, хотя бы даже потому, что настоящий урка не должен иметь семьи, а про отцовство и говорить нечего. И Варяг почувствовал, как на мгновение между ними протянулась та нить, которая связывает людей, приобщенных к одной тайне.

И, уже стараясь не заострять на этом внимание, Нестеренко перешел к делу:

— Я вас хотел ознакомить со своей статьей, думаю, мы можем быть соавторами. Здесь я два раза ссылался на вас. Вы готовы к сотрудничеству?

— Готов, Егор Сергеевич, — отвечал Варяг.

Сотрудничество их продолжалось уже не первый год, но с тех пор Варяг никогда не расстегивал рубашку перед профессором.

...Сейчас, вдыхая горький аромат табачного дыма, Варяг вспомнил этот эпизод и улыбнулся.

— Какие люди замечательные собрались, одно удовольствие слушать. А старик-то седой, кто он будет? Начальник? — подошел швейцар.

— Начальник, дед. Начальник. Большой человек, — пускал Варяг в сторону тонкую серую струйку.

Старик не мешал Варягу. Он успел подустать от умных разговоров, и хотелось просто почесать языком, к беседе был расположен и швейцар.

— Сигарету хочешь? — спросил Варяг.

— Не откажусь.

Варяг выудил пальцами сигарету и протянул швейцару.

— Дорогая, — нюхал старик табак, — аромат-то какой. Каждый день такие куришь?

— Точнее сказать — каждый час. — Варяг подумал о том, что пора бы расстаться с этой заразой. Однако восхищение старика умиляло его, он определенно улучшал ему настроение.

— Живут же люди, может, на работу меня возьмешь? — серьезно поинтересовался старик.

Варяг хохотал искренне.

— Возьму, дед, возьму. А что, разве на чай мало дают?

— По-разному бывает. Когда мало, а когда и хватает. Да вот старуха у меня жадна до денег. Весь остаток в заначку затыкает, а потом у нее и не допросишься.

Варяг хотел ответить, что нужно бы старуху прищучить вожжами, чтобы не распускалась, или, как советовали в старину, отвести в лес и проучить розгами, но увидел, что прямо на него шел высокий парень в кожаной лайковой куртке, а немного позади от него стояли еще трое. «Странно, как они оказались здесь», — подумал он. Старик швейцар стоял рядом и делал вид, что ничего не замечает.

Варягу стало ясно, кто дал на него наколку. Дед ему был уже не интересен, и он сосредоточил на этом щеголе все свое внимание. Как это ни странно, но в этом наглом парне он узнавал себя прежнего: когда-то он точно так же поглядывал по сторонам с непроницаемой маской на лице. Интересно, что же он скажет?

— Дед, отойди в сторону, нам переговорить нужно, — приказал щеголь.

Варяг улыбнулся. Он имел право на эту снисходительную улыбку. Нужно прожить по крайней мере пару жизней, чтобы улыбаться так.

— Что ж, дед, отойди, если говорят.

Парень внимательно проследил за тем, как старик отошел к двери, а потом заговорил:

— Я вижу — у тебя здесь банкет? Отмечаешь чего?

— Отмечаю. — Разговор забавлял Варяга. — Диссертацию защитил.

— Ученый, значит?

— Вроде того.

— Заглянул я к тебе в зал, так там одного выпивона на десять тысяч баксов будет.

— Может, и больше.

— Поделиться бы тебе надо с бедными. Видишь, рубашка у меня какая старая. Новую хочу купить. А еще вот этот зуб шатается, хочу золотой поставить.

— Золотой зуб — это дело хорошее. И сколько же ты хочешь иметь?

Варяг перевел взгляд на сигарету. Она уже потухла. Он хотел прикурить ее вновь, но раздумал, не та компания, чтобы раскуривать ее. Жаль, настроение испортили. Варяг далеко в сторону отшвырнул сигарету.

— Дай столько, сколько тебе не жалко дать бедным.

— Что, милостыню просишь?

144

— Послушай, ты мне нравишься, но скоро моему терпению может прийти конец. Я прошу у тебя не милостыню, а своего. Плати пять тысяч баксов и можешь отваливать. Больше мы вас не тронем.

Парень был молодой, дерзкий. Он сам когда-то начинал примерно так же. Сейчас пацану нужно расти и доказывать свое лидерство тем, кто стоит за его спиной. А они хотят знать — чего он стоит. Нахал уверен, что эпизод с молодым покладистым ученым поможет ему подняться еще на одну маленькую ступень. Люди они интеллигентные, в драку не полезут. Варяг несколько секунд смотрел в его холеное, слегка скуластое лицо. Что же ему такое ответить?

— Это хорошая сумма. Я мог бы помочь вам выбраться из нищеты. Жди меня здесь, я сейчас принесу.

Варяг неторопливой походкой пошел в зал и уже у самых дверей услышал требовательный голос:

— Только давай побыстрее, мы ждать долго не любим. — Мальчик входил в раж.

Варяг обернулся на голос:

— А если я рискну не заплатить?

— Ты рискни и тогда узнаешь, что будет.

— И все-таки?

— Ты ведь не хочешь, чтобы мы испортили твой праздник? Ты ведь не хочешь платить за битую посуду и уйти отсюда с разбитой рожей?

— Вот оно, даже так. Откуда ты такой взялся?

— Я живу в этом районе, и нас таких здесь очень много.

— Теперь понимаю, — распахнул Варяг дверь и вошел в зал.

Его встретили шумно. Было видно, что за эти полчаса, пока Варяг отсутствовал, гости успели соскучиться.

— Куда же ты пропал? Иди сюда, занимай свое место, — через весь стол громко говорил захмелевший Нестеренко. — Завтра же начинай оформлять свою диссертацию отдельной книгой.

Варяг не был бы уркой, если бы не чтил воровские заповеди, одна из них гласила: вор в законе не должен ввязываться в драку, на расправу в его распоряжении всегда есть бойцы.

Владислав дружески раскланивался во все стороны, приветливо махая рукой, он шел прямо к Ангелу, сидевшему недалеко от Медведя. Поначалу он хотел подойти к самому патриарху, потом раздумал: нечего беспокоить старика такими пустяками.

— У меня есть к тебе дело, пойдем отойдем ненадолго в сторонку, — вытащил Варяг из-за стола Ангела.

— Что случилось? — спросил Ангел, когда они остались вдвоем.

Варяг хмыкнул:

— Там фраера... надо бы разобраться.

— И чего хотят? — Ангел оживился.

— Они считают, что у меня слишком богатый стол на банкете, и требуют, чтобы я поделился. Хотят пять тысяч баксов!

— Сколько их? — по-деловому поинтересовался Ангел.

— Я видел четверых. Но, мне кажется, их больше, уж больно нахальные. Ты знаешь, кто смотрящий в этом районе?

Ангел почти обиделся:

— Я отвечаю за эту часть города перед сходняком. Эти ребятишки, видно, не поняли, с кем имеют дело. Надо поучить дураков. А смотрящего я знаю уже лет десять. Мы даже были с ним подельники, сидели на одной зоне. Будь здесь и никуда не выходи, не хватало, чтобы из-за этого молодняка ты оправдывался в милиции. Через полчаса я тебя позову.

Ангел ушел. То, к чему они шли долгих семь лет, могло разрушиться из-за наглости нескольких сосунков. Они даже не представляют, на кого замахнулись!

Медведь почувствовал неладное: приподнял седые брови, спрашивая: «Что там, Владик? Нужна ли моя помощь?» В ответ слегка сжатые губы: «Все в порядке, Медведь. Это не тот случай, из-за которого можно тревожить патриарха».

Нестеренко не унимался. Настоящий дамский угодник, он подкладывал ветчину одной женщине, разговаривал с другой, улыбался третьей и со всеми был неисчерпаемо весел. Ясно было, без его присутствия стол казался бы пустым. Он был счастлив, как будто сам только что защитил диссертацию. И если ему чего-то не хватало в этот день, так это немного молодости, тогда бы он точно накрутил всем этим дамочкам хвосты!

Варяг посмотрел на часы, прошло двадцать пять минут, и вдруг увидел, что в дверях появился Ангел. Его лицо всегда было непроницаемым, неким подобием маски, и сейчас тоже Варяг не смог угадать его внутреннее состояние. Ангел позвал его.

— Пойдем в туалет, — тихо сказал он, когда Варяг подошел.

Не проронив ни слова, прошли в коридор. У стен стояло несколько человек, которые с интересом поглядывали на Ангела с Варягом. На их лицах застыла почтительность.

В туалет народу набилось достаточно, но, когда появились Варяг с Ангелом, стоявшие расступились. На мраморном полу сортира Варяг увидел всех четверых. Трое лежали у писсуаров, на разодранных рубашках темнели неровные пятна крови. Лица разбитые и опухшие, не верилось, что еще полчаса назад они напоминали сытых котов.

Фраера с холеным лицом он узнал только по кожаной куртке: глаза заплыли совсем, а правую щеку до самого подбородка рассекала глубокая рана. Один из стоящих рядом расстегнул ширинку и помочился на бесчувственное тело, за спиной раздался смех.

Ангел нагнулся к парню и заглянул в щелки его глаз:

— Ты узнаешь меня, сука?! Денег захотел! Так ведь они не каждому достаются. И еще тебе совет даю: нужно всегда знать, с кем собираешься иметь дело. Ты до конца уяснил, с кем имеешь дело?

— Уяснил, — прошелестели разбитые губы, — прости.

— Что с ними делать? — по-деловому поинтересовался Ангел. — Заставить лакать воду из унитазов, зарыть по горло в лесу или, может, предложишь заколотить живыми в гроб? А может, опустить? Жеребцы здесь что надо, с любой работой справятся охотно.

— Прости... Не знал... Не убивай.

Варяг почувствовал, что гнев, сжигавший его полчаса назад, сгорел дотла, взамен осталась только кучка теплой золы. Жалости он тоже не ощущал — не однажды приходилось судить вот таких птенцов, посмевших поднять руку на воровское величие. На то они и воры в законе, чтобы беспредела не было.

Варяг вспомнил, как по Москве два года назад слонялось несколько банд зеленых головорезов, наглых и глупых. В этом возрасте нет страха перед смертью, и они, никого не боясь и никому не подчиняясь, не сдавая денег в общак, привлекли к себе внимание воров. Сходняк принял решение убрать лидеров этих группировок. Были наняты люди, и после нескольких точных выстрелов банды беспредельщиков рассыпались кто куда, словно горох из разжатой ладони. И этого, такого же молодого и дерзкого, убрать не составит труда.

Варяг выпрямился. Он был среди воров, которые, считая его ученым приятелем могущественного Ангела, с интересом смотрели на него в ожидании приговора. Скажи Варяг сейчас: «Разорвите его на куски!» — случилось бы и это.

— Пусть живет, — сказал он наконец. — Он получил свой урок. Выбросьте эту падаль из ресторана... И пусть завтра директор даст расчет швейцару-накольщику.

Ангел кивнул, и парня, небрежно подхватив под руки, выволокли из туалета. Вскоре разошлись и остальные. Покурив, Ангел с Варягом вернулись в веселый и хмельной зал.

ГЛАВА 11

Нестеренко, как и обещал, взял Владислава к себе. Через пару недель после защиты диссертации состоялось очередное заседание Ученого совета.

— Коллеги, — сказал академик утрированно тихим голосом, — сектор, занимающийся проблемами Общего рынка, грешит теоретическим уклоном. Много исследований, мало внедрений. Я жду от отдела большой практической отдачи. Надо... — Нестеренко сделал несколько гребущих движений руками, — захватывать не вширь, а вглубь. Рекомендую нового руководителя сектора. Владислав Геннадьевич Щербатов — молодой, энергичный, честолюбивый, а это важно. И вообще нужно уступать дорогу молодым.

Проголосовали единогласно. И сразу все ушли.

— Что ж, Владислав Геннадьевич, поздравляю. — Нестеренко потрепал Варяга по плечу. — Как говорится, большому кораблю — большое плавание и попутного ветра.

— Спасибо, Егор Сергеевич! Кажется, Сенека говорил, кто толком не знает, в какую гавань плывет, для того нет попутного ветра.

— Полноте, дорогой мой! Это вы-то не знаете?

Ваш талант свое возьмет, да и чужое в придачу. Шутка.

Варяг улыбнулся.

— Опасаюсь, Егор Сергеевич, как бы в иностранных водах не наскочить на рифы, а то еще хуже... сожмут какие-нибудь айсберги и...

Академик сделал останавливающий жест рукой.

— Когда сжимают — это хорошо, поскольку хочется всесторонне расшириться. Собирайтесь в Брюссель. В конце месяца там состоится встреча стран—участниц Европейского Экономического Сообщества. Вот вам и первая гавань, — сказал Нестеренко голосом, в котором чувствовались подводные камни.

— Егор Сергеевич, насколько я понимаю, экономический передел мира еще не закончился и, думается, сейчас Россия представляет для них особо лакомый кусок.

— Вот-вот, именно! — Нестеренко глянул на Варяга с хитрованским прищуром. — Они там прекрасно знают, кто есть кто и что почем. К примеру, договор о создании Общего рынка был подписан в 1957 году, а вступил в силу через год. Почему? Потому что страны-участницы долго не могли договориться о провозглашенных целях. И если Франция, Германия, тогда еще ФРГ, Италия, Бельгия, Нидерланды и Люксембург в этом союзе с момента создания, то Великобритания, Дания, Ирландия с 1973 года, а Греция — с 1981. О чем это говорит?

— О том, что закон джунглей еще никто не отменял, — показал Варяг свое знание шестка.

Нестеренко согласно кивнул.

— Тут вы правы, — сказал он, доставая из ящика стола какую-то папку. — Вас в Европе ждут с нетерпением. Думаю, пригласят и в Италию. Кстати, договор об образовании ЕЭС называется Римским. Одним словом, вас встретят с распростертыми объятиями, но не обольщайтесь. Общий рынок — это, по сути, базар, где торговля осуществляется по принципу «деньги не пахнут».

Он помолчал, а потом протянул папку.

— Почитайте на досуге. Когда-то я был оппонентом этой диссертации. Здесь многое из того, что нелишне знать о так называемом организованном разбое на Западе. Приведу один забавный факт. В 1282 году на острове Сицилия в городе Палермо возникла патриотическая организация, ставившая своей целью освобождение Сицилии от французского ига. Девиз ее был: «Смерть всем французам — это клич Италии». Я сейчас произнесу это на итальянском, а вы выделите начальные буквы слов и составьте из них новое. — Нестеренко лукаво подмигнул. — Морте... алля... франсия... италия... анелля...

— Ма-фи-а, — произнес Варяг по слогам. — Стало быть, мафия. Ну надо же!

— Забавно, правда? Начальные буквы девиза служили паролем для членов организации. Что произошло с ней за семь с лишним столетий, знают все, но о размахе, с каким мафия действует, известно лишь некоторым.

Нестеренко сделал неопределенное движение лицом.

— Не будем терять время, Владислав Геннадьевич! Впереди большая работа... Командировка не из легких.

— Еще раз спасибо за все, Егор Сергеевич, — сказал Варяг, поднимаясь. — Я в долгу перед вами.

— Никаких долгов и одолжений! Дружба этого не терпит, а мы с вами друзья, не так ли?

Нестеренко протянул руку. Рукопожатие получилось крепкое и дружественное.

Большая умница, этот старикан, но наивняк каких мало, подумал Варяг, закрывая за собой дверь. Диссертацию какую-то подсунул. Ладно, почитаем! Смерть французам, клич Италии... В России все больше лозунги. Правда, один гений тоже кинул клич гражданам, мол, грабь награбленное, и понеслось!.. Разрушим весь мир до основания, а потом, дескать, построим новый. Неслабо фраернулись со строительством! Нет, Медведь все-таки голова, размышлял Варяг, шагая по парадной институтской лестнице. Можно сказать, созидатель и стратег. На Запад дал «зеленую улицу»... с зелеными. Варяг улыбнулся, оценив свой каламбур. Теперь, как говорится, вперед и выше!

Придя домой, он первым делом пошел на кухню. Сварил кофе.

— Ну, мафия, что там у вас новенького, чего мы не знаем? — ухмыльнулся он вслух и, отхлебнув глоток, достал из папки монографию.

На страницах рукой Нестеренко были сделаны пометки. Кое-какие места были отмечены синим карандашом, красным были подчеркнуты выводы в конце глав.

Начнем с синего, решил Варяг, а там посмотрим...

Ага, вот! «Семья возглавляется боссом, главная функция которого состоит в том, чтобы поддерживать жесткую дисциплину и способствовать получению максимальной прибыли».

Ну и что? Тоже мне открытие, подумал он, переворачивая страницу.

«Глава семьи имеет заместителя, который собирает информацию, — читал он, — и передает ее боссу. От него он получает приказы и доводит до сведения всех членов семьи. В целях конспирации отцы семейств избегают контактов с рядовыми членами».

Н-да! Ангел бы таких диссертаций... да он уже профессор! Варяг допил кофе и пробежал глазами следующий абзац. Оказывается, кроме заместителя есть еще и советник. Эту должность занимает старейший член семьи, отошедший от непосредственного участия в бизнесе. Интересно! Ничего не делает, а только советы дает членам семьи. В том числе и боссу. «Ступенькой ниже находятся лейтенанты...» Ну прямо как в армии! Так, так... «Лейтенант возглавляет команду из нескольких солдат, которые находятся на низшей ступени... — Варяг споткнулся, — структурной лестницы преступного синдиката».

Во, завернул! Ну-ка, что там дальше?

«С разрешения отца семьи солдаты могут заниматься любым незаконным бизнесом, куда относятся азартные игры, подпольные лотереи, ростовщичество, торговля наркотиками. Позволяется иметь и собственное дело, но тогда они обязаны отдавать организации часть доходов».

Вклад в науку, называется! Пол-Москвы только этим и занимается... Варяг прыснул в кулак, когда прочитал, что ниже всех «в иерархии преступного синдиката» те, кто не входит в состав семьи, — служащие и агенты. Умереть, уснуть! Как там? Он прочитал вслух:

— «Эти лица, подчиняясь условиям босса, выполняют основную часть повседневной, черной работы. Они служат в легальных отраслях бизнеса, занимаются розничной торговлей, в том числе и наркотиков».

Обхохочешься! Он развеселился. Ого! Это уже интересно... «Власть остается в руках гангстеров итальянского происхождения».

Варяг задумался. Во-первых, диссертация явно устарела, а во-вторых, «итальянское происхождение» потеснить легче легкого. Ладно, что там дальше?

Он пробежал глазами абзац, отчеркнутый красным карандашом. Запомнил, что высшим органом американской мафии в общенациональном масштабе является большой совет, или комиссия, в состав которой входят представители наиболее крупных семей. «Они именуются председателями, или советниками, — читал Варяг, — но не пользуются равными правами, так как многое зависит от могущества семьи, которую представляет тот или иной член комиссии, а также от того, насколько он влиятелен сам». Так, это понятно!

Его внимание привлек абзац, помеченный галочкой.

Вон оно что! Есть еще один руководящий орган. Просто совет, который строится по территориальному признаку. Во главе стоит дон. Варяг вспомнил дона Корлеоне из «Крестного отца». В порядке фильмец! Ага! Оказывается, дон может и не быть членом большого совета. Ладно, это кому как нравится!

Он отметил про себя, что в больших городах есть свои собственные советы. Следующая фраза его просто умилила: «Мафия настолько прочно вошла в повседневную жизнь крупных американских и европейских городов, что население уже не отличает формы ее деятельности от обычного предпринимательства». Население пусть смотрит в ящик, а кому надо, тот отличает...

А когда на следующей странице он наткнулся на абзац, подчеркнутый двумя красными чертами, пришел в восторг, оценив мудрость Медведя. Надо будет при случае показать эту цитату Ангелу! Он достал блокнот и написал мелким почерком: «Размах деятельности мафии и ее фактическая безнаказанность свидетельствуют о тесных отношениях верхушки с блюстителями закона и порядка. Босс, или глава семьи, не занимая никаких официальных постов, является проводником замыслов определенных промышленных и финансовых кругов, заинтересованных в выдвижении на государственные посты людей, которые будут служить им верой и правдой. Добиваясь поставленной цели, отцы семейств не церемонятся в выборе средств. Взятки, подкуп, шантаж — обычное дело».

В трактовку вопросов «кодекса и чести» Варяг углубляться не стал. То, что поддержание целостности и незыблемости традиций семьи не исключает избиения и убийства, ему было известно, как и то, что смертный приговор совета приводится в исполнение немедленно.

«Главу семьи может наказать только комиссия»,— прочитал он и отложил монографию в сторону.

Придется сходняку пошевелить мозгами. Сдается, среди донов и отцов непокорных будет навалом!

...Через неделю он улетал. Приехал на такси в аэропорт Шереметьево-2, где, как всегда, было многолюдно, шумно и грязно. Он выглядел стопроцентным джентльменом, что, как известно, в переводе означает «мягкий человек». Со стороны Варяг производил именно такое впечатление, и никто не мог подумать, что натура у него жесткая и решительная. Мучиться и раздумывать он не станет. Надо убрать противника — сделает это не колеблясь.

В Брюсселе его встречали. Варяг старался изо всех сил не ударить в грязь лицом. Ведь все эти напыщенные чиновники, которым было поручено поддерживать с ним связь, так кичились своей принадлежностью к элите, что ему, преуспевающему ученому и важняку в общаке, становилось обидно и противно.

Отель ему понравился. Он и в самом деле был хорош. Помпезное здание, облицованное мрамором и гранитом, внушало если не трепет, то почтенное уважение.

Его хорошо принимали не только в научных кругах, но и желали видеть лица, никогда не занимавшие официальных постов. Со всеми, с кем бы он ни встречался, Варяг был любезен и мил. Он насквозь видел их притворство, жалкие попытки обвести вокруг пальца и показать свое превосходство. Он нисколько не удивился, когда понял, что о нем наслышаны. Видно, с рекомендациями Медведя считаются, да и Нестеренко со своим авторитетом ученого значительно дополнил его имидж.

Варяг получил приглашение посетить Италию. А спустя пару дней его принимал на своей вилле синьор Валаччини.

— Я убежденный холостяк, — сказал он, предлагая гостю отобедать на веранде. — Женщины пробуждают в мужчине самые худшие инстинкты — страсть к обладанию, к общественному положению, к покою, наконец. Недаром диктаторы любят, чтобы их соратники были женаты, так они менее опасны. А у вас, доктор Щербатов, есть жена?

— Не успел обзавестись, синьор Валаччини. Наука, понимаете ли, требует жертв...

Они сидели за белым ажурным столиком и пили холодное китайское пиво из маленьких бутылочек. Старик вообще обожал китайскую кухню. Вилла была построена на вершине холма, густо поросшего на склонах дремучим лесом кипарисов, у подножия которого плескалось море. Оно казалось совсем близко, но только простак мог отправиться к нему, полагаясь на собственные ноги. На эту затею потребовалось бы потратить целых пять часов изнурительной ходьбы. Отсюда к морю нужно выходить на вертолете, который в минуту преодолеет расстояние до пляжа. Искупался, позагорал на песочке и обратно.

На многие километры ни души! Варяг знал, что это побережье Сицилии принадлежит сидящему напротив собеседнику с крепкими, как у борца, руками. Он знал о нем многое. Знал, что этот кряжистый пожилой человек пришел в бизнес с профессионального боксерского ринга и что теперь связан крепкими узами с американской «Коза ностра».

В отличие от Варяга, синьор Валаччини о жизни своего собеседника не знал почти ничего, кроме разве что о научной карьере, которая ровным счетом ему не говорила ни о чем. Он пробовал покопаться в более раннем периоде жизни доктора Щербатова, даже делал запрос в Германию, где угораздило родиться этого ученого. Пытался раздобыть фотографии, но оттуда пришел неожиданный ответ, что, мол, все фотографии уничтожены. Исчезли и многие документы. А по оставшимся документам значилось, что доктор Щербатов действительно родился в Восточной Германии и что его отец военнослужащий. И все. Было известно, что он где-то работал, потом поступил в университет, окончил его, защитил диссертацию.

Синьор Валаччини дружески улыбался Варягу, а сам думал о том, не является ли его собеседник офицером КГБ. Впрочем, нет, представленные рекомендации исключают подобную метаморфозу.

Доктор Щербатов, конечно, загадочная личность. Проклятые светские условности! Так хочется задать пару вопросиков. Синьор Валаччини знал, что за улыбчивым молодым человеком стоят крупные силы, влияние которых весьма ощутимо в Восточной Европе. А именно там он бессилен. Для него по-прежнему оставалось загадкой, почему такое скудное досье доктора Щербатова. Конечно, изъять документы могло и КГБ, но это под силу и Медведю.

Синьор Валаччини отлично говорил по-английски, и они обедали без свидетелей.

Доктор Щербатов неумело цеплял палочками китайскую лапшу с бамбуком и трепангами. Как ни старался, ничего не получалось.

Хозяин улыбнулся. Он поднял палец вверх, и мгновенно возник слуга с ложкой и вилкой для гостя. Варяг поблагодарил. А ничего похлебка! Варяг ел с аппетитом, что явно доставляло удовольствие гостеприимному Валаччини.

Пиала быстро опустела. Варяг отхлебнул пива.

— Синьор Валаччини, у нас в России говорят

так: пока я ем, я глух и нем. — Он сложил салфетку. — Теперь можно и о деле поговорить.

Синьор согласно кивнул.

— Восточная Европа находится под нашим контролем... — уверенно начал Варяг.

Синьор Валаччини еще раз кивнул.

Что правда, то правда! Русские крепко держат в руках эту территорию. С этим фактом невозможно не согласиться. Он не однажды посылал своих людей в Восточную Европу, стараясь потеснить русских в бизнесе, но всякий раз они возвращались ни с чем. Может, с помощью таинственного доктора Щербатова удастся расширить границы своего бизнеса?

Варяг продолжал:

— И расположена она в центре всей Европы, как говорится, на перекрестке всех дорог. Здесь большое будущее.

— Я прекрасно понимаю это, доктор Щербатов, — произнес Валаччини, давая понять, что можно опустить преамбулу.

Синьор Валаччини был человеком дела, и Варяг ценил это. Слово за слово подошли и к главному.

— Мы согласны отдать под ваш контроль часть Восточной Европы.

— Ого! За китайскую лапшу это слишком дорогой подарок. Что вы хотите взамен?

— Мы отдаем много и взамен просим немало. — Варяг ни на секунду не забывал, что за ним стоит Медведь, сходняк — сила, с которой придется считаться всей Европе.

— Что вы просите?

— Мы хотим воспользоваться вашими каналами и связями для переправки товара в Западную Европу. Мы можем взять вас в долю. Согласны на комиссионные. — Валаччини молчал. — Какой процент комиссионных вас устроит?

Валаччини покачал головой.

— О комиссионных пока не может быть и речи. Ваше предложение озадачило меня. Я не готов ответить. Мне нужно посоветоваться с семьями.

— А разве вы не во главе совета?

— Мне интересно знать, что они скажут. Вы очень много просите.

Валаччини задумался. Эти русские ведут себя в Восточной Европе, как хозяева. Они напористы и наглы. Что поделаешь, дикая страна. Варвары! Сейчас все вопросы решаются цивилизованным путем. Пусти их в Западную Европу, завтра они уже тебя не спросят.

Однако Восточная Европа — перспективная территория. За Балканами большое будущее. Этот русский прав.

— А вы лично, синьор Валаччини, согласны с нашим предложением? Мы ведь отдаем вам не только часть Восточной Европы, мы приглашаем к сотрудничеству на территории России, — выложил Варяг свой главный козырь.

Валаччини прищурился. Что ж, это лакомый кусок...

— Да, я согласен. — Он театрально развел руками. — Но повторяю, не все решаю я один. Потребуется время, чтобы убедить других в выгодности вашего предложения. У нас не всегда бывают гладкие отношения, мы, понимаете ли, иногда спорим. — Он мило улыбнулся.

Варяг вернул улыбку. Спорят они, видите ли... Интересно, с глушителем выясняют отношения или без оного? — подумал он, а вслух сказал:

— Если возникнут какие-то разногласия, мы рады будем помочь вам устранить все недоразумения.

— Хорошо, я подумаю и над этим предложением, — произнес синьор Валаччини.

А неплохая идея, черт возьми! Расправиться с конкурентами руками русских киллеров, чем плохо?

Говорят, они не дороже дешевой проститутки на Пляс Пигаль.

— Доктор Щербатов, не желаете развлечься? У нас есть хорошие девочки. Какую масть предпочитаете? Черненькую, беленькую, а может, рыженькую?

— Пожалуй, беленькую, — нашелся Варяг.

— Хорошо, ждите беленькую. Думаю, она вам понравится. Когда собираетесь к нам в следующий раз?

— Я вам еще надоем, а пока хотел бы увезти отсюда ваше «да» или «нет».

— Что касается лично меня, вы уже получили ответ.

— Вот и договорились!

— Вы, наверное, хотите отдохнуть?

— Да, это было бы очень кстати.

Валаччини поднял палец.

— Проводите синьора в апартаменты для гостей, — приказал он слуге.

Когда Варяг ушел, к старику подошел тощий смуглолицый молодой итальянец. Он был правой рукой дона Валаччини, его приемным сыном, надеждой и гордостью. Бог не дал ему детей, и вся нежность, на которую он был способен, досталась приемному сыну, которого он сделал наследником своего дела.

Марчелло, так звали молодого итальянца, был смышленым парнем. Он боготворил приемного отца, подражал ему во всем, и даже походка со временем сделалась такая же, как и у дона.

— Ты все слышал, малыш?

— Да, отец.

У них никогда не было друг от друга секретов. Во время беседы отца с русским гостем Марчелло сидел в своей комнате и слышал все до единого слова. Белый ажурный столик был с секретом: жучки, вмонтированные в столешницу, были настолько чутки, что могли услышать чих за полсотни шагов.

— И что ты скажешь?

Марчелло имел собственное мнение, но отцу никогда не противоречил.

— Думаю, не стоит отказываться от этого предложения. Возможно, оно окажется выгодным.

— Ты правильно рассуждаешь, малыш.

— Отец, тебе не кажется, что они недооценивают риск, связанный с подпольным бизнесом?

Старик рассмеялся.

— Русские — лихие ребята! Вообще мощная нация. Кто придумал радио, телевидение? Русские! Кто раньше всех освоил космос? Тоже они. Нет, мой мальчик, ты не прав. Их следует опасаться.

...Гостевые апартаменты Варягу понравились. Просторная спальня, огромная кровать. В холле во всю стену бар с напитками. Варяг выбрал «Русскую водку». Налил полстакана. Выпил. В голове весело загудело. Где там блондинка?

И тут раздался осторожный стук в дверь.

— Можно? — спросили по-английски.

— Входите, — бросил Варяг.

Высокая девица застыла на пороге. Вполне!

— Тебя как зовут?

— Дарья.

— Дарья? Ты русская? — удивился Варяг, перейдя на русский.

— Да. А ты разве не англичанин?

— Да какой я, к черту, англичанин!

Приехать в Италию, чтобы переспать с соотечественницей? Понятна ирония Валаччини.

— Вот и славно, а то я устала от всех этих иностранцев. Наши лучше, хотя и платят меньше.

— Я тебе заплачу много. Ну что, давай выпьем что-нибудь за встречу? — улыбнулся Варяг.

— Давай.

Она сняла летнее платьице и нижнюю юбочку.

162

Аккуратно повесила на спинку стула. Проделала все это без всякой экзальтации, будто так и должно быть. Сняла трусы и лифчик. Подошла к зеркалу. Темный мыс внизу живота смотрелся неплохо.

— Ну, как я тебе? — обернулась она.

— Вдохновляешь...

Грациозно, без дешевой поспешности, она подошла к кровати, легла поверх покрывала. С милой кокетливостью скрестила ноги, выставив коленки. Отхлебнув глоток «мартини» из бокала, который он протянул ей, спросила:

— Ну что, так и будешь стоять столбиком?

Варяг поставил свой бокал и начал разоблачаться.

— А ты ничего, красивый...

— Этот эпитет не для меня. Вот ты — да.

— Красивая? Я? — Она улыбнулась. — Блядь я, самая обыкновенная. Давно не слышала родных русских слов. Скажи, что мы сейчас будем делать?

— Сейчас мы будем... — он наклонился и выдохнул то самое слово, которое и его всегда возбуждало.

Ее рука сграбастала возбудившийся член.

— Что это я поймала? — спросила она.

— Сейчас узнаешь...

Эта женщина и в любви демонстрировала класс. И в этой связи он не возражал, когда она, больно сжав руками его плечи, гарцевала на нем, а ее волосы тормошились у него по лицу. Она тоже не возражала, когда, сжав ее груди, он брал ее задом.

Что ж, надо отдать ей должное! Давно у него не было такой партнерши, проводившей свою партию изящно и одновременно выплескивая первобытные инстинкты.

— Как ты сюда попала? — спросил он закуривая.

— Поехала по турпутевке и осталась. Хотела работать танцовщицей, не взяли. Оставалась одна до-

163

рога... сам знаешь куда. Раньше в публичных домах были одни филиппинки, так их русские вытеснили.

— А как ты к Валаччини попала?

— А он меня сам выбрал. Для гостей держит. Ты ему не доверяй. Они потом долго шептались, и мне показалось, что ты им не понравился.

— Думаешь, убьют?

— Здесь нет. Где-нибудь в России, и это будет сделано руками Валаччини.

— Ладно, поживем — увидим.

В аэропорту синьор Валаччини сказал, что семеро отцов семей — он назвал их поименно — категорически против его предложения.

Варяг взошел на трап и помахал отцу и сыну. А когда самолет взлетел, дон повернулся к сыну:

— Русские — пробивная сила, а нам нужны новые рынки. Знаешь, сынок, как брали в старину неприступные замки?

— Как, отец?

— Бревном! Два десятка крепких парней долбили ворота огромным бревном до тех пор, пока те не разлетались вдребезги. Так вот, роль бревна должны сыграть русские, а потом... первый, кого мы устраним, будет доктор Щербатов.

— Я понял! — сын смотрел на отца с обожанием.

ГЛАВА 12

Надоела загранка. К черту! Пивка бы после всех этих ленчей. Варяг так и сделал. Зашел в пивной бар, где толкался самый разный люд. Никому до него не было дела, и, уж конечно, никто не мог предположить, что за столиком у окна стоит известный урка и доктор наук в одном лице.

Пиво было свежее, и вскоре на душе полегчало. Варяг глоток за глотком цедил из кружки.

— Оставь. — Откуда-то сбоку подвалил мужичонка в такой грязной и ветхой одежде, что, казалось, он прополз в ней на брюхе через весь земной шар. Заметив взгляд Варяга, жалостно попросил: — Хотя бы один глоток.

Пива оставалось еще полкружки, и Варяг великодушно разрешил:

— Допивай.

Разве это жизнь? Замызганный пол, липкие столы, мухи... за границей даже бродяги и те поаккуратнее выглядят.

Он набрал номер телефона. На том конце провода щелкнуло, и ровный голос произнес:

— Алло.

Это был Ангел.

— Я вернулся. Отвези к старику, дело есть.

165

Секундное замешательство. Видно, Ангел не был готов к встрече. Возможно, закрутил новый роман, вешает лапшу на уши очередной ресторанной соплячке. Но Варяг не беспокоил никогда просто для того, чтобы поговорить за жизнь. Ангел понял, что дело срочное.

— Хорошо, скоро подъеду, жди у себя.

Варяг улыбнулся. Придется Ангелу оправдываться перед подружкой, которую пригласил на целый вечер. А может, никакого объяснения и не понадобится, и Ангел просто скажет: «Пошла прочь! Сегодня я занят».

Уже через два часа они были на даче у Медведя. Прошло несколько лет с тех пор, когда Варяг впервые побывал здесь. Медведь не любил менять привычки, и потому в его цитадели ничего не изменилось. Во дворе гоготали мальчики, правда, другие. Некоторые из прежних успокоились навек, иные поднялись повыше и сами уже имели загородные дома с охраной и сигнализацией. Варяг обратил внимание, что стало больше картин. Живопись Медведь любил. И мебель сменил. Но везде по-прежнему царил уют и порядок.

— Значит, ты был у дона Валаччини? — спросил Медведь. — Хотя мы и не встречались, но не сомневаюсь, что и он знает о нас.

— Да, я был у него. И о нас он весьма наслышан.

— Ну, и как? Произвел он на тебя впечатление?

Дом у Медведя что надо, и кресла мягкие, и картины, но в сравнении с Валаччини патриарх просто жалкий бедняк. Что бы там ни говорили, а русская мафия — самая бедная в мире.

Медведь сидел напротив и терпеливо дожидался ответа.

— Произвел.

Синьор Валаччини произвел на Варяга такое же сильное впечатление, какое когда-то Медведь. Они

166

были примерно одинакового ранга: один владел третьей частью Европы, другой подчинил себе территорию, которая способна вместить несколько таких стран, как Италия. Разница заключалась в том, что один добирался до пляжа на вертолете, другой опасался выйти на дорогу, поскольку боялся, что пристрелят.

— И что он сказал? Поможет нам проникнуть на западный рынок?

Несколько лет назад Владислав впервые появился у Медведя. Однако сколько всего за это время произошло. За плечами университет, две диссертации, мир повидал. И вот он снова сидит перед Медведем, но уже в другом качестве.

Медведь был прозорлив, когда выталкивал его в Европу. Вот где можно делать деньги! Вот куда надо вкладывать капиталы!

— Мне показалось, что Валаччини ведет свою игру. Я допускаю, что на первых порах он может нам выделить место, условно говоря, на галерке, с которой мы могли бы следить за успехами наших западных партнеров. Но это будет продолжаться ровно до тех пор, пока он не утвердится в Восточной Европе. Скажи, Медведь, — теперь Варяг обращался к патриарху именно так, — зачем ему иметь у себя под носом сильных конкурентов? Игры не получится.

— Ты хочешь сказать, что Валаччини нам не поможет? — настаивал Медведь.

— Вот именно! Я даже думаю, что со временем его амбиции будут представлять для нас серьезную угрозу. Он захочет вытеснить нас из Восточной Европы точно так же, как когда-то вытеснил своих бывших партнеров из Западной.

— Это похоже на Валаччини! Он может это сделать. Что ты предлагаешь?

— Что я предлагаю? — Варяг помедлил, не зная, готов ли Медведь к такому ответу. — Я предлагаю

167

самим выходить на западный рынок, без проводников. Никто просто так не отдаст насиженные места. Их нужно завоевывать и выбивать тех, кто сидит там крепко. Сумели же мы освоить Восточную Европу? А Западная Европа попроще будет. Там нет анархии. Там — порядок. Вот этот порядок нам и поможет достичь цели.

— Однако ты забываешь о том, что Валаччини первым пошел на контакт с нами. Для чего тогда мы ему нужны?

— Чтобы нашими руками устранять своих врагов. — Варяг вспомнил, как оживился Валаччини, когда он предложил ему сотрудничество такого рода. — Он видит в нас не партнеров, а лишь средство, позволяющее расширить свои владения.

Медведь насупился.

— Мы должны действовать энергично, — добавил Варяг. — Разве нас кто-либо приглашал в Восточную Европу? Однако мы там освоились и стали хозяевами. Думаю, и с Западной Европой сумеем справиться.

Ангел сидел поодаль. Он не принимал участия в разговоре. То, что Варяг с Медведем считали важным, для него не представляло никакого интереса. С Россией еще не разобрались, а они на Запад зарятся. Неделю назад коронованного вора ухлопали, всю округу пришлось перетрясти, прежде чем выяснили, кто это сделал. Шмакодявки оказались. Понятия не имели, кому селезенку продырявили. Пришлось отвезти в лес и зарыть по-тихому.

И вообще Ангел считал, что в Европе ему делать нечего. Он знает здешний воровской мир, его обычаи, традиции. А там все по-другому. Зачем трясти яблоню на чужом дворе, если у самого есть яблоневый сад?

Многим это может не понравиться. К тому огромному влиянию, которое дают теперь деньги у себя дома, не нужен никакой турецкий берег, чужая земля не нужна.

Ангел налил себе «Мартини». Скривился, сделав глоток. Да ну его к дьяволу, где там у старика водка? Ангел поднялся и пошел к бару.

— Твои предложения? — спросил Медведь.

— Я встречался кое с кем, помимо Валаччини, — начал Варяг издалека. Он хотел дать понять, что уже вырос и имеет право на свои маленькие секреты.

Медведь, вопреки ожиданию, кивнул, как бы говоря, что, мол, иметь собственные контакты не возбраняется.

— Это влиятельные люди. Они мне кое-что подсказали и помогли разобраться в обстановке. Есть такие силы, которые препятствуют нашему проникновению на западный рынок.

— Семьи?

— Да.

— Сколько их?

— Семь отцов семейств. — Вспомнив увертливого Валаччини, добавил: — Нет, восемь.

— Что ты предлагаешь?

— Я предлагаю их ликвидировать. Они стоят во главе сильнейших кланов, и, если мы их уберем сейчас, завтра другие будут сговорчивее. Пришло время, когда нужно пустить в ход локти.

— Так, — качнул головой Медведь. Он ждал чего-то подобного, но тем не менее это прозвучало слишком откровенно даже для него. Восемь человек... Посильная ли задача? — Ты придумал, как сделать, чтобы подозрение не пало на нас?

— Это трудно, но я попытаюсь. Но даже если это мне не удастся, ничего страшного. Европа должна почувствовать нашу силу.

— Хорошо, а где нам взять таких... умельцев?

— Над этим я тоже подумал. Есть один известный киллер. Кличка Сержант. Он сейчас в Европе.

— Кто он по национальности?

— Русский. Выехал из Союза лет пятнадцать назад.

— Чем занимался?

— Служил наемником чуть ли не во всех частях света. Став киллером, сколачивает группы, которые неплохо зарабатывают наемными убийствами. Я интересовался. Ребята хорошо себя зарекомендовали. И в Западной Европе тоже.

— Ты хочешь пригласить его в Россию? — вступил в разговор Ангел.

— Да, — повернулся к нему Варяг. — Пусть создаст здесь группу киллеров. Именно им поручим решить нашу задачу.

— Он будет сам подбирать людей или это сделаем мы? — спросил Медведь.

— Лучше всего это сделать нам, — сказал Ангел. — Я могу заняться этим.

— Желательно, чтобы это были не юнцы, чтобы уже понюхали пороху в Афганистане, например.

— У меня есть на примете такие парни.

— Нужно найти тихое местечко, где Сержант мог бы подготовить их к предстоящей операции.

— Я знаю такое местечко. Мы дадим ему полную власть. У него солидный опыт по подготовке таких групп. Я сам встречу его, отвезу на базу, назовусь Владимиром Константиновичем.

ГЛАВА 13

Ровно в полдень выпущенные шасси коснулись бетонных плит, и лайнер, замедляя бег, уже казался громоздким и неуклюжим, мало чем напоминая железную птицу.

Еще через несколько минут по трапу сошли первые пассажиры. Последним спускался плотный мужчина в длинном сером плаще с кейсом в руке. Он помахал бортпроводнице. Та улыбнулась.

Он вошел в автобус, и, когда опустился на свободное место, машина сердито фыркнула и резво взяла с места. Он знал, что у выхода из аэровокзала его должны встречать. Однако выходить из зала не торопился. Постоял, огляделся и только после этого направился к дверям.

— Вы, Степан Юрьевич? — спросил поджарый улыбчивый мужчина лет сорока. Улыбка была располагающей и придавала лицу мягкость, и только глаза, смотревшие в упор, давали понять, что их обладатель — человек решительный.

— Он самый, — равнодушно улыбнулся крепыш, протягивая широкую ладонь.

— Меня зовут Владимир Константинович... Можно Володя. Прошу вот в эту машину, — кивнул он на серую «Волгу» и добавил: — Вы не сразу вышли.

171

Я видел, как вы озирались. Все в порядке. Хвоста нет. Этим же рейсом летел наш человек. Если бы за вами кто-то следил, мне дали бы знать.

Они не встречались ни разу, но знали друг о друге если не все, то очень многое. О Степане Юрьевиче было известно, что он в эмиграции вот уже двадцать один год. До этого работал в милиции и дослужился до капитана, но был уволен за «несоответствие». На самом деле все выглядело несколько иначе: он был замешан в аферах с квартирами и проходил свидетелем по делу о взятках. Милиция не любит выносить сор из избы, и виновный лишился лишь погон, но взамен получил свободу.

Ангел знал, что во Франции у него есть родственники, которые и сделали ему «вызов». Обратно в Союз Степан Юрьевич не вернулся. Вернее, он возвращался, и даже дважды, но всякий раз под другим именем. Восемь лет назад он приезжал как представитель одной солидной фирмы, торгующей недвижимостью, и тогда его звали Филипп Папен. Второй раз он явился спустя пять лет. Жорж Будеор, богатый турист с белозубой улыбкой, щедро раздавал доллары нищим на папертях православных соборов. Степан Юрьевич оба раза удачно играл свою роль, и, не зная его одиссеи, его вполне можно было принять за довольного жизнью финансового воротилу.

Сейчас он был Степаном Юрьевичем, что было близко к истине, так как его действительно звали Степаном, а фамилия у него была Юрьев, и прибыл он в Россию по частному приглашению, как иностранец и гражданин Соединенных Штатов.

Его здесь ждали. С нетерпением. Потому что Юрьев был профессионалом. Опыта убивать он набрался в Южной Африке, куда подался наемником, потом оттачивал свое мастерство в Латинской Америке, где сумел дослужиться до офицерского чина.

А начинал он свою карьеру в Лионе, где его завербовали в Иностранный легион.

Степан Юрьев имел боевую биографию. Многие ремесла он знал в совершенстве, но предпочел профессию киллера. Ангел знал, что у гостя на правом боку кривой и страшный шрам от пупка до подмышки. Он даже знал, в какой из операций Юрьев получил пулю в живот. Тяжелое ранение увеличило его сбережения в небольшом банке Центральной Европы на пятьсот тысяч баксов. Тогда из группы, в которой было девятнадцать человек, в живых осталось только двое, остальные погибли в джунглях. Глядя на добродушное краснощекое лицо Юрьева, трудно было поверить, что он один из тех, о ком в легионе ходят легенды. Безжалостный, хитрый, умный, он был наделен огромной физической силой и напоминал быка. Он не пасовал перед трудностями, шел напролом, брал с ходу любое препятствие. Тем дороже оценивалась победа. Именно на нем решил остановить свой выбор Варяг, заманив в Россию щедрым вознаграждением. То, что Юрьев был русским, сыграло свою роль. Иностранцу нужно все разжевать и в рот положить, а этот понимал с полуслова.

Юрьев о своем новом хозяине знал, в свою очередь, немало. Он никогда не терял связей с родиной и перед тем, как поехать в Россию, навел справки. Действительно, Владислав Геннадьевич Щербатов был одним из самых могущественных людей, хотя его портреты не печатались в газетах и журналах, а в лицо знала лишь сотня-другая людей. Но именно они и определяли масштаб его власти.

Степан Юрьевич усмехнулся. Кто такой, этот Владимир Константинович? Впрочем, это не так важно. Хозяин — барин, тут не поспоришь! Уже давно тот пробует вырваться на Запад. Нескольки гонцов отправил туда, но те назад не вернулись. Мощные кланы с традициями в сотни лет восприняли посланников настороженно — с Востока появились гонцы! И гонцов просто не стало.

Проникновение на Запад Щербатову Владиславу Геннадьевичу, конечно, доставляет немало хлопот. Продвигается маленькими шажками. И нужно не знать его, чтобы поверить в то, что он когда-либо отступится от своей навязчивой идеи.

Он, Юрьев, должен стать как бы его последним шансом. С его помощью Щербатов сначала проникнет, а потом укрепится на Западе. Обещал триста тысяч баксов за работу, но он, Юрьев, не дурак, понимает, что от удачно проведенной операции его заказчик выиграет несколько десятков миллионов плюс ежегодные прибыли.

Он должен подготовить группу профессиональных убийц, которые станут своеобразным тараном. Что ж, он прекрасно понимает: этот ученый чистоплюй хочет навязать Западу свои условия, желает заставить жить по своему уставу.

Машина неслась. Мягкое гудение мотора убаюкивало. Шофер казался немым. Ни одного слова во время долгой дороги! Каменное изваяние. Но дрессура отменная... В глаза не смотрит и одновременно подмечает все. Юрьев знал таких парней с равнодушными взглядами, встречал их всюду: в Америке и в Африке, в Европе и в Индии. Это — лучший материал, чтобы лепить из них настоящих бойцов. Некоторое время Юрьев разглядывал аккуратно стриженный затылок шофера, потом повернулся к Владимиру Константиновичу.

— Сколько человек знают или догадываются о предстоящем деле? — спросил он, стараясь не выдать беспокойства. — Я заинтересованное лицо, сами понимаете, если информация просочится «туда», меня просто не станет. В одном из швейцарских банков у меня счет, и я хотел бы тратить накопленные денежки по крайней мере еще три десятка лет.

Владимир Константинович изобразил самую добрую улыбку.

— О вашем приезде знает ограниченный круг людей.

— Сколько именно?

— Три человека. — Улыбка сделалась еще более располагающей. — Даже ваши воспитанники не будут знать об истинной цели операции. Будут выполнять за деньги ту работу, на которую им укажут, да и все. Они, разумеется, не должны понять, чем в дальнейшем им придется заниматься. А когда чуть позже узнают, то отступать будет некуда. Ваша задача научить их всему, что вы знаете и умеете.

— Вы знакомы со спецификой моей подготовки? Обычно не все выдерживают нагрузки.

— Ваши подопечные уже предупреждены и согласны на любые условия.

— Что за контингент? Это важно.

— Народ разный. Бывшие военные, афганцы, есть и уголовники.

— Ладно, разберемся!

— Не скрою, мы справлялись о вас. У вас солидный послужной список и приличные рекомендации от людей, которым мы доверяем полностью.

— Сколько вы намерены заплатить мне за проделанную работу?

— Разве вам не сказали об этом? — выразил недоумение Владимир Константинович.

— Естественно, сказали! Иначе меня не было бы сейчас здесь, но я хочу услышать это еще раз.

— Триста тысяч долларов.

— Я бы хотел четыреста.

— Хорошо, вы их получите. — Улыбка сползла с лица. — Мы вам выплатим задаток. Но учтите.

просто так мы деньги не даем, их нужно заработать.

— Когда приступать к обучению?

— Мы бы хотели, чтобы вы начали сегодня. Сейчас. Мы едем на базу, где вас уже дожидаются воспитанники.

— Сколько их?

— Шестнадцать. Каждый уже понюхал пороху. Двое воевали в Афганистане, третий попадал в переделки на границе с Таджикистаном, четвертый — в Молдове, есть такие, которые были в Югославии. Отбирали мы людей не случайных, проверенных. Все они молодые, здоровые. И конечно, хотят заработать.

— У меня предусмотрен тест на выживаемость в экстремальных условиях. В конце курса я обычно устраиваю еще и экзамен.

На лице у Владимира Константиновича, как и прежде, блуждала безмятежная улыбка.

— Знаю. Мы набрали группу несколько больше, чем нам нужно для дела. Но, думаю, количество не отразится на качестве. И мне бы хотелось, чтобы вы лично возглавили операцию, когда обучение закончится.

— Мне об этом ничего не было сказано.

— Я знаю.

— Если я соглашусь, как это будет оплачено?

— Триста тысяч долларов вас устроит?

— Пятьсот!

— Хорошо, пусть будет по-вашему. И еще одно условие. Вы не будете знать имена и фамилии курсантов. Мы вам полностью доверяем, но таковы правила игры. Некоторых из них давно разыскивает милиция, а здесь они нашли тихую гавань. У каждого есть кличка.

Юрьев безучастно смотрел в окно.

— Мне все равно. Подобная практика для меня не новость. Где находится ваша база?

— Далеко за городом. Это заповедник, огороженный колючей проволокой. Сто квадратных километров и ни души! Иногда мы там охотимся. — Юрьев вскинул брови. — Не беспокойтесь, вас никто не потревожит. Мы проследим за этим. В вашем распоряжении всегда будут три машины и несколько дорог. В случае ЧП мы вам сообщим, по какой из них уезжать, но, уверен, этого не случится.

Владимир Константинович надолго умолк, и Юрьев опять уткнулся взглядом в круглый затылок шофера. Город уже остался позади, они въехали в зеленую зону, которая начиналась ровными рядами берез. Дорога заметно испортилась. Вот они, российские дороги! Топь и хляби, подумал Юрьев, но «Волга» уверенно перла вперед — из-под колес летели комья грязи.

— Сразу за этим лесом будет база.

Юрьев кивнул.

Через час они выехали на поляну, на которой стояли домики, небольшие, уютные — точь-в-точь из детской сказки. Не хватало только избушки на курьих ножках да дремучего лешего.

К машине подошли курсанты. Настоящие Алеши Поповичи и Ильи Муромцы, но только в джинсах.

— Как вас представить? — спросил Владимир Константинович, широко улыбаясь.

— Я принял ваши правила игры. Клички, так клички... Пусть называют меня Сержантом. Я привык к этому обращению. Иногда кажется, что меня зовут так с рождения.

— Будет так, как вы сказали, Сержант.

Они вышли из машины. Духовито пахнуло лесом и травой. Нет ничего лучше российской глубинки! Сержант втянул родной запах с примесью лебеды.

— Я привез вам инструктора, — произнес Владимир Константинович, покосившись на Юрьева. — Его имя вам знать не обязательно, впрочем, ему тоже не интересно, как зовут вас. Называйте его просто Сержантом. Думаю, он вам понравится. С такими, как он, можно творить большие дела. Сержант вас многому научит, и, поверьте, я вам даже завидую. Через три месяца вас ждет экзамен. Кто не провалится, будет обеспечен работой, а значит, и бабками. Платить буду в баксах. При желании можем перевести их в любой банк мира. На эти три месяца Сержант будет для вас отец и Бог. Вы обязаны выполнять все его приказы беспрекословно! Вы все подписали контракт. Не хочу пугать, но вы, конечно, понимаете, что вас ждет, если соглашение будет нарушено. Ну что ж, счастливо оставаться! Не забывайте: Сержант для вас Бог и отец. Я буду к вам наведываться, — бросил Владимир Константинович через плечо уже на пути к машине.

Юрьев проводил «Волгу» взглядом, а когда она исчезла в густых зарослях боярышника, повернулся к парням.

— Все служили в армии?

— Все, — отозвался нестройный хор голосов.

— Тогда построились. Я не люблю разболтанности. Где нет дисциплины, там ненужные жертвы.

Парни, не проявляя армейского усердия, выстроились в шеренгу.

— Кличка? — остановился Юрьев напротив первого.

— Леший!

Юрьев присмотрелся. Может, оно и так.

— Кличка? — сделал он шаг вправо.

— Рыжий.

В точку! Оранжевый, как апельсин. Рыжие брови, рыжие веснушки... Парень наверняка упрям и нахален, как и всякий рыжий. Одна беда — привлекает внимание.

— Кличка? — подошел Юрьев к третьему.

— Валет, товарищ Сержант.

— Я уже двадцать лет как не товарищ, — усмехнулся Юрьев. — Я больше привык к обращению сэр, но для вас я просто Сержант. Ясно?

— Ясно, Сержант.

— Вот и отлично!

Юрьев обошел всю шеренгу. Шестнадцать парней... Сколько он таких видел? Десять тысяч? Двадцать! А может, и больше... У каждого свое лицо, свой характер, но вряд ли он вспомнит сотню-другую, если даже очень постарается. Он учил их убивать и тут же забывал о них, едва знакомился с очередной партией новобранцев. Тем не менее его метод обучения нельзя было назвать поточным: Юрьев всегда готовил штучный товар, который, как известно, стоит недешево. Его ребятишки разбросаны по всему свету, многие уже на том свете. И поэтому лучше их не запоминать.

Юрьев работал всюду: в Латинской Америке и в Европе, в Штатах и в Африке. Впервые приехал работать в Россию. Может, оттого он так пристально всматривался в каждое лицо, пытался угадать характер, запомнить кличку. Чем-то они напоминали его самого двадцатилетней давности, ему тогда хотелось независимости. Он давно понял: деньги — это независимость, это свобода. Конечно, он начинал совсем не так, но однажды точно такой же пятидесятилетний сержант спросил его кличку.

Кто-то из них — человек Щербатова. Может быть, их даже двое или трое. Ясно одно, за каждым его шагом будут следить одна или две пары внимательных настороженных глаз.

Но кто именно?

Возможно, вот этот верткий парень с постоянной ухмылкой на губах. Может, тот, который жадно затягивается сигаретой, пуская серый дым кольцами. А может быть, этот рыжий? Впрочем, это пока не важно. Сержант неплохо знал свое дело и совсем не опасался промахов. Если бы он не был

179

профессионалом, вряд ли он мог бы обзавестись недвижимостью и сколотить кое-какой капиталец.

Юрьев остался доволен. Ребята действительно оказались крепкими, с ними можно провернуть любую операцию.

Юрьев отошел назад на несколько шагов, чтобы окинуть взглядом всех сразу, а потом каждому заглянуть в глаза.

— Все знают, зачем здесь находятся? Никого из вас не подгоняли пинками, вы сами сделали свой выбор, и обратного пути нет. Даже если кто-то пожелает пойти на попятную, ничего не получится. Уйти, убежать... забудьте и думать об этом! Этот лес охраняется. Хочу предупредить сразу: я не выношу пьянку. Никаких выпивок! Все ясно? Если замечу, исключение последует незамедлительно. А что значит исключение, я вам напомню. Отчисление из нашей группы не означает свободный уход за территорию. Вас просто не станет. Для всех вы исчезнете. Операция готовится в строжайшем секрете, стало быть, никто не знает, где вас искать. Я обязан сделать из вас настоящих профессионалов. Искусство убивать отныне станет вашим главным занятием. Это такое же ремесло, как и всякое другое, и, чтобы достигнуть вершины мастерства, нужно вкалывать. А наша специфика особенная, она совершенно не терпит лентяев. Плата за лень и разгильдяйство — собственная шкура.

Юрьев помолчал, а потом сказал с расстановкой:

— Запомните первое правило: нигде и никогда не теряйте бдительности. Невнимательность стоит жизни. Второе правило: не стройте из себя ковбоев. Наоборот, нужно выглядеть как можно незаметнее. Нужно быть, условно говоря, маленькой березкой в огромной роще. Не выделяйтесь из толпы. Тогда вас ожидает удача. Третье правило: нужно сокрушать в себе всякую жалость. Равнодушие и никакой ненависти! Разве можно ненавидеть муху, которая у вас в ладони? Вы к ней ощущаете полное безразличие. Похожее чувство вы должны испытывать к своей жертве, только тогда вы обретете покой, а это главное условие, чтобы не промахнуться. Я вас научу многому: минировать и разминировать машины, запоминать предметы, бесшумно передвигаться, сливаться с толпой и быть невидимым даже в том случае, если имеешь вот такую огненно-рыжую копну волос, как у этого парня. Для этого вы должны только слушать меня и ничего не забывать из сказанного мною. А теперь можете разойтись, через час мы приступим к занятиям.

Всюду, где бы ни бывал Юрьев, он готовил профессиональных убийц. На Западе их называли киллерами. Именно сейчас в Европе они пользовались большим спросом, поскольку мафиозные кланы делили сферы влияния. Бывало так, что Юрьев готовил профессиональных убийц одновременно для двух враждующих сторон. Однако это никак не отражалось на его самочувствии и благосостоянии. Он разбогател, был известен в своих кругах, всегда работал чисто и выглядел вполне законопослушным гражданином. Но прежде чем в нем открылся дар киллера, ему пришлось проползти на брюхе джунгли Азии и Америки.

Лет двадцать назад он был обыкновенным советским парнем. От других его отличала страсть к оружию. В семнадцать лет он одержал первую победу в соревнованиях по стрельбе. Его заметили. Юрьев удивлял своей хладнокровностью. Он никогда не волновался перед соревнованиями. Правда, у него появлялся чудовищный аппетит. Если другие участники во время соревнований теряли в весе, то Юрьев непременно набирал пару-другую килограммов.

Он одинаково успешно стрелял как из пистолета, так и из винтовки. Причем из любого положения. Он попадал в яблочко всегда — стрелял ли стоя, сидя или лежа. Как виртуоз-бильярдист, точно загоняющий шар в лузу, он мог стрелять из-за спины, держа винтовку, словно кий. Юрьев ощущал мишень каким-то чутьем, что сродни звериному инстинкту. И однажды, удивив всех, поразил мишень с завязанными глазами. Бог наградил его талантом стрелять без промаха. И ему оставалось только досадовать, что этот дар не имел выхода, не считая искрошенных в щепки мишеней. Художник видит изящные мазки на своих полотнах, архитектор находит изящество в правильных линиях, композитор ласкает слух созданной музыкой. А что оставалось ему? Листок бумаги, разорванный свинцом в самой середине!

И он стрелял, стрелял. Часами не выходил из тира, удивляя инструкторов своим усердием и одержимостью. Ни один из них не встречал спортсмена старательнее Юрьева. Его совсем не интересовали первые места на соревнованиях по стрельбе, он мог обходиться и без наград. Сжимая ложе винтовки, он целился в мишень и трепетал. В этот момент он испытывал те же самые чувства, какие испытывает мужчина, сжимая в объятиях любимую женщину.

Поэтому когда он пошел в милицию, мало кто удивился его выбору. Потребность постоянно ощущать оружие требовала удовлетворения. Пистолет и Юрьев представляли вместе единый, хорошо отлаженный инструмент. Он то и дело разбирал и собирал пистолет, протирал прохладную сталь ветошью, вызывая своим любовным отношением к оружию невольную улыбку у коллег. Это была страсть, которая не давала покоя.

В Латинской Америке он, похоже, отвел душу.

Юрьев знал, что на родине внимательно следят за его успехами и никогда не теряют из виду, стараются вычислить его питомцев. Оно и понятно! Кому охота получить пулю в лоб, особенно если она отлита для недругов?

Сейчас воровские авторитеты усиленно пробиваются на Запад, размышлял Юрьев. Им есть, что сбывать, — наркотики, оружие, металл. На Западе Россию уже скупают за бесценок, как пьяную девку, торгующую собой на вокзале. Воры люди серьезные, своего не упустят. Для них мировые цены — просто фуфло! Он успел познакомиться не только с легальными российскими авторитетами, но знает кое-кого из боссов преступного мира. Те тоже не дураки! Именно через него они уже пытались наладить прочный контакт с законниками, а может, всего лишь хотели избавиться от конкурентов.

Давно Степан Юрьев не работал с таким желанием. А если бы ему платили в рублях? Азарта бы точно поубавилось. Он улыбнулся. А зеленые он привык отрабатывать честно и потому выкладывался, себя не жалел, а щадить своих учеников вообще было не в его правилах. Он привык к тому, что готовил солдат, и чем требовательнее будет к ним относиться, тем больше у них будет шансов остаться в живых. Сейчас он готовил наемных убийц, но метод его подготовки почти не отличался от прежнего. Юрьев охотно делился с ними маленькими секретами и удивлял искусством выстрела. Он невольно улыбнулся, вспомнив их вытянутые физиономии, когда показал им один из своих любимых трюков — стрельбу с закрытыми глазами. Даже при всем желании он не смог бы объяснить, как это у него получается, но стрелял он действительно без промаха, рука будто чувствовала мишень — слегка поднималась и застывала. Юрьев выставил с десяток мишеней, величиной с кулак, и с расстояния ста метров поразил их все до одной.

— Нужно чувствовать мишень мозгами — это главное, — сорвал Юрьев с лица черную повязку. — На, возьми! — протянул он пистолет рыжему парню. — Попробуй хотя бы с расстояния в десять метров. Нужно тренироваться. Не получится сразу, получится через день, через два. Отходишь еще на пять шагов и продолжаешь тренироваться снова. Вот так! А теперь давай я завяжу тебе глаза.

Сержант завязал черную повязку узлом на рыжем затылке и приказал:

— Начинай!

Рыжий стал медленно поднимать пистолет, словно это была дуэль. Правда, сразить наповал предстояло... картонную коробку.

Юрьев мог с точностью до сантиметра вычислить, куда полетит пуля. Вот Рыжий поднял руку еще выше — в этом положении пуля срежет огромный сук стоящего рядом дерева и застрянет в соседнем орешнике. Однако рука продолжала подниматься все выше и выше. Юрьев невольно улыбнулся, подумав, что так начинает каждый. Всякий новобранец начинает палить вверх, словно желает продырявить самого Бога. Наконец рука, слегка подрагивая, остановилась, затем ее повело в сторону сантиметра на два, но этого было достаточно, чтобы пуля «отошла» от мишени еще на несколько метров. Юрьев понимал, что пуля всего лишь сорвет слой коры у березы, а стоявшая позади нее осина примет расплавленный металл.

Прозвучал выстрел. Юрьев с удовольствием отметил, что вышло именно так, как он и предполагал.

— Если так долго будешь целиться, то противник успеет снести тебе череп. Необходимо добиться мгновенной реакции, а на мишень пялиться ни к чему. Достаточно взглянуть на нее один раз, чтобы она отразилась в памяти. — И уже дружелюбно, ткнув кулаком в плечо, он сказал: — Ничего, у тебя получится. Рука должна быть крепкой. Один сантиметр в сторону, и пуля удалится от мишени — уже на несколько метров.

— Теперь попробуй ты, — кивнул Юрьев парню лет двадцати пяти, с лица которого не сходила ухмылка. Он, видно, полагал, что они занимаются детскими играми.

Чернявый имел кличку Шайтан. Действительно, во всем его облике было что-то дикое и необузданное, и Юрьеву вдруг подумалось, что Шайтану все нипочем. Он был бы красив, если бы не тяжелый взгляд. Он настороженно озирался, будто ожидал подвоха. И если иногда улыбался, то только для того, чтобы показать оскал крепких, белых зубов.

Шайтан слегка нахмурился и взял пистолет. Повертел в руках. Неплохая игрушка, ничего не скажешь. Было видно, что эта тяжесть ему приятна. Похоже, необстрелянный... Ничего, ему еще представится такая возможность.

Сержант укротил взгляд Шайтана черной повязкой, крепко затянул узел.

— Давай! Представь, что от этого выстрела зависит твоя жизнь. Или ты, или тебя — третьего не дано!

Шайтан вскинул брови. Он принял вызов, а потом уверенно поднял руку, будто и вправду видел перед собой цель. Опережая выстрел потенциального противника, нажал на курок.

Похоже, Шайтан призвал на помощь некие сатанинские силы — ему удалось попасть точно в десятку! Пустая коробка перевернулась в воздухе и застряла в кустах. А руку опять уже вели неведомые силы — дуло смотрело точно на картонный бок.

— Хватит! — остановил его Юрьев.

Вот как бывает. Богата Россия талантами, на Западе такого не сыскать.

Парень сорвал с лица повязку. Юрьев, пряча интерес, посмотрел в глаза Шайтану, губы которого продолжали кривиться в той же снисходительной улыбке. Позабыв про инструкции, Юрьев поинтересовался:

— Где служил?

— Афган два года, потом еще кое-где опыта поднабрался, — ответил он уклончиво.

— В Афганистане кем был?

— Снайпером. Приходилось стрелять и на звук.

— Знаешь оружие, будет толк, — сухо бросил Сержант. — Кто еще хочет попробовать?

Минуло всего лишь две недели, а парней было не узнать. Юрьев был доволен. Он к каждому имел индивидуальный подход. Если фундамент крепкий — строй, чего хочешь! Это он понимал. У каждого за плечами был какой-то опыт. Словом, профессиональный рост подпитывался прошлыми знаниями и мастерством наставника.

— Каждый из вас должен воспринимать себя не как киллера, а как охотника, готового выследить зверя. Здесь нужно терпение и выдержка. Мой отец был профессиональным охотником. Он охотился на снежных барсов в Средней Азии. Так вот, он рассказывал, что доводилось, поджидая зверя, по нескольку дней лежать не шелохнувшись. Чтобы не спугнуть барса, приходилось даже ходить под себя, не спать, не пить, не есть, а ждать. Вот так и киллеры должны поступать, правда, зверя спугнешь — он убежит, у нас же все по-другому. Неосторожное движение может стоить жизни.

Юрьев всегда старался не прикипать к своим подопечным. Задатки каждого рассматривались им как бы через призму конвертируемой валюты. Однако сейчас он неожиданно почувствовал, что начинает привязываться к этим парням. А это, он знал по личному опыту, мешает делу. Так лечащий врач не дает себе раскиснуть, когда понимает, что больной обречен. Интересно, сколько в живых останется через год? А через три года? Пять, шесть человек? А может, уже не будет никого.

Воспитанники Юрьева жили в избушках по двое. Режим он установил строгий, почти армейский.

Подъем в шесть утра, а потом — изнурительный кросс. Юрьев снисходительно посматривал на парней. Он когда-то именно так и начинал, правда, не среди берез и сосен умеренного российского климата, а в знойной Африке. Позже были душные и влажные тропики. Что эти пацаны могут знать о беге по жаре, когда плюс шестьдесят, когда пот разъедает лицо и по спине колотит приклад огнемета, а в оставшиеся несколько секунд нужно успеть добежать до ближайшего камня, иначе эти метры могут стать последними в жизни? И Юрьев то и дело подстегивал их командой:

— Быстрее! Быстрее! Помните, все зависит от того, как скоро преодолеете дистанцию. Совсем не обязательно бежать в полный рост, подставляясь под пули. Бегите согнувшись и петляйте, как зайцы. Сильная рука и меткий глаз — это еще не все, нужно иметь и быстрые ноги. С того места, где осталась ваша метка, нужно удирать опрометью.

Сержант вспомнил случай, который с ним произошел в Южной Африке. Тогда они сожгли деревушку — жахнули из огнеметов напалмом по камышовым крышам, и домики вспыхнули, словно высушенный хворост, даже углей после себя не оставили. Едва сели перекурить у пепелища, как появились партизаны. Они гнали наемников двадцать километров, и нужно было иметь поистине волчью выносливость, чтобы оторваться от партизан, для которых джунгли были родным домом.

Юрьев учил новобранцев стрелять из любого положения: лежа, сидя, стоя, в прыжке, и неизменно Шайтан удивлял его верным выстрелом. Юрьев неожиданно узнал в этом молодом парне себя: он тоже был молод, тоже был честолюбив, как и они, был заражен романтикой, а еще ему хотелось иметь много денег. Теперь у него не было молодости, испарилась романтика, поумерилось с возрастом честолюбия, и единственным, чем обзавелся, так это деньгами, которые компенсировали ему все остальное.

Этот нехитрый путь предстояло пройти некоторым из этих парней. Многие из них не выдержат изнуряющего темпа и сойдут с дистанции, так никогда и не увидев победного финиша.

Юрьев уже спал, когда в дверь к нему постучали, а следом раздался тревожный голос:

— Сержант! Сержант! Шайтан с Ковылем Валета продырявить хотят!

Сержанта с постели словно сдуло.

— Где? Веди! — глянул он в перепуганное лицо Рыжего.

— В домике, что у леса. Только я ничего не говорил, меня могут не понять!

Юрьев ударом ноги распахнул дверь и увидел Валета в разодранной рубахе. Тот яростно отбивался, но Ковыль уже заломил ему руки, а Шайтан стягивал джинсы. Юрьев выхватил пистолет и выстрелил в шею Ковыля. Перевел взгляд на Шайтана. Вместо обычной ухмылки его рот был открыт, а в глазах плескался ужас. Он смотрел на Ковыля, который уже бился в агонии. А когда Шайтан наконец поднял голову, то увидел: в его лицо нацелен ствол пистолета.

— Поразвлечься решил? Я уже говорил, что здесь я высший суд. Никто вас не будет искать, ибо вас просто нет! Отсюда есть только два выхода — либо на тот свет, либо стать теми, кого я из вас делаю!

Юрьев посмотрел на Ковыля, который уже затих. Лицо было сосредоточенное, и казалось, будто он внимает каждому слову. Что знал о нем Юрьев? А ничего! Впрочем, так же как и о всех остальных. Это и к лучшему — не жаль расставаться с вещами, к которым не привык.

Валет тихо поскуливал, и Сержант, подавляя в себе брезгливость, прикрикнул:

— Умолкни! Да штаны завяжи потуже, чтобы не сорвали. — Он уберег его от худшего из позоров, однако какой дорогой ценой. — Позови остальных, устроим суд.

Через пять минут появились все тринадцать.

— Звал, Сержант?

— Звал. Сейчас у нас будет суд. Вы будете присяжные. Как решите, так и будет. Я вам и раньше говорил, что здесь у меня не должно быть никаких разборок. Вы все связаны единым делом, успех которого во многом зависит от вашего отношения друг к другу. И я говорил вам, что, если ослушаетесь меня, последуют самые жесткие санкции. И вот, полюбуйтесь! — кивнул Сержант в сторону бездыханного Ковыля. — Господь свидетель, я не хотел этого. Когда приходится стрелять в ближнего, это не радует. Но сегодня у нас особый случай. У двоих задымило. Я не пожарник, я — киллер. Понятно?

Шайтан стоял в углу комнаты и затравленно озирался. Он напоминал тигра, загнанного в угол.

Сержант продолжал:

— Ну так вот, я спрашиваю, что делать с этим? Говори, Рыжий!

— Мы же условились, — неопределенно повел он плечом и, подумав, добавил: — Я за строгое наказание.

— Теперь ты, Коновал, — спросил Юрьев детину с длинными руками.

— Наказать.

— Ты, Дрозд.

— Наказать.

С каждым произнесенным словом Шайтан как бы все дальше и дальше отдалялся от них. Пощады он уже не ждал, и ствол пистолета, направленный ему в лоб, был приговором.

— Слышал? Все присяжные за наказание. Если ты из мужиков собираешься делать баб, тогда к

189

будет выполнять мужскую работу? Но я тебе даю шанс выжить. Ты неплохо стреляешь, а мне нужно проверить себя. — Сержант положил «макарова» на стол. — Вот тебе пистолет. Мой в кобуре. Мне потребуется в два раза больше времени, чтобы расстегнуть кобуру, вытащить пистолет и пристрелить тебя. Тебе, Шайтан, нужно только руку протянуть. Это я называю игрой в ковбоев. Если я тебя не пристрелю раньше, чем ты возьмешь пистолет, значит, я ничего уже не стою и делать мне здесь больше нечего. Тогда у тебя будет право переступить через мой труп и сваливать отсюда. Это твой единственный шанс выжить. А теперь выбирай.

Шайтан молчал. Пистолет лежал на самом краю, ручкой к нему — достаточно было только протянуть руку. Шайтан был лучшим из его питомцев, и Юрьев знал, что если он возьмет «макарова», то уж не промахнется.

Юрьев ждал ответа. Дожидались ответа и все остальные. Шайтан отвернулся, скривил губы, а потом выбросил руку в сторону стола. Сержант мгновенно левой рукой расстегнул кобуру, правой выхватил пистолет и выстрелил прямо в лицо Шайтану.

— Вот видите, все решают секунды, — спокойно объяснил Сержант. Медленнее, чем следовало, вложил пистолет в кобуру. — Вы всегда должны быть готовы к выстрелу. Кто не успел — тот опоздал! Золотое правило. А теперь уберите эту падаль. Отнесите подальше в лес и заройте поглубже, чтобы никто не откопал. Сегодня вечером каждый получит оружие и будет носить его постоянно. С этого дня начнется более серьезная подготовка, и смотрите не перестреляйте друг друга.

Вечером в дверь к Юрьеву постучали. Он хлопнул себя по левому боку — привычка, отработанная годами, — пистолет был на месте. От этих вооруженных дурней всего можно ожидать. Однако другого способа, чтобы научить убивать, Юрьев не знал Поэтому и раздал оружие.

У порога одна половица скрипела. Сержант осторожно обошел ее, прислушался, затем быстрым движением распахнул дверь. Это был Валет.

— Разрешите войти.

Поколебавшись, Сержант разрешил.

— Что случилось? — Он не спешил пригласить его присесть.

Юрьев всегда помнил главное правило: где не соблюдается дистанция — там развал.

— Я не могу больше здесь оставаться.

Это было для Юрьева полной неожиданностью.

— Так. Садись. — Интересно, как он представляет себе уход отсюда. — Расскажи, в чем дело?

— Здесь у нас в отряде половина зеков, и все смотрят на меня, как на опущенного. Завтра вообще не подадут руки и скажут, чтобы я уходил с общего стола. Кому я теперь нужен?

— Не торопись. Ты нужен нам, иначе тебя здесь не было бы. Да и обратной дороги, как ты знаешь, не существует, если только не торопишься к праотцам.

— Я могу незаметно исчезнуть.

— Тебе это не удастся. Я скрывал, но теперь могу сказать: по всему периметру расставлены мины-ловушки. Ты наверняка подорвешься на одной из них. Но даже если этого не случится, тебе все равно не жить. Тебя найдут. Если уйдешь, значит, засветишь нашу базу, а это не прощается. Где гарантия, что не расскажешь о нашей операции другим? — И уже недоуменно Сержант спросил: — И вообще, откуда ты здесь взялся?

Юрьев в первый же день обратил внимание на Валета. Если Шайтан был рожден для убийства, то Валет казался ему домашним животным, которое только волей нелепейшего случая затесалось в клетку к хищникам. У него были пухлые губы, румя-

191

нец во всю щеку. Он вообще напоминал красную девицу. Сидеть бы ему возле мамки и жевать пряники. Сколько он таких насмотрелся! И креста не ставили на их могилах.

— Из Закавказья. Воевал практически во всех регионах, где неплохо платят. Я мог бы тоже похвастаться кое-какими достижениями. Если говорить честно, я устал. Никаких денег не хочу. Хотя Шайтан и хотел причинить мне зло, но я вдруг неожиданно прозрел и понял, что все это не для меня. Я смерть видел далеко, на расстоянии нескольких сот метров, а через оптический прицел она как бы и нереальна. А сейчас, когда увидел Шайтана с простреленной башкой, признаюсь откровенно, мне стало страшно. Боюсь, когда-нибудь мои мозги вот так же разлетятся по полу, и на них будут наступать грязными ботинками.

— Но ты пришел сам, никто не тянул тебя насильно.

— Да, сам. Мне сказали, что обеспечат меня работой на всю оставшуюся жизнь, а кто знает, где эта оставшаяся жизнь? Может, уже сейчас для меня загнали пулю в ствол винтовки. Сколько я проживу? Год? Два? Мне хочется нарожать детей, понимаете.

— Поздно ты спохватился, парень. Удивляюсь, как с такой чепухой в голове ты так долго таился. Ничем не смогу тебе помочь, разве только кое-что посоветовать. Держи язык за зубами, иначе тебе просто не жить! И первым тебя на тот свет отправит разлюбезный наш хозяин.

Юрьеву сделалось по-настоящему жаль этого недотепу.

— Он глазом не моргнет, если ты зарони́шь хоть какое-либо сомнение. И, поверь, даже не вспомнит, что был такой малый по кличке Валет. И если кое-что я делаю иногда из-за денег, некоторые — просто ради собственного удовольствия... А теперь иди и голову мне не морочь.

Валет с трудом поднимался, будто врос в мягкое кресло.

— До свидания, Сержант. — Он осторожно прикрыл за собой дверь.

Ровно в пять утра Юрьев построил свою команду. Заспанные недовольные лица выдавали все мысли. Каждый воспринимал набор в группу, как прогулку в лес. Кто же знал, что здесь придется еще вытягиваться и перед Сержантом. Юрьев стоял перед ними в пятнистом комбинезоне, который был для него своеобразным талисманом. Он не расставался с ним уже пять лет.

— Я не вижу Валета. Где он? — хмуро бросил Юрьев.

Вперед на два шага вышел Леший:

— Мы с ним в одном домике. Сегодня он не ночевал.

Еще одно ЧП. Что ж, в его практике бывало и такое.

— Этого следовало ожидать, поскольку вчера вечером Валет приходил ко мне и просился домой. Думаю, не надо пересказывать, что я ему ответил. Очевидно, воспитательная беседа не пошла ему на пользу. Не скрою, мне жаль Валета, но иначе мы поступить не можем. Если ему удастся выбраться отсюда, то нас самих ждут лагеря. Сейчас мы разойдемся по двое, и каждый из вас, кто его встретит, обязан пристрелить предателя. Кто сумеет это сделать, лично от меня получит призовое вознаграждение в три тысячи баксов. И не забывайте, что Валет вооружен, как и мы. Советую не подставлять понапрасну башку. Вы двое идите направо, вы — налево, Леший пойдет со мной, — распорядился Юрьев.

Зашуршала под ногами трава, и через минуту на поляне никого не осталось. Юрьев оглянулся. На каждой из избушек был прикреплен флюгер в виде балаганного петрушки, рот которого раздирала благодушная улыбка. Юрьев вспомнил, что еще неделю назад Валет, сидя верхом на срубленной березе, вырезал этих петрушек. Он мастерски работал ножовкой. Для себя он вырезал павлина с длинным хвостом. Вытянув длинную шею и распустив хвост, тот смотрел далеко за лес. Тогда Валет жалел, что нет красок под рукой.

Порыв ветра едва не сорвал с Юрьева берет, и тотчас громким скрипом отозвался павлин-флюгер — как будто ожил и крикнул, мол, хозяин, берегись!

Леший, засмотревшись по сторонам, зацепился ногой за корягу, едва не упал и, заметив недовольный взгляд Сержанта, начал оправдываться:

— Из травы торчала, не заметил.

— Видно, кличка Леший — это не про тебя. Надо ходить в лесу так, чтобы даже мышь не догадалась о твоем присутствии.

Юрьев шел уверенно и быстро, как будто знал, где таился Валет. Неожиданно Леший подумал о том, что может первым увидеть Валета, и испугался. За это время они успели сойтись близко, хотя дружба еще не завязалась. Внезапно он похолодел от мысли: а что, если Валет заметит его первым? Сидит где-нибудь в кустах и целит в голову. В Закавказье он был снайпером и уж наверняка не промахнет с двух десятков метров.

Самому Сержанту эта прогулка напоминала охоту, в которой он принимал участие, когда готовил одну из диверсионных групп. Это была элитная группа, каждый из курсантов имел боевой стаж не менее трех лет. Однако случилось невероятное — базу покинуло пять человек. Для всех оставшихся так и осталось загадкой, как они сумели перерезать три ряда колючей проволоки, одна из которых находилась под высоким напряжением, и одного только прикосновения было достаточно, чтобы оставить от дерзкого кучку серого пепла.

Об их исчезновении стало известно только утром, во время переклички. По следам беглецов можно было бы пустить собак, если бы не ливень, который прошел ночью, превратив дороги в вязкую кашу. С поисками можно было бы обождать час-другой, дождаться вертолетов и тщательно прочесать местность, но когда Сержант позвонил в центр полковнику Джексону и сообщил об исчезновении людей, то услышал приказ:

— Уничтожить всех пятерых. — Он говорил спокойно, словно речь шла о чем-то обыденном. — Немедленно. Рассчитываю, что вы сделаете это раньше, чем к вам на подмогу прибудет первый вертолет. Эту группу мы готовили для Латинской Америки, и, думаю, вам не надо объяснять о важности секретной операции.

— Слушаюсь, сэр, немедленно приступаем к ликвидации.

База была секретной. Ее расположение не было указано ни на одной из карт, она просто затерялась среди песка и кактусов, и нужно было иметь чрезвычайное мужество или быть полным кретином, чтобы попытаться преодолеть путь в сотни километров до ближайшей дороги.

Этих людей готовили для переворота в одной из африканских стран. И, появись в печати хоть намек на предстоящую акцию, многим это могло стоить не только карьеры, но и жизни.

Сержант знал всех пятерых. Трое из них были черными. И трудно было понять, что заставило их поменять сытую базу на неопределенность, возможно, даже на смерть. Сержант считал, что все дело в долларах, — деньги им выдали до начала операции, а после успешного ее завершения должны были выдать и премиальные. Но возможно, здесь была и иная причина — переосмысление. Кое-кто сочувствовал установившемуся режиму, а один из бежавших был даже уроженцем тех мест.

Логично было бы рассредоточиться — распылить силы преследователей, но все вышло по-иному. Беглецы словно несмышленый выводок, тянулись гуськом за рослым негром, который, не зная усталости, уводил их как можно дальше от базы.

Заметив группу преследователей, которая догоняла их на джипе, негр дал знак разбегаться. Юрьев хотел срезать их одной пулеметной очередью, но потом раздумал. Только теперь и начинается настоящая охота. Он приказал остановить машину, скомандовал перекур, а когда беглецы удалились на порядочное расстояние, Юрьев сказал одному из наемников:

— Первого убьешь ты. Близко подъезжать не будем, нужно привыкать стрелять издалека.

Несколько минут понадобилось, чтобы отыскать первого. Это был испанец Диего. Красавец брюнет, он, конечно, не одну женщину свел с ума обжигающей улыбкой и шальным взглядом темных, бархатистых глаз.

Все! Рыдайте, красавицы...

Короткая очередь, и Диего упал, раскинув руки.

— Теперь ты, — сказал Юрьев негру, сидевшему на корточках у самого борта.

— Слушаюсь, сэр.

Вторым был метис. Он уткнулся в землю сразу, едва лишь негр нажал на гашетку. Белая рубаха окрасилась кровью и стала красной.

Потом был третий, четвертый. Оставался пятый — негр Майкл. Еще вчера Сержант симпатизировал этому добродушному верзиле, игравшему когда-то в университетской баскетбольной команде. Сейчас он не чувствовал к нему ничего — разве можно жалеть гусеницу, попавшую под ботинок. Сержант посмотрел на Майкла через мушку прицела. Негр легко преодолевал огромные валуны, делал стремительные перебежки, прятался в расщелинах и бежал, бежал. Однако во все стороны тянулась все та же выжженная пустыня, и некуда было деться от джипа, в котором злобились вооруженные наемники.

Секунду Юрьев медлил, а потом нажал на гашетку. Харкнул пулемет и изрыгнул из горячего жерла жалящую смерть.

Юрьев вспомнил про это мимоходом и тотчас забыл, как бывает, когда заботы сегодняшнего дня вытесняют вчерашнюю давность. Здесь не каменная пустыня, которая просматривалась из конца в конец за десяток километров. Здесь лес, где под каждым кустом могла затаиться смерть. Юрьев шел, ведомый каким-то неведомым чувством, которое пробуждалось в нем всякий раз в сложных ситуациях, и это чувство подсказывало ему, что он не должен умереть сейчас. Оно выверяло каждый его шаг. И в случае опасности — он это знал — именно оно заставит его мгновенно выхватить из кобуры пистолет.

Через километр начинались минные ловушки. Но Юрьев был уверен, что до них Валет добраться не успел. Наверняка спрятался где-то неподалеку, и не исключено, что наблюдает за каждым их шагом, держа их на мушке короткоствольного автомата. Юрьев понимал, что стрелять Валет будет именно в него, только в этом случае у парня появится шанс выжить. Выстрел должен быть смертельным, иначе второго ему уже просто не сделать.

За спиной сухо треснула ветка, и Юрьев в который раз пожалел, что взял Лешего, тот, как нарочно, старался шумнуть — цеплялся за коряги, наступал на сушняк и втихую матерился. Если бы это были джунгли, то любой такой треск одному из них мог бы стоить жизни. Но Юрьев даже не оборачивался назад, чувство, которое пробуждалось в нем в такие минуты, заставляло смотреть только вперед. Валет был где-то здесь, и Юрьев даже пригнул голову, чтобы стать наименее уязвимым. Если бы это было в его власти, он сжался бы в комок.

Раздался выстрел.

Юрьев ощутил кожей тепло от пролетавшей мимо щеки пули. Первого выстрела он и ждал. Юрьев только молил Христа, чтобы выстрел не оказался для него смертельным, потому что был уверен — вторым выстрелит сам. Юрьев отрабатывал этот прием тысячи раз, тренировал руку годами, стреляя на звук. Он добился того, что с точностью до сантиметра мог определить место, откуда был произведен выстрел. И сейчас рука, независимо от его воли, мгновенно извлекла пистолет, и в следующую секунду он нажал на курок.

«Неужели промахнулся?» — удивился Юрьев, но вслед за тем услышал звук падающего тела.

Валет лежал, скрючившись в комок. Пуля угодила в брюшную полость — кровь хлестала на желтые одуванчики. Он погиб точно так же, как в далекой Америке красавец Диего. И только немногие умирали так, как негр Майкл.

Перевернув мертвое тело, Сержант поймал себя на том, что остался доволен выстрелом. Странно было другое: почему Валет не упал сразу? Может, душа не желала расставаться с грешным телом? Вот и все, Валет... Ни имени, ни фамилии. Впрочем, сейчас это для него не имело никакого значения. Таких безымянных парней на его веку было немало. Он даже не помнит их лиц.

Через час все собрались на базе — не было обычных разговоров, отсутствовал смех. Эти три смерти не прошли бесследно ни для кого. Глупо сейчас было бы собирать всех вместе и читать очередную проповедь. Пусть знают, киллер — это не романтическая прогулка.

Более жестокой профессии Юрьев не знал.

База опустела. Юрьев вышел в лес. Тихо вокруг. Он вдруг почувствовал себя усталым, как будто сразу постарел лет на десять. А может, и вправду сдавать стал? Раньше, помнится, был менее сентиментален, когда случалось нажимать на курок. И забывал сразу, словно не человека убивал, а пальцем муху по стеклу размазывал.

Из леса Юрьев вернулся с грибами. Насобирал целое лукошко, и одни белые! Оно и понятно. Грибников здесь не водится. Надо будет сказать, чтобы зажарили с картошкой, и еще сметанкой бы залить. Юрьев вспомнил, как скучал в Африке именно по жареным грибам, ему даже снился их вкус. Он слышал их мягкое похрумкивание, ощущал грибной запах и просыпался оттого, что захлебывался слюной.

На базе по-прежнему было тихо. Она словно вымерла, только в крайнем домике, где прежде жил Валет, звучала негромко гитара. Леший пел...

Юрьев прислушался. Песни были блатные, грубые, но Леший исполнял их с душой, да и голос был подходящий — с тоскливой хрипотцой. Отпевает своего приятеля, подумал Юрьев. И когда Леший умолк, Сержант прошел к себе в дом.

Завтра обычный день.

ГЛАВА 14

За это время Светлана почти не изменилась. Цвет кожи, фигура, роскошные волосы — все было при ней! Годы словно бы щадили ее. Варяг купил для нее за городом небольшой дом и строго-настрого наказал не выходить просто так. Все, что было нужно, доставлялось, но это ее пристанище напоминало ей тюрьму.

Когда Света говорила Варягу об этом, он выходил из себя:

— Да ты представления не имеешь, что такое тюрьма! Это когда двадцать рыл живут в одной камере и ненавидят друг друга. Это когда прогулочный двор на десяток шагов. Это когда на этапах тебя ставят на коленки и ты не смеешь даже повернуться! Вот что такое тюрьма! Ты здесь живешь, как королева!

— Но я лишена свободы.

— Свобода может обернуться несвободой! Хочешь, чтобы тебя зарыли живой в лесу? Ты представить себе не можешь, какая идет игра! Думаешь, я изменил внешность кокетства ради? Для всех ты исчезла, и, если появишься, я не смогу тебе помочь, мне самому могут отвернуть голову! Я и так действую на свой страх и риск, когда прячу тебя здесь... Люди, которые привозят тебе продукты, работают лично на меня. Они мне обязаны и преданы. Тебе достаточно только слово сказать, чтобы к твоему столу привезли все, что пожелаешь.

— Но мне нужен ты!

— Сколько раз мы говорили об этом, ты просишь от меня невозможного. Я не принадлежу себе. Я — вор!

Света не хотела слышать его, прятала лицо в худенькие ладони.

— Я хочу жить как все! Хочу ребенка, хочу мужа, хочу быть женой, хочу, чтобы меня любили.

— Ты слишком много требуешь от меня. — Неожиданно Варяг почувствовал нежность к этой маленькой женщине. Он не был отцом, но нечто похожее, возможно, испытывает стареющий папаша к своей юной дочке. Варяг провел ладонью по ее волосам.

— Моя жизнь проходит, я старею. Сегодня подошла к зеркалу и увидела под глазами две тоненькие морщинки, а через пару лет они будут глубокими морщинами.

На миг Варяга всколыхнула бесшабашная мысль: а что, если бросить все к чертовой матери! Спрятаться в какой-нибудь глуши и жить так же, как все! Но он мгновенно одернул себя. Нет, он не может позволить себе этой слабости. Он — вор в законе! Ни одно объяснение, каким бы красноречивым оно ни было, не убедит никого, и если он окунулся в дело с головой, то именно о голове и нужно думать в первую очередь. Единственное, что он может себе позволить, это раз в неделю наведываться к Светлане.

И все бы хорошо, но завязались непростые отношения с дочерью Нестеренко. Ведь прав был Ангел, предупреждал!

Однажды Владислав пришел к академику домой,

но застал только его дочь. Девушка была в коротеньком сиреневом халатике. Когда он увидел ее острые коленки, стройные, как у балерины, ноги, ему пришла в голову шальная мысль остаться здесь часа на два. Вот был бы сюрприз для профессора! Интересно, есть у нее кто-нибудь? Впрочем, неделю назад он видел ее в обществе парня баскетбольного роста, который смотрел на нее с таким обожанием, с каким, похоже, смотрит на баскетбольный мяч. Она поглядывала на парня, как примадонна на навязчивого поклонника. Сейчас взгляд у нее был другим — хорошенькой и легкомысленной девочки.

— Папа ждал вас, он просил немного задержаться, если вас не затруднит. Его срочно вызвали в Академию наук. Может, хотите чего-нибудь выпить?

Сразу так и выпить? Ничего себе...

— Пожалуй, если вас это не затруднит. — Варяг опустился в кресло.

Вероника повернулась и быстро пошла к двери. Халатик распахнулся, и Варяг увидел трусики. Они были такого же цвета, что и халат.

Когда она вернулась, на ней было вишневое узкое платье, губы были накрашены, глаза подведены. Она благоухала французскими духами.

— Папа сказал, что у вас необыкновенные способности. Правда, что вы можете прочитать книгу и рассказать ее слово в слово?

Варяг отпил глоток вина и честно признался:

— Нет, для этого надо прочитать два раза.

Вика улыбнулась:

— А правда, что вы сейчас с папой готовите монографию?

Варяг отпил еще один глоток:

— Так оно и есть.

Хуже нет, когда с такими милыми девочками приходится говорить о делах. Он обнял ее одной рукой за плечи, другой забрал у нее бокал вина, поцеловал в губы и почувствовал сладковатый вкус, а потом его рука скользнула в глубокий вырез платья, отыскала грудь. Пальцы наткнулись на преграду. Да, сиреневые трусики. Прочь их! Но Вика неожиданно отстранилась.

— Я сама! — сказала она. Сняла их и отшвырнула ногой за диван.

В чем-то она превосходила Светку. Может, этот секрет в молодости?..

Обе женщины стали его частью.

Он понимал, что любовные отношения мешают сосредоточиться на главном, сознавал, что необходимо прекратить свидания, но чем больше он этого желал, тем меньше это ему удавалось.

А неделю назад Светка заявила:

— Ты не боишься, что я убегу из этой дыры? Почему я должна приносить себя в жертву? И кому? Мужчине, который никогда не сможет на мне жениться. Пока я молодая и, слава Богу, красивая, я еще в состоянии устроить свою жизнь.

Если это случится, тогда он останется один, совсем один на всем белом свете! Она ни разу не предавала его, бежала по первому зову. Принимала его всякого: вора, заключенного, транжиру. Светка знала его дерзким, любящим кураж, не знавшим удержу ни в чем, так почему теперь она не хочет понять. Он уже не тот, что был раньше, он имеет право не только на чудачества, но и на тихую радость уютного дома, где ему не будут задавать никаких вопросов. Его боялись и уважали. Светка осталась почти единственным человеком, который откровенно говорил ему то, что думает.

— Ты и раньше был опасен, но сейчас ты опасен вдвойне. Что бы ты ни делал, ты останешься, каким был. Чтобы быть другим, нужно родиться в другой жизни. Ты обо мне не думаешь, ты целиком принадлежишь своему общаку!

Она напоминала разъяренную кошку. Пусть уж

лучше мурлычет, чем шипит! Варяг обнял Свету и ткнулся губами в ее мягкую щеку.

Варяг никогда не посвящал в свои дела женщин, как бы любимы они ни были, но однажды он проговорился Светлане о своей поездке за границу. Теперь он понимал, что это было слабостью с его стороны.

— Ну что ты сердишься? Успокойся.

— Ты мне нужен, я боюсь за тебя. Если раньше за тобой охотилась только милиция, то сейчас гоняться будут все!

Что ни говори, а Светка частенько права. Она, словно мать, опекает его и предостерегает от необдуманных поступков, она как бы его инстинкт самосохранения, который у него напрочь отсутствует.

— Никто меня не узнает, — старался он ее успокоить. — Прежний Варяг исчез навсегда, а есть ученый Владислав Геннадьевич Щербатов. А те немногие, кто знает о моей тайне, будут держать язык за зубами. А теперь извини, мне надо одеваться, пора идти.

Он поймал ее взгляд, который молил: «Не уходи!» Но Владислав Щербатов был не в силах что-либо изменить, потому что он все еще был Варягом.

Едва он перешагнул порог своей квартиры, как зазвонил телефон. Это была Вика.

— Привет, — ответил он.

Вот, пожалуйста! Не успел распрощаться с одной женщиной, как в гости напрашивается другая. Нет, сегодня он пас! Мысли заметались в поисках убедительного предлога, чтобы перенести встречу.

— У меня для тебя есть новость, — загадочно сообщила Вика.

— Приятная?

— Конечно, иначе я не стала бы тебя тревожить.

— Это хорошо! Плохие новости выбивают меня из колеи. Что именно ты хочешь сообщить?

— В Москве открывается новый институт, и папа рекомендовал тебя туда директором.

Вот это новость так уж новость! Интересно, как к ней отнесется Медведь. Впрочем, пора выбираться из-под его опеки.

— Почему в таком случае не позвонил сам Егор Сергеевич?

И все-таки почему его так двигает академик? Конечно, он ученик способный, возможно, один из самых молодых докторов в России, но есть и другие. А может, Нестеренко видит в нем будущего зятя?

— Он собирается сказать тебе об этом завтра, так что смотри, не подведи меня. Сделай хотя бы удивленное лицо.

— Хорошо, постараюсь, — пообещал Варяг. Она позвонила не просто так, он чувствовал это по паузе. — Может, встретимся завтра?

— Завтра? — послышался радостный писк. — Ой, завтра не могу... У меня экзамен... трудный день.

— Конечно, два свидания в один день — это всегда трудно.

— Нет, правда, у меня экзамен, а когда он закончится, я не знаю.

— Ладно, тогда послезавтра, в пять я тебе позвоню.

Варяг положил трубку и испытал что-то похожее на облегчение.

...Профессор Нестеренко являлся в институт ровно в десять.

— Люблю поспать, — обычно говорил он.

Хотя все знали, что последние двадцать лет его терзала бессонница и спал он от силы три-четыре часа в сутки. Потом он пил кофе и до девяти утра проводил время за письменным столом.

Варяг ждал его с особым нетерпением, но, когда Нестеренко появился в дверях, сделал вид, что не заметил его долговязой фигуры. Он неторопливо разгребал ворох бумаг, которые скопились на столе.

— Владислав Геннадьевич, — окликнул академик. — У меня к вам дело. Думаю, оно придется вам по вкусу. Пойдемте со мной.

Кабинет академика Нестеренко внушал почтение. Даже воздух здесь был как бы наэлектризован умственной деятельностью. Варяг поймал себя на том, что ощущает перед этим седовласым человеком трепет. Он, который не склонялся перед лагерным начальством; он, перед которым гнули спины воры всех мастей; он, кто мог казнить и миловать, он робел перед милейшим Егором Сергеевичем с доброй улыбкой на лице, устроившимся по-домашнему в глубоком кресле.

— У нас создается новый институт. Штат небольшой. Не более сотни научных работников. Проблемы, которые предстоит решать, вам знакомы. Экономика и политика Европы. — Академик расплылся в улыбке. — Вам нужно расти. Я рекомендовал вас директором. С вами еще будут беседовать. Не отказывайтесь. Конечно, здесь много организаторской работы. Справитесь?

Почему же он так робеет? Может, это оттого, что заманчиво очутиться в директорском кресле?

— Справлюсь, — уверенно ответил Варяг.

— Я не ожидал другого ответа, — утопил Варяга в своем добродушии Нестеренко. — Желаю успеха.

ГЛАВА 15

В воровской разборке убили троих — двоих азербайджанцев и армянина. Ангелу предстояло немедленно выяснить все обстоятельства.

Воровской мир никогда не знал национальных разногласий, однако эта зараза норовила проникнуть и сюда, чтобы скрутить в бараний рог здоровое тело воровских традиций, которые складывались десятилетиями. Нужно было действовать решительно и энергично.

На воровском сходе пару лет назад постановили: национальные распри не должны затронуть тюрьмы и зоны. Там присутствовал и Ангел. Он поклялся следить за исполнением решения. Каждого, кто посмеет нарушить постановление сходняка, ждет смерть, заявил он тогда во всеуслышание.

И вот это случилось.

Сход собирался в загородном ресторане. Владелец — тихий незаметный человек с двумя золотыми фиксами — был лицом подставным, хозяином являлся Ангел. Ресторан ему нужен был для деловых встреч, для сбора сходняка и как место, где можно было бы вершить суд.

К десяти вечера один за другим стали съезжаться законники, паханы. Собралось человек сорок. Окна были плотно зашторены, столы ломились, как всегда. Кто-то попросил включить негромкую музыку, и Ангел мгновенно распорядился.

Два вора, из-за которых был созван сходняк — худой длинноногий азербайджанец и рыжий плотный армянин, — сторонились друг друга. Они находились в противоположных концах зала. Было видно, что и сходняк разделился. Каждая из половин, не стесняясь, оказывала поддержку своему подзащитному. Ангелу это не понравилось сразу. Ему не однажды приходилось решать споры, но такое было впервые. Ангел пользовался авторитетом, как беспристрастный арбитр, способный разобраться в щекотливой ситуации. Он знал воровские традиции так, как судья должен знать Уголовный кодекс, и, если за дело брался сам Ангел, никто из воров не сомневался в том, что решение будет честным и справедливым.

Когда все, кого ждали, приехали, Ангел обратился к присутствующим:

— Вы все знаете, что в позапрошлом году сходняк решил: каждый вор, посмевший втянуть свою семью в национальную резню, будет наказан. Так ли это было? — посмотрел Ангел на всех сразу.

— Так, Ангел, за это мы проголосовали единогласно.

— Люди, — так законник обращается только к себе равным, — мы не политики, которые спешат примерить на себя княжескую шапку, мы — воры! Воровские традиции не знают границ! Если семьдесят лет назад воры обходились без национальности, то почему сейчас мы должны в этом разбираться. Законниками были и евреи, и грузины, и таджики. Вор в законе был всегда пахан для всех, кем бы он ни был. И каждый, кто посмеет поднять на него руку, будь тот латыш или русский, должен уметь! Посмотрите друг на друга, здесь среди нас и узбеки, и татары, и чеченцы, но разве мы когда-нибудь ссорились?

— Верно, Ангел, — поддержал его Граф. — Национальная рознь ментам только на руку. Если мы перебьем друг друга, они нам спасибо скажут. Если кого обидели, то тот может требовать созыва сходняка. Кто прав, кто виноват — решит сходняк. Если мы будем нарушать законы, которые создали, что в этом случае остается делать молодым? Начнется беспредел. Виновному смертный приговор.

Азербайджанец Осман и армянин Левон встретились взглядами. Кого-то из них лишат жизни в назидание другим, но каждый надеялся, что жить останется именно он.

— Осман, ты был в позапрошлом году на сходке?

— Был.

— Голосовал за решение схода?

— Голосовал.

— А ты, Левон, был тогда на сходке?

— Да.

— Ты ведь тоже голосовал за наше решение?

— Было дело.

— Теперь давайте разберемся: кто прав, кто виноват. Кто первым будет говорить? Может, ты, Осман?

— Ни я, ни мои люди не виноваты, — начал тот горячо. — Я защищал свою семью. Ко мне пришел мой человек и сказал, что армяне хотят его опустить. Я спросил: «За что?» — а он говорит, потому что он азербайджанец! Что мне оставалось делать? Я собрал земляков и пошел туда, где забили стрелку. А там уже слово за слово, и произошло то, что случилось. Я пострадал, они убили двоих из моей семьи.

— Теперь что ты скажешь, Левон?

— Он все врет! Не было этого! Это сначала его

человек обозвал нас сраными армянами! Орал, что пока не выпустит из всех нас кровь, то не успокоится.

Было ясно, что правды добиться невозможно, каждый из них чувствовал себя правым. Но виноват бывает всегда только один. Так можно было спорить до бесконечности.

Воры за столом молчали, сходняк вручил в руки Ангела меч, только его слово станет определяющим, и сейчас они с интересом наблюдали за тем, какой же финт выкинет Ангел, дабы с достоинством выпутаться из этой сложной ситуации. Никто из них не хотел бы сейчас находиться на его месте.

Ангел чувствовал себя уверенно, на лице его не было и тени сомнения.

— Где те люди, из-за которых началась пальба? — спросил Ангел.

— Они оба убиты, а сейчас родственники и воровские семьи требуют расплаты.

— Осман, что тебе рассказывал твой человек?

— Он мне рассказал все, — начал Осман спокойно. — Они сидели на одной зоне, жрали одну баланду. Именно там у них это и началось. Армянин ему все время подлянку делал. Обрезанным его называл. Все спрашивал, где он свой конец оставил?

— Ангел, не верь ему! — взорвался Левон.

— Тихо! Пускай говорит, потом выскажешься ты.

Осман продолжал:

— Все грозил, как выйдет, вот тогда сквитается, да так, что никто не узнает. А потом они на одной хате встретились, в очко играли, так армянин вторую колоду из штанов доставать стал. Мой человек это заметил, вот и вспомнилась обида. Ты же знаешь, Ангел, что полагается делать с теми, кто у своих крадет!

210

— Теперь ты говори, Левон.

— Не было второй колоды, этот пес врет!

— Что язык распустил?! — вскипел Ангел. — Держи при себе! Еще не хватало, чтобы вы на сходке друг на друга набросились!

— Правда то, что они действительно были 1а зоне. Но конфликт завязал не мой человек, азербайджанец обзывал его необрезанным!

— Может, отпустим их? Те, из-за кого это началось, мертвы, — высказался Федул.

— Федул, ты не прав, как только они выйдут отсюда, тут же начнут резать друг друга и еще других приведут. Дело не должно уходить дальше этих стен. Тогда для чего мы собрались на сходняк?! Или мы ослабели, что не сможем распутать этот спор? Если братва не будет уважать наши законы, так потом они перестанут уважать и нас. Они просто начнут срать нам на головы.

— Ангел, ты, как всегда, прав, но кто же тогда из них виноват?

— Кто из вас первый применил оружие? — спросил Ангел.

— Первым оружие применили его люди, — отвечал Осман, — я сам видел, как один из них убил Рустама!

— Да, это правда, — не отпирался Левон, — но что ему оставалось делать, когда законного называют жопочником!

Действительно, запутанная ситуация, ничего не скажешь. И все-таки нужно что-то решать. Концов нет, они ушли вместе с покойниками.

— Я хочу еще раз спросить у сходняка, зы полностью мне доверяете?

— Доверяем, Ангел.

— Ты себя уже не однажды зарекомендовал.

— В разборках лучше, чем ты, никто не сумеет разобраться.

— Говори свое решение, Ангел.

Ангел не торопился. Для себя он уже принял решение, только как его оценит сход? Решения Ангела терпеливо дожидались Осман и Левон. Если и был сейчас для них в эту минуту Бог, то он принял воплощение Ангела.

— Хорошо, если сход мне доверяет, тогда я скажу... Мы не имеем права прощать. Я уже говорил почему. На решениях сходняка держатся воровские традиции. Воля сходняка — это для нас высшая власть. В этой ситуации невозможно определить, кто прав, кто виноват, и поэтому виноваты оба... Значит, смертный приговор обоим.

— Да что он говорит! — кипятился Осман. — Да он так нас всех под нож подставит.

— Да пошел ты к такой матери со своим судом! — выкрикнул Левон.

Воры не отвечали, молча наблюдали за подсудимыми. Для них они были уже мертвы.

— Для такого серьезного решения ты слишком быстро разобрался!

— Это и есть твой справедливый суд?

— У вас есть последнее желание? — спокойно спросил Ангел.

Похоже, его спокойный и уверенный голос, а также молчание, которое установилось за хлебосольным столом, было красноречивее любого окрика, и Осман выдавил из себя:

— Пожалейте, неужели так сразу? Вы же меня знаете, люди, разве я хоть когда-нибудь кого-нибудь предал?! Скажи, Лис, разве не ты давал мне рекомендацию на законного? Разве я был плохой вор? Разве я в чем-то уронил свою марку? Я защищал свою семью и был хорошим смотрящим на зоне. Каждый из вас поступил бы на моем месте точно так же. — Это действительно было правдой, вот поэтому в зале стояло молчание. — Федул, и

212

ты ничего не скажешь? Мы с тобой всегда были вместе. Неужели я похож на падлу, которую нужно прибить? — горячился Осман.

Левон угрюмо молчал.

— Дело куда серьезнее, Осман, ты от нас просто так не отболтаешься. Простите нас, что так получилось, но иначе мы просто не можем.

— Оставьте жизнь, — давился словами Осман.

— Нет.

— Не дайте умереть, я замолю свой грех.

— Нет!

Левон молчал, налил себе водки. Выпил до капли, потом потянулся за закуской, но рука остановилась на полпути.

— Левон, ты ничего не хочешь сказать?

— Ты не прав, Ангел, ты должен был выбрать виновного. Правда у кого-то одного. Не бывает так, чтобы виновны были оба.

— Не бывает, — согласился Ангел, — но вы не оставили нам выбора. Мы не хотим, чтобы потом над нами потешались в зонах петухи. Вот поэтому сходняк просит у вас прощения. Впрочем, можно устроить слепой суд... Жребий! Федул, дай колоду карт. — Ангел взял карты. Нет, перетасовать должен кто-то другой. — Размешайте карты. Они не крапленые. Отдаст Богу душу тот, на кого укажет бубновый туз. Согласны?

— Да.

— Да.

Ангел стал одну за другой открывать карты перед Османом и Левоном. У Османа — дама, Левону — пиковый король, вот Осману выпал крестовый туз, у Левона — десятка бубен. В более азартную игру никто из них не играл за всю свою жизнь, и ставка такая, что кому-нибудь из двоих будет стоить головы. В ресторане было тихо. Воры столпились у Османа и Левона за спиной и внимательно следили за руками Ангела, который снимал сверху карты одну за другой. Руки умело раскладывали карты, как будто он тем и занимался, что всю жизнь искал в колоде бубновый туз. Ангел клал карту напротив, а потом, помедлив секунду, переворачивал.

— Туз! — вскричали все разом.

— Водки, — шепотом попросил Осман, увидев, что туз выпал именно ему, так и сверлит красным глазом.

Кто-то из воров подал ему стакан с водкой, наполненный до краев. Осман выпил залпом — так путник, утомленный жаждой, хочет погасить внутри пекло. Водка прошла, едва намочив глотку.

— Еще!

Осману дали бутылку, и он пил прямо из горлышка, а потом отбросил в сторону пустую посудину.

— Вот как вышло, — произнес Левон. Теперь он извинялся перед Османом.

— Судьба выбрала тебя. Ты готов? — спросил Ангел. — Каким будет твое последнее желание?

— Я не виноват.

— Теперь поздно об этом говорить. Сходняк не меняет своих решений. Умри спокойно. Твое последнее желание?

— Нельзя ли бабу на часок дать?

— Ты знаешь, Осман, мы не приглашаем на сходняк женщин, но это особый случай... Эй, Фикса, подойди сюда, — подозвал он владельца ресторана. — Бабу можешь найти через десять минут?

— Хоть через две!

— Давай! Да чтобы посмазливее была. Скажи ей, что будет заплачено столько, что сможет безбедно жить несколько лет.

— Хорошо.

Через несколько минут он вернулся с красивой

брюнеткой. Ангел мазнул по ней взглядом. Фигуристая. Молодая, лет девятнадцать, не больше! Почему он ее здесь раньше не видел?

— С покойником спала?

— Шутишь, Ангел?

— Знаешь, как меня зовут?

— А кто тебя не знает?

— Видишь того парня, что курит у дверей? Через час он должен умереть. Развлеки его так, чтобы об удовольствии, которое ты ему доставишь, он помнил и на том свете.

— Хорошо. Как скажешь.

— А это тебе аванс, — извлек он из кармана пачку денег, которая едва умещалась у него в руке. — Через час получишь в несколько раз больше.

— Пойдем, — ласково потянула она за рукав Османа.

Осман еще был жив, но его уже помянули.

— Я знал его двадцать лет, — говорил Федул. — Железный вор, ничего не скажешь.

— Что и говорить, за своих всегда горой стоял. Жаль парня.

— Первая ходка у него в четырнадцать лет была. Он до Варяга самым молодым вором в законе был.

— Варяг пропал, теперь Османа не стало.

Осман вышел ровно через час. Лицо спокойное, ни намека на волнение. Он готов был принять смерть.

— У меня будет еще одна просьба.

— Говори какая, выполним, — пообещал Ангел.

— Я не самурай, чтобы вспарывать себе брюхо. Мне нужен пистолет.

— Эта просьба тоже выполнима.

Фикса принес пистолет на подносе.

— Как будто рюмку водки в свадьбу подаешь, — разозлился вдруг Ангел.

Впрочем, почему бы и нет? Венчание со смертью уже состоялось.

— Здесь одна пуля.

— Мне больше и не понадобится.

Осман взял пистолет, некоторое время грел в ладони холодную рукоятку, а потом приложил к груди.

Раздался глухой выстрел. Осман упал.

— Ты, Левон, похоронишь Османа. И похороны должны быть такими, чтобы помнились и через десять лет! Чтобы жратва была хорошая, выпивка отменная. Похоронишь на лучшем месте кладбища. Если у него есть родственники, поможешь им деньгами. Ты все понял?

— Да.

— Расходись, люди, а ты, Левон, распоряжайся.

ГЛАВА 16

Сержант никогда не имел такой сильной команды: его ребята прошли огонь и воду, они не только нюхали, они дышали пороховой гарью! Он привык к ним, если не сказать больше. Он вылепил их из бесформенной глины, они стали частью и его самого. Конечно, поначалу они причиняли ему беспокойство, но все это в прошлом. Песчинка тоже сначала доставляет боль моллюску, и это нужно для того, чтобы потом превратить ее в радужный жемчуг. Они его жемчужины, они его красивое ожерелье. С этими ребятами можно творить большие дела. Он обучил их всему, что знал: искусству перевоплощения, умению изменять голос, владению оружием, разминированию и установке бомб.

Спустя четыре месяца он назначил экзамен. Он любил их, но тем большим испытаниям подвергал — странная это была привязанность.

Первый экзамен он назвал «группа преследования». Сержант разбил отряд на две части, первая группа должна была преследовать вторую. Здесь как никогда понадобятся полученные знания: бесшумно передвигаться и стрелять на звук.

Сержант раздал патроны и предупредил:

— Каждый пятый патрон — боевой. Задача второй группы укрыться, а первой — отыскать ее.

Первая группа выслеживала вторую до самого вечера. Несколько раз Сержант слышал одиночные выстрелы, а потом вторая группа принесла на руках человека. Его руки безвольно свешивались вниз, маскировочная куртка была в крови. Заглянув в лицо, увидел, что это Дрозд. Сержант не стал спрашивать, кто его подстрелил. Дрозд плохо подготовился, поэтому не сдал экзамен и должен был покинуть живых. Если бы это не случилось сейчас, наверняка произошло бы позднее.

Выкопали яму, положили на лапник, постояли для приличия и разошлись.

Завтра опять испытание. Следующий экзамен — разминирование. Сержант выбрал Лешего, возможно, потому, что был привязан к нему больше, чем к остальным.

— Мина с секретом, — предупредил Сержант, — если хочешь жить, делай все аккуратно и, самое главное, не суетись. Спешка нужна только в случае, если трахаешь чужую жену.

Леший попытался улыбнуться. Получилось почти весело.

— Я постараюсь.

Все спрятались за деревьями, ожидая, что этот «сюрприз» разнесет Лешего по кустам.

Леший действовал спокойно и уверенно, словно держал в руках не мину, а детскую игрушку. Посмотрел со всех сторон, аккуратно отвернул крышку. Все. Дальше был запал. Сержант поймал себя на том, что волнуется, даже ладони вспотели. Похоже, старею! — подумал он. А Леший с невинной улыбкой откинул пластмассовый корпус далеко в сторону.

Молодец, чертенок, сдал экзамен!

— Ты как попал ко мне? — спросил Сержант, нарушая условие. — Видно, что ты парень неглупый.

— Закончил военное училище, дослужился до старшего лейтенанта. Потом пошел по сокращению, пытался заняться бизнесом. Да погорел! Был под следствием. А когда узнал, что в мое дело вложен листок с красной полосой, понял, что просто так меня не выпустят, и решил бежать. Вот так я и оказался здесь.

Самый главный экзамен ждал их впереди.

Утром приехал Варяг. Как всегда, щеголеватый, он смахивал на западную кинозвезду. От него за версту несло сытой жизнью.

Он отвел Сержанта в сторону и произнес:

— Как я уже намекал, подчиняться будете мне. Вам и вашим парням мы будем платить по высшему разряду. Мы наняли вас для того, чтобы убрать несколько человек на Западе. Приходилось выполнять такую работу?

— Да. Русские киллеры дешево стоят.

— Но сначала вы должны будете показать себя здесь. Первым уберете вот этого.

Сержант внимательно всмотрелся в фотографию. Сильное, волевое лицо.

— Это Виталий Геннадьевич Кудрявцев. Я бы мог не говорить вам, зачем мы так поступаем, но Кудрявцев стал слишком высоко летать, а скалы, которые проносятся у него под крыльями, принимает за камешки.

Сержант знал, о ком идет речь. Кудрявцев занимался продажей иномарок. В основном краденых. Их воровали по всей Западной Европе и доставляли на рынок к Кудрявцеву, и редко какая машина могла прошмыгнуть мимо него. Скорее всего, он забыл выплатить установленную дань. А такое не прощается никому.

— Хорошо! — Сержант взял фотографию.

— Вторым будет вот этот. Кличка Гордый. Это его правая рука.

Сержант также знал о том, что они оба очень близко стоят к нэпмановским ворам. И если он уберет обоих, то окажет двойную услугу. Наказание должников повлечет за собой значительное ослабление нэпмановского сходняка.

— Будет выполнено и это.

— Никто из ваших людей не должен знать о нашем разговоре. Все приказы они получают через вас. Деньги тоже.

— А что, если меня кто-либо тоже попросит выполнить кое-какую работенку?

— Нет! Играть вы будете только в одни ворота. А за вынужденный простой мы будем платить так же щедро, как другие платят вам за работу.

Сержант кивнул:

— Это меня устраивает.

— Естественно, о вашем существовании также никто не будет знать. Вы будете человеком-невидимкой и появляться будете тогда, когда других аргументов просто не будет.

— Я понимаю.

Сержант встречал таких людей. Они всегда идут по жизни господами, без стеснения подминая сапогами всех, кто встречается у них на пути. Такие люди умны, дерзки и всегда бывают великодушны, но только по отношению к женщинам. Они не скупятся, когда расплачиваются, умеют ненавидеть и также преданы дружбе. Они — надежны и опасны одновременно. С такими людьми не надо ссориться, впрочем, лучшего хозяина Сержант бы себе не пожелал.

— Как вы это выполните, нам без разницы. Нас интересует результат.

— Все будет в порядке.

Варяг знал, что Сержант один из тех людей, которые все понимают с полуслова.

— Остается надеяться, что мы не ошиблись в вас.

Сержант выполнил все в точности. Три выстрела — два трупа. Позже он узнал, что кто-то увидел мотоциклиста, отъезжавшего с места убийства. Потом было установлено, что этот мотоциклист пересел в красные «Жигули». Уже через час несколько десятков «Жигулей» красного цвета были арестованы, а водители сняты на камеру для опознания. Но никто не знал, что в течение получаса Сержант три раза менял машину.

* * *

Позиции нэпмановских воров действительно пошатнулась. Это нарушило расстановку сил. Если бы не аскетические принципы, которые нэпмановские воры положили на алтарь, они могли бы быть сильнее в два раза. Они, условно говоря, предпочитали оставаться нищими чернецами при монастыре, богатевшем год от года. Им не нужно было ничего, кроме идеи. Идеалисты! Сейчас другое время. Варяг ловил себя на том, что симпатизирует нэпмановским ворам. Когда-то он тоже был одним из них, так же трепетно верил в воровскую идею. Но идея не должна превращаться в догму, она должна развиваться. Она уже давно вылезла из пеленок, ей стали тесны детские рубашонки, сшитые когда-то цеховиками, и она спешила напялить на себя шикарный костюм коммерсанта с бабочкой.

Они должны подняться на другой уровень, и Варяг будет первым из них.

Следующий разговор с Сержантом состоялся через неделю. Варяг разложил перед ним восемь фотографий и сказал:

— Вот эти люди мешают нам в бизнесе, все

они из Италии. Как только справитесь с работой, можете покупать себе виллу на Средиземном море. На обратной стороне фотографий — адреса. За границу вы поедете как туристы. Ничего компрометирующего! Даже золотое кольцо на пальце заявляйте в декларации. Вы знаете этих людей?

Сержант был киллером такого уровня, что не нуждался в адресах. Ему достаточно было указать район и показать фотографию, и рано или поздно он находил свою жертву. В нем проявлялся почти собачий инстинкт, который неизменно приводил его к цели.

Сержант опустил глаза:

— Да, я знаю этих людей. Это солидные бизнесмены. К ним будет непросто подобраться. Будет ли возможность продлить визу, если нам на некоторое время придется задержаться?

В салоне дорогого автомобиля было тепло и уютно. Через приоткрытое окно доносились отрывистые гудки, рокот двигателей. Время от времени кто-то опрометью пытался перескочить дорогу, едва успевая выпорхнуть из-под колес машин. Мимо прошла девушка в коротком красном платье. Красивые стройные ноги привлекли внимание, и Варяг мазнул по ней взглядом. Сержант покосился на него. Молодой еще, женщины влекут сильнее денег, подумал он и едва удержался от улыбки.

— Думаю, нам удастся договориться с визами. Уезжать нужно на следующей неделе. Вас подвезти?

— Нет, доберусь сам. — Сержант распахнул дверь и растворился в уличной толпе, сразу став одним из многих.

Когда Сержант ушел, Варяг долго думал: а правильно ли они поступают? Однако, поразмыслив, решил, что иного выхода просто не существует.

Проникновение на новые территории всегда связано с жертвами, а особенно там, где уже сложились отношения, четко сформировались структуры. Для того чтобы воздвигнуть что-то новое, всегда приходится ломать то, что пришло в негодность. Должно прийти другое поколение людей, которое начнет соображать, что без русских не обойтись. Русские — это не ножницы, с помощью которых можно кроить рубаху своего бизнеса. Русские — это не только дешевые киллеры. В первую очередь — это перспектива гигантского бизнеса.

Пройдет совсем немного времени, когда банки будут принадлежать только воровскому сходу. Сейчас дельцы выплачивают небольшой процент от своей прибыли, но это только узел петли, который со временем затянется на их тощих шеях.

Пройдет совсем немного времени, когда именно в российские банки западные коллеги захотят вкладывать свои доллары, чтобы отмыть их от запекшейся крови.

Все это будет, но сначала нужно избавиться от тех, кто думает иначе.

* * *

Слиться с толпой — вот главная задача киллера. Стать одним из многих, чтобы даже наблюдательный взгляд не смог зацепиться за его лицо. И вместе с тем он должен быть не таким, как все. Киллер — это профессия, требующая постоянного совершенствования, это самая обычная работа, как и всякая другая.

Оглядываясь на прожитую жизнь, Сержант подумал, что, кроме этого, он не умеет ничего. Но это у него получалось лучше, чем у кого-либо. Он вспомнил о том, как после шести месяцев подготовки в африканском легионе для них устроили экзамен на выживание. Несколько десятков человек разбросали по пустыне и перед тем, как вертолет замахал на прощание лопастями, посоветовали:

— Берегите силы, до ближайшего селения четыре сотни миль. — Он никогда не забудет этого сержанта с усами цвета ржавчины. — Нам нужны крепкие наемники, которые не пропадут даже в пустыне, а хорошие деньги стоят такого испытания.

Усиленно заработали лопасти вертолета, разгоняя пласты разгоряченного воздуха, и скоро от него осталась только точка, долго был слышен дребезжащий звук, а потом тишина рассосала и его.

Ни ножа, ни фляги воды. А жара такая, что комья глины с легкостью превращались в пыль.

Ничего себе испытаньице! Бросить на жаре и позабыть. Однако Юрьев сумел выжить. Две недели он пробирался по пустыне, полученные знания не пропали даром. Он разрезал острыми камнями колючие кактусы и слизывал горькую жидкость, утоляя жажду. Ел съедобные коренья, при случае мог полакомиться и пауком. И, стараясь экономить силы, не спешил, шаг за шагом преодолевая пустыню.

Из каждых десяти человек, выброшенных в пустыне, трое испытание не прошли. Похожий экзамен Сержант устроил и своим парням, вот только процент выживаемости у него оказался выше.

С собой за границу Сержант решил взять Рыжего, Коновала и Лешего. Три разных типа, на три различных случая.

Собрав их вместе, Юрьев инструктировал:

— Я не исключаю того, что люди с той стороны уже наблюдают за нами. Поэтому через границу мы будем пробираться поодиночке. Как вы это сделаете, решайте сами: это может быть самолет, автобус, поезд. Важно, чтобы вы не забывали, кто вы такие. Никаких знакомств в дороге, никаких женщин, все будет потом, и смотрите за тем, чтобы не привести к месту встречи филера. Вам все понятно?

— Ясно как погожий день.

— Ну что ж, пока! Встречаемся через неделю, там, где я сказал.

ГЛАВА 17

Сержант бродил по тихим римским улочкам. Все вылизано! Даже плюнуть некуда. Несколько месяцев пробыл в России, а от западного лоска уже отвык. Грязи здесь явно не хватает, побродить в болотных сапогах негде. А уж чтобы перемазаться по уши в навозе, об этом и речи быть не может.

Мимо будто огромные баржи, о чем-то весело щебеча, проплыли две толстые итальянки. И не прояви Сержант расторопности, на которую способны юркие суденышки, быть бы ему зажатым крутыми бортами. Юрьев посмотрел вслед. Широкие платья волнами расходились в кильватере.

Юрьев хмыкнул. Битый час бродит по улице, а красотки, которой стоило бы уделить внимание, так и не приметил. В России красивые девахи попадаются на каждом шагу. Видно, правильно люди говорят, что и среди дерьма цветы произрастают.

Юрьев посмотрел на часы. Осталось три минуты. Ванцетти педантичен, ровно в тринадцать ноль-ноль он приезжает обедать в маленькую пиццерию. В нескольких метрах всегда следует машина прикрытия. Если все пройдет так, как задумано, то Ванцетти она уже не понадобится.

Вот они! Показался черный «мерседес». Автомашина уверенно катила по узкой улочке, заставляя прохожих прижиматься к обочине. Еще бы! Сам Ванцетти едет...

«Мерседес» остановился, и, как всегда, раскинув широко руки, навстречу выкатился жизнерадостный колобок — хозяин пиццерии. Он щебетал, подобно воробью, прыгал вокруг гостя, а Ванцетти снисходительно похлопывал его по плечу. Четверка мордоворотов не отходила от него ни на шаг.

Юрьев знал, куда сядет Ванцетти, — в глубине зала стоял небольшой белый столик, на котором уже дымилась пицца. Он обедает ровно сорок минут, а потом уезжает на своем «мерседесе». Юрьеву это тоже было известно.

Да! Пиццерия — одно из его слабых мест. Когда приезжает Ванцетти, всех посетителей выпроваживают. Значит, нужно явиться туда до его появления. Остальное — дело техники. Маленькую магнитную мину под столик и приятного аппетита вам, синьор Ванцетти...

Юрьев направился в пиццерию. А что такого? Беззаботный турист ходил-бродил и проголодался... Конечно, его не пустят. Извинятся с милой улыбкой, но не обслужат. Однако через окно можно будет увидеть улыбающееся лицо Ванцетти. У дверей должен сидеть телохранитель с автоматом на коленях.

Итак, завтра!

На следующий день Юрьев появился в пиццерии ровно в двенадцать. Он сел за столик, за которым вчера обедал Ванцетти, и огляделся. У стойки бара ворковала влюбленная парочка. Юрьев мазнул взглядом по девушке. Синее платье обтягивало ее фигуру, едва доходило до колен. У нее были красивые ноги. Парень прижимал ее к себе, лапал, но она его не отталкивала. Похоже, ей даже нравились его грубоватые ухаживания.

Юрьев заказал апельсиновый сок и пиццу. Попробуем, стоит ли она того, чтобы, бросив все дела, ехать через весь город только для того, чтобы отведать кусок запеченного теста с анчоусами. Как будто это единственная пиццерия во всем городе. На одной только этой улочке их можно насчитать десятка два! Впрочем, итальянцы странный народ. Они считают, что на приготовление пиццы влияет даже микроклимат. Пицца может быть неудачной, если с утра покапал мелкий дождичек или, наоборот, стоит слишком сухая погода.

А пицца и вправду оказалась хороша. Сержант съел ее с большим аппетитом. Пара глотков апельсинового сока — и он почувствовал, что насытился. Держа в правой руке стакан с соком, левой он незаметно достал из спортивной сумки мину величиной с половину кулака. Она мгновенно прилипла к металлическому днищу стола. Ровно через час эта мина должна жахнуть. Чао, синьор Ванцетти! Юрьев допил сок и неторопливой походкой праздного гуляки покинул зал. Взрыва Сержант решил дождаться в одном из тихих переулков. Побродил немного. Вернулся. До взрыва оставалось пять минут. Сейчас синьор Ванцетти как раз приканчивает пиццу, запивая ее кьянти.

Взрыв оказался сильнее, чем Сержант ожидал. Он сотряс соседние дома и прокатился эхом в дальних переулках.

Подумав о том, что от пиццерии остались одни воспоминания, а от Ванцетти кровавые ошметки, Сержант усмехнулся и, не оборачиваясь на тревожные крики, свернул за угол. Потом он достал из кармана куртки фотографии, нашел ту, с которой на него глянуло улыбающееся лицо Ванцетти, и, разорвав ее, выбросил в урну.

Счет в банке вырос.

Через два дня, уже в Милане, Юрьев прочитал в вечерней газете, что этим утром из оптической винтовки был убит один из главарей мафии Больцано. Пуля настигла его во дворе собственного дома, и полиция пришла к выводу, что выстрел был произведен с одного из лесистых холмов. Прессу вообще будоражило. В течение недели четыре семьи оказались обезглавленными. Высказывались самые разные предположения. Многие считали, что имела место обыкновенная разборка: кто-то кому-то не уступил, не поделили сферы влияния; да мало ли что... Журналисты — дотошный народ — выяснили, что убитые принадлежали двум враждующим кланам.

Воздух был накален, и пахло новой кровью. Убийств такого масштаба в Италии не помнили давно. И полиция, и мафия искали убийц Больцано, но, кроме следов протекторов большого размера да обломанной ветки в том месте, куда убийца ставил ружье, ничего не обнаружили. Полиция отметила, что стрелял профессионал — не каждый может с километра угодить в лоб.

Сержант внимательно перечитывал статьи, рассматривал опубликованные снимки убитого и повторял:

— Молодец, мальчик, видно, моя наука не прошла для тебя даром. Всем экспертам нос утер!

Этим «мальчиком» был Леший. Только он мог попасть в цель с расстояния в целый километр. Если не подстрелят в этой «командировке», он далеко пойдет. Сержант вспомнил сосредоточенное лицо Лешего, когда тот обезвреживал мину. Каждое неверное движение могло стоить ему, самое малое, увечья. А он и бровью не повел!

Что ж, отлично! Сержант ликовал. Следующей жертвой будет крупный бизнесмен Гримальди. Сержант знал, что полиции не были известны тесные связи воротилы с немецкой мафией. Может, оттого Гримальди жил беспечно. Он давно уже махнул рукой на охрану. Словом, вел себя в этом плане легкомысленно. Появлялся, где угодно и когда угодно, без телохранителей. Совершал массу необдуманных поступков. К примеру, встал на пути Варяга. Короче, он демонстрировал такую степень беззаботной наглости, которую судьба в любой игре обычно наказывает.

Сообщение о смерти Гримальди не успело попасть на страницы вечерних газет, но зато на следующий день о нем кричала вся итальянская пресса «Семь загадочных убийств», «Убийства без свидетелей», «Кому выгода их смерть», «Спланированная операция?» — статьи с подобными заголовками сообщали детали. Убийцы отлично знали маршруты, по которым передвигались жертвы, знали места, где они любили бывать, им были известны даже их привычки. Ванцетти погиб, потому что всегда обедал в одном и том же месте. Гримальди — потому что любил перед ужином пройтись по набережной. Он уже возвращался домой, и когда поравнялся с урной, та взорвалась. Рыжий, а это была его работа, в Афганистане многому научился. Сержант лишь закрепил его навыки — сделал из него настоящего убийцу, профессионала.

Наступил день встречи. Ровно в пять вечера они должны были собраться в одном из парков Рима. Уютное место, а главное, немноголюдное. Здесь можно откровенно говорить о делах, не опасаясь слежки, сказал им Сержант, когда они расставались неделю назад.

Следующую операцию предстояло провести всем вместе. Сержант уже придумал, как это сделать безопаснее всего, и последняя акция обещала быть легкой прогулкой.

Сержант пришел первым. Он сел на скамейку недалеко от входа в парк. Отсюда он видел каждого, кто шел по центральной аллее. Он пересел на соседнюю скамейку. Густая тень каштана укрыла его от стороннего взгляда.

Семь убийств — семь побед. Сержант впал в азарт. Такого состояния он не испытывал по крайней мере лет пять. Восьмым был Валаччини.

Юрьев давно ощущал себя полубогом — в его власти либо жаловать жизнь, либо отбирать ее. Не плохо бы пристрелить Валаччини на его шикарном пляже, размышлял он. Пусть, раззявив рот, упадет на белый песок, а тот забьет ему глотку. Вот так должна закончиться встреча полубога с богом мафии. Да, но нужно еще добраться до этого пляжа. Может, со стороны моря? Так сказать, марафонский заплыв. Всего каких-нибудь пятнадцать минут под водой. Там легче затаиться в валунах и терпеливо дожидаться, а терпению его мальчики обучены. Но, подумав, Юрьев решил не рисковать.

Ровно за пятнадцать минут до встречи в парк вошел Леший. Он шагал вразвалочку по центральной аллее и, глядя на него со стороны, нельзя было сказать, что несколькими днями раньше этот парень отправил на тот свет одного из крестных отцов могущественного клана Больцано. В одной руке у него была банка с пивом, в другой — сигарета. Время от времени он прикладывался к банке. А что еще делать туристу? Пару раз оглянулся. Молодец! Не прошла даром его, Сержанта, школа.

Леший был один. Юрьева он не видел. Сержант не спешил покидать свое укрытие. А Леший, глянув на античную скульптуру, направился в глубину парка.

Потом появился Рыжий. Он торопился. Всем своим видом демонстрируя намерение прийти к месту встречи раньше подружки. Спешит на свидание, только и всего! Вот он споткнулся, почти упал. Артист! Трюк непростой, но именно он позволил Рыжему убедиться, что за спиной никого нет.

Сержант остался доволен. Способный ученик! Юрьев отметил и то, что оба были одеты неброско. Главное — не привлекать внимание. В этом плане класс показал Коновал. Сержант чуть было его не прошляпил. В дорогом строгом костюме Коновал выглядел весьма элегантно. Не торопясь, он вышагивал по аллее, погруженный в свои мысли. Устал человек. Не спеша прогуливается, отдыхает... Вот такое он производил впечатление. Его огромный рост и нескладная фигура совершенно не бросались в глаза.

Юрьев еще некоторое время сидел на скамейке. Убедившись, что за ними нет хвоста, он нацепил на нос очки и, заложив руки за спину, пошел в глубину парка.

Все трое сидели на широкой скамейке и внимательно наблюдали за Сержантом. Тот подошел, поздоровался кивком головы и сел с краю. Глядя на них со стороны, можно было подумать, что они не знакомы.

— Молодцы, мальчики, — сказал Сержант вполголоса, — я доволен вами. Сработали профессионально. Вот таким образом нужно действовать и впредь.

— Как там наши гонорары? — процедил Леший сквозь зубы.

— Удвоились, как только появились сообщения об убийстве Ванцетти, Гримальди и Больцано. Можете считать себя богачами. Но, думаю, это далеко не предел. Баксы потекут рекой, если будете, во-первых, слушаться меня, а во-вторых, не делать ошибок. Без работы мы не останемся, это я вам гарантирую.

— Можно вопрос? — подал голос Рыжий.

— Задавай.

— Кому выгодна смерть этих людей?

Сержант недовольно хмыкнул.

— В первую очередь нам самим! И чтобы я таких глупостей больше не слышал. Сам никогда этим не интересовался и другим не советую. Приказ получил — выполняй! Сделал дело — получи бабки... И немалые к тому же. Вот и вся выгода! Понял?

— Понял. Кто следующий?

— Вот это по делу. Сообща мы должны убрать Валаччини. Вопросы будут?

Вопросов не было. В связи с последними событиями газеты уделяли Валаччини особое внимание.

232

Писали, что он бодр, полон сил и, несмотря на преклонный возраст, совсем не собирается на покой. В прессе промелькнуло сообщение, что не так давно он пережил бурный роман с русской фотомоделью, завершившийся скандалом. Поговаривали, что он застал ее в объятиях двадцатипятилетнего голливудского киноактера — звезды порнофильмов. По слухам, герой-любовник отбыл в Америку. Однако там его никто не видел. Не нужно было обладать богатой фантазией, чтобы предположить, что он закончил свою жизнь в одном из канализационных люков Рима.

Дон Валаччини является одним из самых могущественных воротил Италии. Он всегда был осторожен, но это нельзя было назвать трусостью.

Всю жизнь он чувствовал себя в некотором роде самолетом: заднего хода ни при каких обстоятельствах дать было нельзя. В молодости он легко и просто шел на таран. Так, одного за другим, он ликвидировал всех явных и скрытых противников, осмелившихся встать на его пути. Став старше, понял: все, что можно уладить с помощью денег, обходится дешевле. В свои семьдесят пять он обладал змеиной мудростью и голубиной простотой, что есть удел величия. Он пользовался всеобщим уважением, дружбой с ним гордились советники и министры. В мире уже давно не было двери, через которую он не смог бы пройти.

Валаччини стал фигурой такой же известной и влиятельной, как и сам президент. Но если президенты уходили и приходили, Валаччини оставался. С годами он не менялся, разве что волосы побелели и морщин прибавилось. Однажды бойкий репортер спросил его, не страшится ли он старости, на что Валаччини ответил: «Трагедия старости не в том, что стареешь, а в том, что остаешься молодым».

— Убить Валаччини? — переспросил Леший.

— Да. И чем скорее мы это сделаем, тем луч-

233

ше. Уверен, что он уже почуял опасность. Мне приходилось с ним встречаться, и могу сказать, что у него звериное чутье. На его жизнь неоднократно покушались, но в последнюю минуту он отменял встречи, поездки. Взрывались его машины, горел его самолет, но всякий раз он оставался целым и невредимым. Что это? Судьба? Предвидение? Или, быть может, что-то свыше? Он никогда не надевает пуленепробиваемый жилет, но однажды изменил этому правилу, и именно в тот день один из телохранителей пальнул ему в спину. У Валаччини под лопаткой образовалась гематома, а предателя изрешетили свинцом другие телохранители. Как это назвать?

— Трудно сказать.

— Я тоже не в силах дать объяснение.

— Мистика.

— Именно! Ходят слухи, будто он знается с колдунами, которые подсказывают ему каждый шаг. Как бы то ни было, мы должны исходить из реального. Абстрагируясь от мистики, можно сказать, что он нормальный человек, а у каждого нормального человека есть кровь и мозги. Мы должны либо выпустить кровь, либо вышибить мозги, и тогда наш счет в банке утроится.

— Ого! — хмыкнул Коновал.

— Вот именно! — отозвался Сержант. — У меня есть кое-какие идеи. Его вилла на вершине холма. Мне приходилось там бывать. Шикарный вид на море, отличный пляж. С дороги вилла не проглядывается. Вокруг сплошняком кипарисы. Ничего не скажешь, уютное гнездышко. Завтра премьер-министр устраивает банкет в честь прибывшей из-за океана американской кинозвезды. Насколько мне известно, приглашен и Валаччини. В резиденцию он отправится на своем бронированном лимузине. Стекла там такие, что с двух метров не прошибешь, но есть другой выход. — Сержант выдержал паузу.

Покосился на встревоженные лица парней. — Я проехал по дороге. Извилистая, виляет над обрывом. Диву даюсь, как это итальянцы гоняют по ней, не сбавляя скорости. Ну так вот, я предполагаю на крутом повороте перед машиной Валаччини, просто-напросто разбить бочку с маслом. Лимузин элементарно пойдет юзом и свалится вниз. А высота там такая, что синьору Валаччини кувыркаться метров триста. Если уцелеет, тогда я, пожалуй, поверю, что он знается с нечистой силой.

Место Сержант выбрал удачное. Вряд ли можно было отыскать более крутой виток дороги. К тому же именно здесь асфальтовая лента была особенно узка.

Сержант подошел к самому краю обрыва. Н-да! Синьору Валаччини уготована глубокая могила...

Они выехали вместе с рассветом. Однако лимузина Валаччини все еще не было видно, хотя время перевалило за полдень.

— А может, он поехал другой дорогой? — предположил Коновал.

Сержант покачал головой.

— Здесь одна дорога. Будем ждать.

Сержант наблюдал за тем, как машины сбавляли скорость перед опасным поворотом.

— А какого цвета у него лимузин?

— Черного, — отвечал Сержант.

— Черного... А это, случайно, не его машина? — кивнул Рыжий в сторону дороги.

— Где?!

Сержант приник к биноклю. Так! Лимузин, черного цвета... Какой номер? Верно! В салоне было четверо пассажиров. Валаччини поспешает на светский раут. Сержант хорошо видел человека, которой сидел рядом с шофером. Он узнал телохранителя. Тот всегда стоял за спиной хозяина и был его живым щитом. Значит, Валаччини в машине. Жаль, не видно заднего сиденья. Синьор, как правило, садится сзади, за спиной телохранителя.

У Сержанта оставалось ровно две минуты. Сейчас машина минует дорожный знак, извещающий, что впереди крутой поворот. Ровно через девяносто секунд она вынырнет из-за уступа...

— Готовь! — крикнул Сержант.

Парни подкатили огромную бочку к самому краю скалистого выступа и стали ждать сигнала Сержанта. А тот молчал. Лицо окаменело.

Уже был слышен шум двигателя. Вот сейчас машина должна сбавить ход... Так, во всяком случае, все делали.

— Бросай! — гаркнул Сержант.

Бочка, словно монета, подброшенная в воздух, закувыркалась... В следующее мгновение она хрястнулась на асфальт и раскололась. Участок дороги мгновенно потемнел и заблестел, как в гололед.

Лимузин мчался на предельной скорости. Похоже, шофер — лихач! — успел подумать Сержант. Лимузин занесло. Он ударился капотом о скалу, а потом его потащило к краю обрыва... Сержант увидел, как запрокинулись задние колеса, и машина исчезла. Пока она падала, было тихо, а потом раздался оглушительный взрыв.

Ну вот! Теперь все. Впрочем...

— В машину! Быстрее! Быстрее! — Сержант пришел в крайнее возбуждение. — Полиция здесь будет быстрее, чем вы думаете!

ГЛАВА 18

Дон Валаччини всегда серьезно относился к светским раутам. Он считал, что стиль проявляется в мелочах, поэтому мог подолгу стоять перед зеркалом, примеряя галстук-бабочку. Предстоящий визит обещал быть особенным. Синьор Валаччини однажды оказал премьер-министру услугу, когда тот только начинал восхождение к вершинам власти. Теперь он мог вернуть долг. Но проценты возросли.

В сером шелковом костюме в белую узкую полоску он выглядел вполне элегантно. Минуту он раздумывал, не слишком ли яркая бабочка, но потом решил, что красный цвет приносит удачу.

Дон Валаччини смахнул соринку с левого плеча и уже направился было к выходу, но вернулся к зеркалу и окинул себя с головы до ног насмешливым взглядом.

Какого черта вырядился? Премьер-министр, видите ли, приглашение прислал... Ну и что? Лучше будет, если докумекает, что долг платежом красен, и сам будет искать встречи с ним, почтенным синьором Валаччини. Голливудская кинозвезда прикатила, а он, как затраханный папарацци, рванет на это сборище? Он, некоронованный король? Кино, да и только... Спесь, гонор и недовольство собой стояли у горла, именно там, где нашла себе место красная бабочка. Ладонь легла на нее, а потом пальцы, помимо его воли, отстегнули бабочку и отшвырнули в сторону.

— Я не еду, — сказал он Марчелло.

— Это невозможно, отец, — возразил тот. — Нас там будут ждать!

Может, объяснить, что чем больше ждут, тем сильнее ценят? Нет, не стоит... Марчелло не поймет.

— И даже более того. Ты тоже не должен ехать.

— Кто-то из нашей семьи обязательно должен быть на приеме, а то люди подумают не Бог весть что...

А не проще ли рассказать Марчелло, что на душе кошки скребут. Объяснить ему, что, как только смутное чувство подкатывает к горлу, всегда что-то случается.

Валаччини задумался. Разве не это тревожное чувство спасло его от смерти год назад, когда отказался лететь на вертолете и предпочел машину? Вертолет тогда врезался в скалу, и, как потом выяснилось, отказал двигатель. А полгода назад он не пошел на прогулку, а в скамейке, где обычно любил отдыхать, было вмонтировано взрывное устройство с часовым механизмом...

Нет, и на этот раз Валаччини не обманывался. Все началось со смерти Гримальди. Впрочем, немного раньше... первым был Ванцетти. Но тогда ему показалось, что гибель многоопытного дона всего лишь случайность. Такое бывало и раньше. Раз в год кто-нибудь из отцов мафии уходил в лучший мир. А уж лейтенантам вообще редко удается дожить до пятидесяти! Только после пятидесяти лет они имеют право стать отцами семьи. Отец — это всегда человек незаурядный. Ему совсем необязательно разбираться в премудростях философии или перемножать в уме четырехзначные цифры. Умеет читать-писать, и ладно! Главное — это уметь делать деньги. Поле деятельности обширное — рэкет, контрабанда, наркотики. Здесь нужно быть артистом: иногда требуется всего лишь улыбнуться, чтобы заполучить важных клиентов, иногда нужно проявить строгость, порой — жестокость, чтобы наказать провинившихся. Ванцетти обладал этими качествами. Его смерть, после того, как он разменял шестой десяток, казалась загадочной.

Кончина Гримальди заставила взглянуть на смерть Ванцетти по-иному. Валаччини насторожился. Он уже не сомневался в том, что обе смерти — дело рук киллеров. Убийцы оказались хорошо информированными профессионалами. Он не удивится, если узнает, что в его организации затаился осведомитель.

Когда убили Бенцано, он почувствовал, что киллеры подбираются и к нему. Не исключено, что именно сегодня, по дороге на прием... Валаччини поморщился.

— Согласен с тобой! Кто-то из нашей семьи должен там быть. Но мы не поедем. Не знаю, как тебе объяснить, не хочу, да и все...

— Я понимаю тебя, отец.

Валаччини подошел к лимузину. Шофер Санни предупредительно распахнул дверцу.

— Санни, сколько ты у меня служишь?

— Шесть лет, дон Вала-чини.

— Шесть лет... Ты хорошо зарекомендовал себя, Санни, за эти годы. Я не могу тебя ни в чем упрекнуть.

— Вы хотите расстаться со мной, дон Валаччини?

— С чего ты взял, ты мне дорог.

— Такие слова говорят при прощании.

— Тебя устраивает работа?

— Я не имею права выбирать. Куда меня поставите, там и буду работать.

— Я готовлю тебя для более серьезных дел.

Санни улыбнулся.

— Рад это слышать.

— Сколько тебе лет?

— Скоро тридцать.

— Вот как? Тогда ты уже имеешь право представлять нашу семью. Я приглашен к премьер-министру, он устраивает в честь американской кинозвезды большой прием. Но я не поеду, поедешь ты!

— Хорошо, дон Валаччини, — расплылся в улыбке Санни.

— Ты не спросил меня: почему я не еду.

— Разве я смею?

— Тебе я могу сказать: у меня плохое настроение. На душе как-то смутно. Скажи, а ты не боишься смерти?

— О чем вы? Рано мне умирать...

— А я, видно, по-стариковски хандрю.

— Дон Валаччини, благодарю вас за честь, оказанную мне, — улыбнулся Санни. — А если честно, за вас я готов отдать свою жизнь не задумываясь.

— Спасибо, мой мальчик. Езжай, но будь осторожен.— Валаччини потрепал Санни по щеке. — Не гони! И помни: если кто задумает убрать меня, то начнут с шофера. Если все обойдется и ты передашь мои извинения премьер-министру, считай, что получил повышение... И еще я тебе хочу сказать: если что-то с тобой случится, мне тебя будет не хватать. Так что постарайся не огорчать меня. А теперь езжай, мы и так немного опаздываем.

— Слушаюсь, дон Валаччини.

Валаччини помахал вслед отъезжающей машине.

Как только Санни дал газ, в тот же миг он забыл о предостережениях босса. Он находился в приподнятом расположении духа.

Конечно, личный водитель при таком боссе, каким является Валаччини, это всегда почетно, но теперь у него появилась возможность войти в совет организации. Он уже созрел для серьезных дел и давно ждал этого дня. Разве мог он, деревенский мальчишка из многодетной и бедной семьи, думать, что сможет сделать карьеру не у кого-нибудь, а у всемогущего Валаччини! Санни уверенно давил на газ и мчался навстречу своему успеху. Он даже не понял, как это произошло: машина перестала слушаться, потом удар, затем он успел зажмуриться! И наступила тишина.

Валаччини не отходил от стола. Санни должен был позвонить полчаса назад, однако звонка не было. И чем более длительным было ожидание, тем нестерпимее болела душа. А когда наконец телефон зазвонил, он не захотел поднять трубку.

— Марчелло, подойди к телефону, — попросил дон.

Марчелло взял трубку.

— Нет, это Марчелло... Говорите... Так... Понимаю... Я передам все это отцу... До свидания.

Марчелло, бледный как смерть, медленно повернулся к отцу. Тот смотрел на него не мигая. На мгновение Марчелло почувствовал оторопь. Может, и правду говорят, что отец знается с нечистой силой?

— Санни разбился, так ведь? — спросил дон Валаччини.

— Да, отец.

— Где это случилось?

— На сорок восьмом километре.

— Я так и знал! В этом месте слишком крутой поворот. Что там произошло?

— Полиция утверждает, что это несчастный случай. На дороге было разлито масло. Санни занесло, машина скатилась с обрыва...

— Нет, все не так! Это сделали те, кто убил Ванцетти и Грималади. Сейчас они охотятся за мной. Санни женат?

— Нет, он холост.

— По-моему, у него мать и пятеро братьев. Я прав?

— Да. Средний брат под следствием по делу о хищении.

— Сделай все, чтобы властям не удалось упрятать его за решетку. Для матери потеря двоих сыновей — слишком большое горе. Потом, когда все утрясется, обязательно займись им. Поручи ему что-либо, пусть станет членом нашей организации, нашей семьи. Позаботься о матери. Дай денег. До конца своих дней она не должна ни в чем нуждаться.

— Я все понял, отец.

— Скажи, остался ли в живых хозяин пиццерии, где обедал Ванцетти?

— Да, он жив. С Ванцетти погибло двое телохранителей и официантка. Обычно с ним всегда обедал и хозяин, но до того, как прогремел взрыв, к нему кто-то пришел, и это его спасло.

— Может, это было подстроено заранее?

— Нет. Эта версия уже проверена. Человек пришел тогда к хозяину за деньгами. Он из организации. Накладка получилась. Он мог прийти часом раньше или часом позже.

— Я понял. Бывает и такое. Но завтра хозяин пиццерии должен сидеть у меня здесь! Вот на этом самом месте, — ткнул Валаччини в кресло перед ним.

— Хорошо, — быстро согласился Марчелло.

Марчелло понимал, что предстоит разборка. Хозяин пиццерии будет наказан. Но он был членом

242

другого могущественного клана, и его исчезновение может вызвать недоумение у отцов семейств. Но возразить дону Валаччини Марчелло не имел права. Валаччини всегда знал, что делает, и, похоже, у него не оставалось времени для переговоров с другими боссами. Конечно, если бы об этом сегодня их попросил сам дон, отцы семейств согласились бы, но завтра будет уже поздно.

Догадываясь о сложностях, с которыми может столкнуться Марчелло, дон добавил:

— Если возникнут проблемы, я их улажу позже. Думаю, организация поймет меня, я поступаю так на благо нашего общего дела.

Ровно через сутки в кресле напротив синьора Валаччини сидел хозяин пиццерии. Марчелло не составило большого труда уговорить его поехать. Сказал, мол, его желает видеть синьор Валаччини. Хозяин понимающе кивнул и сел в машину. Откажешься — применят силу, так что лучше сделать вид, будто едешь по собственной охоте.

Синьор Валаччини был любезен и принял хозяина, как желанного гостя, — он подливал ему виски, постоянно улыбался, а Альберто — так звали хозяина — щурился и нахваливал виски. Он был удивлен гостеприимством важного Валаччини.

Старик был, как всегда, прост в обращении. Альберто совсем ошалел. Разве мог он надеяться, что придется беседовать с самим Валаччини, который на короткой ноге с министрами и прочими государственными деятелями. Кто бы мог подумать, что он, простой итальянец, владелец скромной пиццерии на двадцать мест, удостоится такой чести!

— Значит, ты утверждаешь, что незадолго до взрыва в пиццерию заходил человек и что он сидел за тем самым столом, за которым любил обедать ныне покойный Ванцетти?

В кабинете с дорогой и красивой мебелью было уютно и тепло от выпитого виски.

— Да, он ушел перед самым приходом дона Ванцетти, — живо отозвался Альберто.

— Ты случайно не запомнил, как он выглядел?

— Хотя я и не старался его запомнить, но вижу его как наяву. Мне показалось, что он американец. Только янки способны чувствовать себя в своей тарелке в любом месте, только они могут позволить себе нагло пялиться на девушек в присутствии парней. Я бы не удивился, если бы одной из моих официанток он предложил провести с ним ночь за тридцать баксов.

— Опиши его внешность.

— Крепкий. По виду, очень сильный. Походка уверенная, будто топает на какой-нибудь нью-йоркской улице. У него залысины. Глаза пустые, равнодушные. Люди с такими глазами, как правило, убивают не задумываясь.

— Ты давал его описание полиции?

— Конечно.

— Что же они?

Альберто неопределенно хмыкнул, скрывая раздражение.

— Сказали, что будут искать. Теперь ясно, что этот человек появился у меня не случайно. Это он подложил под стол дону Ванцетти бомбу. Потом было еще два убийства, и мне думается, что он тоже имеет к ним какое-то отношение.

— Если в течение такого короткого промежутка времени убийства совершает один и тот же человек, это может говорить лишь о его высоких профессиональных качествах. Я знал одного такого, — налил Валаччини в бокал Альберто виски. Налил немного, всего на два пальца. — Похоже, это Сержант. Он служил наемником в легионе, потом выполнял кое-какие мои поручения. Но сейчас, по моим данным, он в России. — Помолчав, добавил: — Неужели это он?

— У вас есть его фотография? Я бы мог узнать его.

Синьор Валаччини вел картотеку. Своих гостей он всегда фотографировал. Тайно, скрытой камерой. Еще вчера вечером он распорядился принести досье на Сержанта. Долго смотрел на крупное мясистое лицо, хитроватые глазки, слегка выпирающие скулы, а потом вдруг почувствовал страх. Именно такой человек мог подвести под его жизнь черту. Такое чувство он испытывал редко, а с возрастом оно пропало совсем. Однако опасения, которые закрались в его душу, были сродни предчувствию, инстинкту.

Валаччини извлек из кармана фотографию и положил ее перед Альбертом.

— Этот?

Снимок был удачный. Снятый крупным планом Сержант, похоже, что-то оживленно рассказывал, а сидящие рядом Валаччини и Марчелло улыбались.

Альберто взял фотографию и уверенно произнес:

— Он! Как вам удалось его разыскать?

— Это старый снимок. Он был у меня на вилле три года назад. Я тогда поручал ему одно щекотливое дело. У меня такая привычка — оставляю фотографии моих гостей на память.

Альберто кивнул. Значит, и его фотография будет пылиться в архивах Валаччини.

— Вот она и пригодилась! Спасибо, — поднялся Валаччини. — Марчелло тебя проводит.

Прощаясь с Валаччини, Альберто почувствовал огромное облегчение. Он прекрасно знал, что бывали случаи, когда некоторые покидали виллу могущественного дона в полиэтиленовых мешках. А вот он уходит другом Валаччини. Кто знает, возможно, когда-нибудь это пригодится.

Вошел Марчелло.

— Отец, ты расстроен?

Валаччини попытался улыбнуться. Иногда дон забывал, что в Марчелло нет его крови, но он не стал бы признаваться даже родному сыну в том, что его преследует страх. Он неуязвим только на этой вилле, окруженной со всех сторон лесом и вы-

245

соким забором с уникальной системой сигнализации. Но он не затворник, он любит общество, обожает светскую жизнь. Прятаться, отсиживаться в норе он не собирается! Нужно атаковать первым.

— Санни убил вот этот человек! — Он протянул Марчелло фотографию. — Он профессиональный убийца. Больше известен тем, что готовит киллеров. У меня есть данные, что небольшую группу профессионалов готовил в России. Русские сейчас разбогатели. Могут позволить себе нанять этого убийцу. А если это так, значит, кому-то в России мы поперек горла. Ты помнишь того русского, что был у меня в гостях?

— Конечно, отец. Кажется, он приезжал на какой-то конгресс. У вас с ним был разговор по поводу внедрения русских денег в наше дело. Взамен он предлагал сбыт нашего товара на Востоке.

— Да, все так. Так вот, я думаю, что Сержант действует по приказу этого ученого из России.

— Кажется, ты тогда отказался, отец. — Марчелло закинул ногу на ногу.

Марчелло помнил в деталях это дело. Он дважды прослушивал пленку разговора отца с этим доктором Щербатовым. Но он так же хорошо знал и дона Валаччини, который не любил, когда помнили о его ошибках.

— Все гораздо сложнее. Восток действительно очень заманчив для нас. Наш рынок перенасыщен, а Россия — это огромные возможности. Я за сотрудничество с русскими, но многие отцы семейств против. Ванцетти и Грималди меня не поддержали, и вот теперь их больше нет!.. Кажется, я недооценил русского господина. Видимо, он тот человек, с которым стоило бы иметь дело. Но сейчас нам нужно найти Сержанта и его людей. Они где-то здесь, в окрестностях. Возьми эту фотографию, размножь ее, раздай нашим людям. Ищите повсюду. На улицах, на дорогах, в гостиницах, кемпингах... Как только обнаружите, немедленно их уничтожьте.

— Думаешь, их несколько?

— Уверен в этом. Такую работу одному проделать не под силу.

— Хорошо, отец. — Марчелло взял фотографию. Внимательно вглядываясь в угрюмые черты лица, задумался. Почему русские редко улыбаются?

Не так давно он провел несколько дней с русской девушкой. Приехала на конкурс красоты в Рим и потерпела фиаско, и, если бы не встретила его в тот день, наверняка ей пришлось бы несладко. Русские женщины умеют любить. На прощание она подарила фотографию. На снимке красавица выглядит намного старше, взгляд сосредоточенный, никакого намека на улыбку.

— Я найду этих людей. Сегодня же наши солдаты прочешут все дороги и обшарят все гостиницы. И если они здесь, мы их достанем хоть из-под земли. Однако на что все-таки рассчитывал этот русский, когда убирал отцов семейств?

— Он умный. Хитрый. Он рассчитал все правильно. Убирает неугодных, на смену приходят новые, более сговорчивые. Он считает, что, когда снова появится со своим предложением, мы согласимся.

— Но почему он решил избавиться и от тебя?

— Он знает: я — как бы ведущая скрипка в слаженном оркестре нашего дела. Не станет меня — все расстроится. Чувствую, наша встреча с ним была не последней.

ГЛАВА 19

Следующее утро началось с сенсации. Газеты наперебой сообщали, что война между кланами продолжается, мол, идет раздел сфер влияния, а список жертв пополнился на четыре человека — убиты члены семьи Валаччини, один из которых был личным шофером самого дона.

На первых полосах публиковали снимок машины, точнее, то, что от нее осталось, — обгоревший каркас линкольна с обугленными трупами в салоне.

Сержант не пытался скрывать разочарование. Теперь Валаччини будет вдвойне осторожнее. Видимо, старый ведун что-то почувствовал в последний момент, а может, просто радикулит прихватил. Поди знай! Ясно одно: в машине дона Валаччини не оказалось. Он сумел и на этот раз уйти от судьбы.

Трое его парней как ни в чем не бывало попивали баночное пиво, уже забыв о том, что не далее как вчера вечером отправили к праотцам четыре души.

Быстро человек привыкает к смерти. А вот он, Сержант, знает, что их уже ищут. Предчувствие подсказывало Юрьеву, что вот-вот он столкнется лоб в лоб если не с полицией, то с самим доном Валаччини определенно. Конечно, самое разумное в

248

этой ситуации — как можно скорее уехать из страны. Однако своими соображениями Сержант делиться не спешил.

Перед тем как опуститься на скамейку и откупорить банку пива, Юрьев заметил, что с него не сводит глаз какой-то тип. Сержанту стало ясно, что этот человек наблюдает за ним. Что касается слежки, тут он сам собаку съел, и ошибиться не может.

Спокойно! Не напрягайся, приказал он себе. Не смотри в его сторону, пусть он думает, что все идет так, как надо, внушал себе Сержант, потягивая пиво. Леший и Рыжий болтали без умолку о пустяках на колоритном русском языке, и Сержант подумал, что сейчас они представляют собой отличную мишень и, когда расплавленный свинец выбьет на асфальт их мозги, они и понять ничего не успеют.

А незнакомец не таился. Попыхивая сигарой, он небрежно стряхивал серый пепел под ноги прохожим. Ему было жарко стоять на солнцепеке, но, похоже, ему это не досаждало — расстегнув у ворота еще одну пуговицу, он поскреб в затылке и снова уставился на Сержанта.

Интересно, кто это: мафия или полиция? Если полиция, то есть шанс выжить, если мафия, тогда они здорово влипли. Кто знает, сколько их здесь: трое, четверо? А может, больше? Мафия уж если вцепится в свою жертву, то живой не отпустит! Сержант искренне позавидовал безмятежности своих парней. Свежее пиво кружило им головы. Они похохатывали, швыряя пустые банки в урны, словно в баскетбольное кольцо.

— Слушайте меня внимательно, — строго и тихо произнес Сержант. — Не дергайтесь и врубите мозги! Ведите себя так, будто все путем. Жаль, что испорчу сейчас вам настроение, но, похоже, мы влипли. За нами наблюдают. Пока я вижу одного, но, думаю, здесь их больше. Молите Бога, чтобы это была полиция, а не люди из мафии. Мы вломились в крупную игру, ребята, поэтому нам может обломиться по полной программе. — Сержант подумал о том, насколько легче работать в одиночку, тогда действительно невидим, сливаешься с толпой. А четыре человека — это уже толпа. — Не верти головой, — яростно прошипел Сержант Лешему, — и держи ладони на коленях, как паинька. Уверен, если мы начнем вибрировать, кто-то из нас не поднимется с этой скамейки. Лично мне этого бы не хотелось, поскольку на моем счету в швейцарском банке кругленькая сумма.

И тут Сержант увидел, что тип, который с них глаз не сводил, направился прямо к ним. Сержант пристально следил за его руками, но тот, похоже, не собирался делать резких движений. Он шагал вразвалочку и, как отметил Сержант, явно не намеревался доставать пушку.

— Если не ошибаюсь, вы мистер Голан? — спросил синьор на ломаном русском языке, одарив Юрьева доброжелательной улыбкой.

После такой улыбки отправлять человека сразу на тот свет грешно, решил Юрьев. Итальянец сильно коверкал русские слова, но он его понял. Странно было другое: откуда тот мог знать его под именем Голана? Именно так он представлялся в Южной Америке, когда служил последний год в легионе. И это обращение по-русски... Значит, он раскрыт полностью.

Сержант сохранил невозмутимость.

— Что вам угодно? — переспросил он по-английски. — Я американец и не понимаю.

— Не надо притворяться, говорите на родном языке, — продолжал улыбаться синьор. — Нам известно о вас больше, чем вы думаете, и одно ваше неосторожное движение может всем четверым стоить жизни. Но мы не хотим никаких неприятностей ни для вас, ни для ваших коллег. Поэтому выслушайте меня внимательно. Мы знаем обо всех ваших передвижениях, знаем, что именно вы совершили неудачное покушение на дона Валаччини. Нам это на руку, — улыбался незнакомец, тщательно подбирая русские слова, — мы к вам не в претензии. Более того, мы предлагаем вам свое сотрудничество. Вы должны убить одного человека, за эту работу получите сто тысяч долларов наличными. Думаю, это неплохая сумма!

— Кто такой? — спросил Сержант, помедлив. Он понимал, что у него нет другого выхода. Во всяком случае, пока это лучшее из всех вариантов. А там посмотрим...

— Это вам знать совсем не обязательно. Вы его убираете, мы с вами рассчитываемся и все. Если нет... В общем, решайте!

Час назад скамейка скрывалась в тени раскидистой кроны каштана, однако за это время солнце переместилось, и они сидели на самом солнцепеке. Встать бы или по крайней мере подвинуться, но это может быть неверно воспринято, и поэтому Сержант терпеливо сносил пекло. Итальянец сидел рядом, и, судя по всему, полуденная жара его не беспокоила.

— Хорошо, мы согласны. — Сержант глянул на примолкшего Лешего. — Где и когда?

— План операции простой, — перешел громила на английский. Русский давался ему с трудом, и ему уже надоело подбирать нужные слова, а его собеседник отлично говорил по-английски. — Это должно произойти за городом, на сто двадцать третьем километре. Вы уничтожите серый «мерседес» с черными полосами на дверях. После этого сразу получите обещанную сумму.

— Мы бы хотели иметь аванс.

— Нет, — категорически отрубил тот. — Выполняете наш заказ — получаете деньги.

— Можно вопрос?

— Задавайте!

— Если план операции, как вы сказали, простой, тогда почему бы вам не нанять своих людей?

— Мы думаем, что эту работу вы сделаете лучше. Вы профессионал высочайшего класса, и нам повезло, что мы напали на ваш след. Ну как, договорились? Как вы это будете делать, в смысле: динамит, пулемет — не важно. Важно, чтобы никто из пассажиров не остался в живых.

— В котором часу появится машина?

— Где-то в промежутке от шести до семи.

— Где мы получим деньги?

— На повороте у сто двадцать первого километра есть отель, у входа вас будут ожидать двое. Они с вами и расплатятся. Может, вам нужно оружие?

Сержант усмехнулся:

— Спасибо. У нас все есть.

— Да, я хотел бы вас предупредить: если думаете, будто вам удастся смыться, то зря. При попытке улизнуть вас изрешетят, — улыбнулся громила как можно любезнее. — А теперь разрешите откланяться, дела, понимаете ли.

Он шагал размеренной походкой, и Сержант видел, как подрагивают его жирные бока. Обжора! Спагетти да пиццы... Жрут одну муку. Вишь, гусь! Идет и не обернется, хотя уверен, что его заплывшая жиром спина притягивает взгляды. Точно, не один. В парке их целая бригада.

Сержант ощущал на себе враждебные взгляды — сейчас за ним наблюдали две-три пары глаз. Жизнь висела на волоске.

— Что вы на это скажете? — невесело поинтересовался Сержант.

Он спросил это потому, что нужно было что-то сказать и выиграть время для того, чтобы все обдумать. Он, конечно, поступит по-своему.

— А может, все-таки ломанем? — предложил Леший.

— Не получится. Я знаю, с кем мы имеем дело. Если удастся оторваться, то ни за что не удастся скрыться. Не пройдет и часа, как будет подключена вся полицейская служба Европы. И неизвестно, что хуже. Придется подчиниться их требованиям.

— А если это ловушка? — спросил Коновал.

— Я не исключаю этот вариант, поэтому будем начеку. Но может случиться и так, как они сказали: отвалят нам бабки и, как говорится, по домам.

— А как быть с Валаччини?

— Эта задача нам пока не по зубам. К нему сейчас подобраться так же трудно, как к президенту Соединенных Штатов.

— А если попробовать к его вилле?

— Это тем более невозможно. Лес, где находится вилла Валаччини, просматривается телевизионными камерами на десяток километров.

Сержант оказался прав, когда предполагал, что за ними ведется слежка. Филеров было четверо. Из расчета на каждого по одному. Несмотря на жару, все четверо были в джинсовых куртках, и Сержант не сомневался, что правые карманы оттягивают тяжелые «кольты». Они не наступали на пятки, но, как принято говорить, дышали в затылок. Шли следом неотступно. Останавливался Сержант, останавливались и они.

После трех часов бестолковых хождений по улицам города, когда стало ясно, что им не оторваться, Сержант предложил раскинуть мозгами.

Выбрали небольшое тихое кафе, где кроме них было еще три пары. Едва они заняли места, как к ним подлетел мускулистый араб, сияющий белозубой улыбкой.

— Пива, — бросил Сержант, поглядывая на дверь, — и чего-нибудь пожевать.

253

Дверь так и не распахнулась. Видно, филеры топтались снаружи.

А не попробовать ли уйти через черный вход? — подумал Сержант. Но, поразмыслив, отбросил эту затею. Четверка наверняка сообразила это раньше него. Пристрелят, как миленьких!

Мафия слов на ветер не бросает. Сказано — сделано! Это у них железно. Впрочем, так и надо.

Зазвучала мелодия. Легкая, расслабляющая, больше располагающая к задушевной беседе, чем к разговору, который рвал нервы.

— В общем так, ребята, мы с вами попали в крутой переплет. Позавидовать нам может только псих ненормальный. Как-то раз выбрасывали меня в пустыню без жратвы и воды, но там я чувствовал себя гораздо лучше, чем сейчас. Во всяком случае, я полагался на собственные силы и знал, что моя жизнь зависит от моей воли и выносливости. В данный момент за нас все решили, нам не оставили даже права выбора.

В кафе вошел человек, и Сержант умолк, рассматривая незнакомца. Тот поднял палец вверх и заказал виски.

Сержант подумал о том, что если бы их захотели ухлопать, то лучшего места, чем это кафе, просто не найти.

— В пяти минутах отсюда камера хранения, где я схоронил винтовку с оптическим прицелом. В нашем распоряжении ровно полтора часа, чтобы выбрать место, откуда мы будем стрелять по машине.

С Сержантом произошла странная метаморфоза — он волновался. Давно он не испытывал мерзкой слабости в мышцах. Ему не понравилось это состояние. Отхлебнув большой глоток, он надеялся унять дрожь, но она не прошла. Сейчас важно, чтобы его состояние не почувствовали ребята.

— Будем надеяться, что все пройдет удачно.

У входа их ожидала троица. Все ясно! Как он и

думал, одного поставили у запасного выхода. И, как только они свернули в переулок, все трое последовали за ними.

Сержант впал в легкую панику, когда ячейка после набора цифр не захотела открыться. Он всегда набирал одну и ту же комбинацию — год своего рождения — для того, чтобы не копаться в закоулках своей памяти. И этот набор цифр прочно засел в его голове, как собственное имя. Вот будет дело, если не сможет открыть и придется попросить об этой услуге полицейского. Сержант представил, как тот обалдеет, когда вместо электробритвы и пары рубашек увидит в его кейсе оптическую винтовку последнего образца. Но замок щелкнул, и дверца отворилась.

Сержант слегка приоткрыл кейс. Завернутая в пропахшую маслом тряпку, на дне лежала складная винтовка.

— Теперь, кажется, все! — Он захлопнул кейс.

До условленного места они добрались на такси. Если бы его выбирал сам Сержант, он предпочел бы остановиться именно здесь. Место было совершенно безлюдное. Небольшая сопка поросла магнолиями, отсюда хорошо проглядывалась дорога. Прямой широкой лентой она лежала у подножия.

Однако беспокойство не покидало Сержанта, что-то здесь было не так: не помогало ни выпитое пиво, ни прохлада леса. Для ста тысяч баксов — задание пустяковое, да и место глухое и безлюдное. Странно все это.

Юрьев обернулся к Лешему, чтобы поделиться сомнениями, и увидел, как тот, словно надышавшись пьяного запаъ магнолий, ухватился за толстый ствол и медленно сползает на землю. Сержант не слышал ни выстрела, ни крика. Все произошло в абсолютной тишине. И совсем неправдоподобными казались широко открытые глаза Лешего и пальцы, пытающиеся сорвать кору. А под лопатками расплывалось красное пятно.

— Беги! Что стоишь? В лес беги! — закричал Сержант Рыжему. Тот, застыв посредине поляны, с тихим ужасом смотрел на Лешего, ткнувшегося лицом в пахучую траву.

— Да, да... — бормотал он, не в силах оторвать взгляда от страшного зрелища.

Леший попробовал подняться. Ступив шаг, споткнулся. Упал. Попробовал подняться снова. Попытался оттолкнуться руками от земли, а потом, лишившись сил, рухнул, прижимаясь к ней всем телом.

Сержант бежал через кусты, не разбирая дороги. Это была ловушка. Их специально вывезли на это место, глухое и тихое, чтобы расстреливать, точно в тире. Юрьев успел увидеть, что стреляли с сопки, которая была повыше. Там стояли двое парней в джинсовых куртках. Прицеливались не торопясь — так охотники расстреливают в загонах обезумевших от страха животных. Один за другим упали Коновал и Рыжий. Следующим должен быть он. Сержант ждал, что вот-вот выстрел, как сильный удар, собьет его с ног и уже не позволит подняться. Сержант бежал и совершенно не ощущал усталости, хотя понимал, что не может убежать дальше этих магнолий — там он будет весь как на ладони, а стрелять в бегущего одно удовольствие. Как наяву увидел он мускулистого негра. Тот тоже бежал, а он догонял его на джипе, ожидая, когда же тот наконец ослабеет. А потом, когда негр остановился, уже не в силах бежать дальше, он расстрелял его почти в упор. Эта картина промелькнула почти мгновенно, заслонив собой все остальное. Теперь он понимал, что чувствовал негр, когда ему в грудь был нацелен «винчестер».

Когда Юрьев уже совсем не рассчитывал на спасение, впереди показался серый «мерседес». Он выбежал на дорогу и стал кричать:

— Стойте!! Стойте! Помогите! Меня преследуют!!

Машина остановилась, и Юрьев заметил на дверях машины черные полосы. Шофер — старик с благородными сединами — сделал знак приблизиться.

Сержант подбежал к машине, дернул за ручку и остолбенел — положив руки на руль ему любезно улыбался дон Валаччини.

— Я ждал тебя. Что стоишь? Или, может, не рад меня видеть... живым? После той акции, когда ты сбросил с обрыва моих лучших людей, я понял, что нам не мешало бы встретиться. Садись в машину, не заставляй старика ждать. Помогите моему гостю!

Юрьев почувствовал на своих плечах крепкую хватку. Он дернулся один раз, другой и, теряя остаток сил, повалился на сиденье. По бокам уселись двое, путь к отступлению был закрыт.

Внимательный взгляд серых глаз как будто говорил: «Ты хотел отправить на тот свет великого Валаччини». Но старик спросил совсем о другом:

— Сколько же мы с тобой не виделись?

— Три года, — был вялый ответ.

— Три года... Сколько я тебе заплатил за работу в прошлый раз?

— Сто пятьдесят тысяч.

— Сто пятьдесят тысяч. Это неплохие деньги! Но Валаччини знает больше, чем тебе кажется. Сейчас на твоем счету пять миллионов долларов. Можно жить безбедно. У тебя опасная работа, сударь. Деньги — это хорошо, когда голова на плечах.

Сержант слегка качнулся в кресле и тут же почувствовал на горле тиски крепких пальцев, а в висок больно ткнул ствол пистолета.

Валаччини был явно расположен к разговору и совсем не замечал неудобств, которые испытывал его собеседник. Старик ударился в воспоминания о том, как Сержант одного за другим три года назад убрал четырех выскочек, которые вздумали тягаться в могуществе с самим Валаччини. Он хвалил Сержанта и все повторял, что не может понять, как такой профессионал и так опростоволосился.

— Думаешь, ты единственный, кто решил посягнуть на жизнь Валаччини? Нет! Подобных тебе я мог бы насчитать не одну дюжину. Но, как видишь, я жив, здоров, полон сил и рассчитываю дожить до глубокой старости. Это ведь ты устранил семерых отцов семейств?

Сержант молчал. Он непроизвольно пожал плечами и почувствовал, как ствол пистолета царапнул щеку.

— Я тебя слушаю.

— Да, я.

— Что тебя заставило поступить так? — услышал Сержант сочувствующий голос Валаччини. — Понимаю, понимаю. Деньги!

— Да, — признался он, как на исповеди.

Сержант смотрел прямо перед собой. Какой чудесный отсюда вид! Возможно, час назад он не обратил бы на прекрасный ландшафт никакого внимания, но за это время изменилось многое. Странно, почему он раньше никогда не замечал этого: хвоя кипарисов, оказывается, голубая, и что за чудо магнолии — цветы на деревьях! Теперь это все находилось как бы по ту сторону жизни. От смерти сейчас его отделял только шаг или, вернее, — взмах руки. Достаточно одного резкого движения, и все, и конец.

Валаччини понимающе качнул головой. Кому как не ему знать всепобеждающую власть денег. Это та пружина, которая закручивает все человеческие отношения, и мистер Голан не является здесь исключением.

— Вы бы хотели выйти отсюда живым и невредимым, мистер Голан?

— Что я должен для этого сделать? — Сержант не сводил взгляда с вершин кипарисов.

— О, сущий пустяк, — сказал Валаччини. — Будете здравствовать, да еще и заработаете приличную сумму. Вам придется сделать то, что так успешно выполняли до сих пор.

— Кого я должен убрать?

Валаччини стал серьезным.

— А вот это разговор по существу. У меня не так давно состоялась встреча с одним русским, неким господином Щербатовым. Ты знаком с ним?

— Да, — тихо ответил Сержант и скосил глаза в сторону вороненого ствола.

— Так вот, мы мило с ним беседовали, но у меня возникло подозрение, что он ведет нечестную игру. Мы отпустим тебя, как только дашь согласие убрать его.

Сержант молчал, но в его взгляде Валаччини читал: «Хотите его уничтожить, пока он не прикончил всех вас».

— Ты согласен?

Выдержав паузу, Сержант произнес:

— Да.

— И не думай, что тебе удастся освободиться от нашей опеки. Мы не выпустим тебя из поля зрения, даже если надумаешь пересечь все границы мира. После того как уберешь русского, получишь пятьсот тысяч долларов. У меня еще один вопрос... Это он велел убрать меня?

Сержант пожал плечами, и снова в висок толкнулась твердая сталь.

— Да.

— И не думай со мной шутить. Ты хорошо знаешь Валаччини? На всякий случай хочу напомнить, что я никогда не нарушаю своего слова. Если мы поймем, что ты блефуешь, то мистера Голана просто не станет. Ты согласен?

Сержант повернул голову. Теперь вороненая сталь не давила на висок. Воздух показался ему еще более прозрачным. Все-таки замечательная штука жизнь.

— Согласен.

— Теперь ступай.

Сержант отворил дверь и, не оглядываясь, пошел навстречу голубоватым кипарисам. Где-то он допустил ошибку, и поэтому Валаччини сумел запеленговать его. Но жизнь — это не стометровка, которую пробегаешь на одном дыхании. Это марафонская дистанция, где необходимо умело распределять силы, и если на первом круге Валаччини удалось его обойти, то на втором он к финишу придет победителем.

ГЛАВА 20

Медведь терял силы с каждым днем. Если раньше он выбирался из кресла, чтобы выпить рюмку водки, то теперь давил на кнопку звонка.

— Алек, налей мне стакан, — клянчил он.

— Георгий Иванович, извините меня, но это перебор. Если бы были здоровы, а то все болеете...

— Ты же знаешь, что я пью ровно рюмку. Это для того, чтобы не беспокоить тебя всякий раз.

Алек наливал водку в хрустальный стакан и, стараясь не смотреть в пожелтевшее лицо Медведя, уходил.

Ослаб старик. Осунулся в один день. Однажды Алек вошел в комнату и остолбенел. Медведю, похоже, отказали ноги. Он лежал без движения на ковре и только беззвучно открывал рот, как рыба на берегу.

Алек поднял Медведя, усадил его в любимое кресло. Рюмка водки придала ему сил.

— Я хочу, чтобы ты созвал всех, — было первое, что произнес патриарх слабым голосом. Но он сказал это с такой интонацией, будто только что происшедшее не имело к нему никакого отношения.

— Всех? И Варяга тоже?

— Да. Всех! Я хочу, чтобы у меня завтра были

Ангел, Гуро, Граф и все остальные. Мне нужно сказать им кое-что очень важное, а сейчас укрой меня одеялом, я хочу спать.

И когда Медведь засопел, Алек набрал номер Ангела.

— Медведь сказал, что хочет видеть завтра у себя всех... Да, всех... И Варяга тоже.

На следующий день, часам к семи вечера собрались все, кого желал увидеть Медведь: Гуро, Лис, Федул, Граф... Это был сход, и каждый ломал голову над тем, зачем они понадобились Медведю. Терялся в догадках и Варяг. Хотя он и был шестнадцатым, но впервые был здесь с законниками на равных. И когда наконец Медведь появился, все разговоры смолкли. В его лице появилась одутловатость, и поэтому кожа как бы натянулась. Лицо стало похожим на маску, снятую с покойника. Глаза ввалились, губы растянулись, лоб и щеки были грязно-воскового цвета.

И когда воры свыклись с его видом, Федул осторожно спросил:

— Ты зачем-то звал нас, Медведь?

— Алек, распорядись, чтобы принесли выпить... Спасибо. Скажи, чтобы принесли и на тот конец стола... Ты можешь остаться там.

Со своего места Медведь мог видеть всех. Справа от него сидел Лис. Поглаживая свою рыжую шевелюру, он цедил из банки пиво. Слева Федул, встревоженный и строгий. Гуро ковырял вилкой закуску и ни на кого не смотрел. Все здесь!

Движением пальца патриарх подозвал к себе Варяга и посадил рядом. Федул с Лисом переглянулись. Никто из них не знал, кто такой этот парень, но раз Медведь оказал ему внимание, значит, так надо.

— Я позвал вас вот для чего... — Медведь помолчал. — Я безнадежен... Я не протяну и полгода. Так что я пригласил вас на собственные поминки Там в соседней комнате стол уже накрыт. Я хочу, чтобы в лучший мир вы меня проводили еще при жизни. Пейте, ешьте, чтобы мне там было спокойнее.

То, что Медведь — не жилец, каждому было ясно. Однако он не обмолвился ни словом о главном: кому перепоручает свою империю. Неужели им придется рвать ее на части, едва могильный холм укроет его бренные останки? Медведь ничего не делал просто так, и оставалась надежда, что он, обдумав и этот вопрос, скажет после трапезы свое главное слово.

Поминальное угощение подавалось по русскому обычаю. Медведь сидел вместе со всеми и наблюдал за тем, как гостей обнесли кутьей, а потом подали блины с медом. Ужин по случаю грядущей смерти патриарха никому не испортил аппетита. Гости пили и закусывали — стол ломился от яств.

Медведь и раньше любил почудить, но сейчас его слова воспринимались серьезно, и, когда все захмелели, он сказал:

— Вы все знаете о том, что единственное, что осталось от меня прежнего, это мое погоняло — Медведь! Я привык к нему. Подчас воспринимаю, как фамилию. Ну так вот, на моем памятнике напишите «Медведь».

— Где тебя похоронить, Медведь?

— Похороните где-нибудь на дальнем кладбище, подальше от города. Я и раньше не любил суету, а сейчас отвык от нее совсем. И еще я никогда не любил, чтобы на меня смотрели во время сна. Хочу уединения, чтобы ненужное любопытство не раздражало меня и в загробной жизни.

— Ты не решаешься сказать о главном, Медведь. Если хочешь отстраниться от дел, тогда кого бы ты хотел видеть вместо себя? Конечно, позже этот вопрос мы могли бы решить и без тебя, но нам важно твое благословение, — нашел нужные слова Граф.

Наступила мертвая тишина. Все уставились на

Медведя. Хозяин обвел стол долгим взглядом. Федул перестал жевать, Лис нервно загасил сигарету о коробок, а Гуро отстраненно смотрел в сторону.

Сейчас Медведь должен назвать преемника. И каждый из них был вправе рассчитывать, что этим человеком будет именно он.

— Хорошо, я назову своего избранника, но прошу не удивляться моему решению. Об этом я думаю уже не первый год.

— И кто же он? — не смог сдержаться Лис.

— Вот этот парень останется вместо меня, — показал Медведь на Варяга.

Долгая гнетущая пауза лишь усугубила возникшую неловкость.

— Послушай, Медведь, всему есть предел. Ладно, хорошо, ты позвал его на сход, и понятно, что он не чужой, но зачем нам навязывать варяга? Что, среди нас достойные повывелись?

— Вот ты и попался, Граф! Этого парня и вправду зовут Варяг. Вспомни наш прежний сход, когда мы решили взять его шестнадцатым. Хорошая работа, не правда ли? Его невозможно узнать. Он такой же вор в законе, как и все вы, но если вы живете под собственными именами, то он по решению схода должен был как бы переродиться. Варяг для всех, кроме нас с вами, является Владиславом Геннадьевичем! В свое время мы многое ему дали, теперь пришло время, когда он должен отрабатывать долги.

— Чем он занимается? Пусть расскажет сам, — потребовал Лис.

— Я директор научно-исследовательского института. Доктор юридических наук, занимаюсь международным правом. — Варяг улыбнулся.

— Как он представляет себе завтрашний день нашей организации? — Это спросил Гуро.

— Если мы умело поставим дело, то со временем проникнем в Европу. Нам под силу вытеснить сильные мафиозные кланы. Если сейчас мы контролируем ряд банков в России, то года через три сумеем прибрать к рукам и банки Восточной Европы! И недалек тот день, когда самые могущественные банки и предприятия перейдут под наш контроль. Весь беспорядочный рэкет, который ничего, кроме беспредела, не дает, мы уже прибираем к рукам.

— Почему только Восточная Европа? А не лучше ли сразу на Запад?

— Если будем пренебрегать Восточной Европой, туда обязательно придут другие, а это уже война. Восточная Европа — это один сплошной базар, и не хотелось бы, чтобы деньги с этого рынка утекали в чужой карман.

— А что делается для того, чтобы проникнуть на западные рынки? — Граф щелкнул зажигалкой, прикуривая сигарету.

— Я думаю, теперь это уже не секрет, — оглянулся Варяг на Медведя, как бы спрашивая его разрешения. — По нашему заданию на территории России западными специалистами создана команда киллеров, которая помогала нам при групповых разборках. Теперь наши задачи усложнились. Возможно, вы слышали о том, что в Италии уничтожено семь крестных отцов? Это сделали наши люди. Пока я не имею от них никаких вестей. Не исключено, что на них вышла мафия. Так вот, мы убрали как раз тех, кто мешал нам проникнуть на западные рынки. Природа не терпит пустоты, и мы ее заполним нашими людьми. Только не нужно медлить. В перспективе мы должны влиять на политику, у нас достаточно денег, чтобы создать свое лобби. Нужно создать свою партию, выработать программу. Словом, необходимо сделать все, чтобы за нас голосовали на выборах, что дает нам места в парламенте, а это важно. Объяснять, почему важно, не буду. Думаю, вы понимаете. У нас есть все возможности, чтобы начать действовать уже сегодня.

Присутствующие за столом забыли, что находятся на поминках. Когда «усопший» неожиданно заговорил, все взоры обратились к нему.

— Умеет убедить, не правда ли? Что скажете?

— Варяг давно не занимается воровскими делами, наверно, он основательно подзабыл наши законы? — выразил сомнение Лис.

— У меня теперь другое лицо. Не осталось ни одной наколки, но... — Варяг ослабил галстук, расстегнул рубашку и показал всем двух здоровающихся ангелов, — я дорожу этим крестом. Извини, Медведь, но у меня духу не хватило вывести эту главную наколку. Потому что любой мог бы показать на меня пальцем и упрекнуть, будто я предал воровскую идею. Если кто-либо из вас скажет это сейчас, я сочту за личное оскорбление, и тот ответит! Вор всегда остается вором, даже если он депутат парламента.

— Нам не нравится твой маскарад, Варяг. Зачем нацепил на себя галстук... и костюм с иголочки! — буркнул Федул. — Ты знал, что мы здесь, почему не оделся попроще?

Сидящий рядом Гуро улыбнулся, он знал патологическую ненависть Федула к галстуку и отглаженному костюму.

— Федул, этому тоже есть объяснение. Теперь другие времена. Неужели сам это не чувствуешь? Кое-где феня может оказаться просто не к месту. Мы должны контактировать с деловыми людьми и сотрудничать с сильными, с теми, от кого сегодня зависит политика. Мы обязаны переродиться — стать бизнесменами, банкирами, политиками. Сейчас в моде криминальное прошлое, в любой аудитории можно сказать, что приходилось сидеть за убеждения.

— Ты хорошо говоришь, Варяг. Мне приходилось

знать тебя другим, — живо отреагировал Граф. — Ты был неоперившийся дерзкий малец. Сейчас ты вырос! Но не настолько, чтобы учить нас жизни.

Медведь посмотрел на Варяга. Его глаза сказали: «Ты ввязался в крупную драку, а здесь свои законы, так вспомни их! А если сейчас ты не сможешь убедить в своей правоте, завтра ты пропал. Упавших всегда бьют сильнее».

Варяг нахмурился. Он не любил, когда ему напоминали о начале его воровской карьеры. Конечно, он был тогда моложе и часто ошибался. Но это как раз неплохо, ибо чем дольше человек живет без ошибок, тем они неизбежнее в оставшееся ему время. Он был неопытен и порой непроходимо глуп, но, как известно, родиться глупым не стыдно, стыдно только умирать глупцом.

— Нас здесь шестнадцать человек, — начал он, — каждый контролирует огромный кусок России. Вот в этот дом, где мы сейчас находимся, условно говоря, текут деньги со всех концов страны. Я имею в виду рэкет, который снимается с базаров, ресторанов и прочих злачных и незлачных мест. Мы обложили данью многие предприятия и банки. Период первоначального накопления закончился, и у нас появилась возможность заняться более серьезным делом. Западные деньги — это зрелый плод, который готов сорваться с ветки. Почему он должен упасть в чужие руки? Я не собираюсь ничего менять. Но если вы все-таки согласитесь с мнением Медведя, за каждым из нас останется своя территория, но я бы хотел приносить сходняку еще большую прибыль.

Старик остался доволен Варягом — академическая школа не прошла бесследно.

— Люди! — Медведь обвел всех усталым взглядом. — Я предложил человека, который может заменить меня, но решать вам. Иначе мы бы не назывались сходом. Я бы попросил высказаться каждого, а потом мы с вами примем окончательное решение. Может, с тебя начнем, Граф?

Незаметно подкрались сумерки. Все знали привычку Медведя не зажигать верхнего света. У него в комнате чаще всего горел ночник. Если он был не один — зажигались свечи. Вот и сейчас Алек зажег двенадцать свечей. На лица присутствующих легли тени. Медведь совсем слился с креслом.

— Варяг умеет говорить, — сказал Граф. — Он хорошо расписал, как представляет себе наши дальнейшие дела. Что касается меня, то я не прочь потягаться со всемогущей итальянской мафией. Уверен, что у нас ничуть не меньше силенок! Но все-таки теперь Варяг живет в другой жизни, которую никто из нас не знает. Раньше такая жизнь посчиталась бы отходом от воровских традиций, и сходняк просто исключил бы его из законников, но времена меняются. И где гарантии, что он не займется прибыльным делом в обход сходняка? И еще у него один недостаток — он молод! Думается, Медведя должен заменить кто-то из нас.

— Может, хочешь ты высказаться, Федул?

— Я вот что скажу. — Федул ковырял мизинцем в ухе. — Мне нравится этот парень! Я о Варяге и раньше слышал, и всегда только хорошее. Так почему он должен вдруг сделаться плохим? Уже само за себя говорит то, что он был самым молодым законником России. А это уже характер! Занялся наукой — и здесь сумел преуспеть. Если Варяг говорит про Европу, то это не зря. Еще вот Медведь его поддержал. Мне кажется, это как раз тот парень, которого нам не хватало. Он потянет наше дело.

Каждый из законников высказывался по очереди. Здесь были равны все. Варяг внешне оставался совершенно спокойным, казалось, его не волнует, что сходняк разделился надвое. Одна половина высказалась за него, привлеченная его молодостью и учено-

268

стью, второй половине как раз именно это не нравилось.

Оставался Лис. В отличие от всех, он не торопился судить. Он вообще никогда не торопился. С большим удовольствием отмолчался бы, наблюдая со своего угла за этой тихой бурей, но полтора десятка пар глаз остановились на нем в ожидании. Лис прикурил от свечи, пыхнул в потолок дымом.

— А чего тут думать? — пожал он плечами. — Наколку свою Варяг показал? Поклялся же парень! Вот и весь ответ. Это каким молодцом нужно быть, чтобы столько лет ее ото всех прятать, да еще до степеней дослужиться! И Медведь за него вступился. А сход наш не так и слаб, если что заметим, то ему врежем — мало не покажется.

Бывало, когда вора в законе переводили в мужики, а это уже падение, после которого подняться вновь до законного было невозможно. И уж тогда каждый норовил лягнуть упавшего. И нужно иметь не только крепкий характер, но и здоровенные кулаки, чтобы отстоять полученные привилегии. Чаще случалось другое — провинившегося убивали на одной из городских улочек, после чего устраивались пышные похороны.

— Уверяю вас, вы не пожалеете, — улыбнулся Владислав Геннадьевич.

Время, когда отряд чествовал в бараке нового вора в законе, ушло безвозвратно. Теперь он поднялся на самую верхнюю ступень.

Выше было лишь небо.

ГЛАВА 21

Медведь умер через три месяца. Перед смертью он перестал есть. И когда гроб подняли на плечи, он не весил ничего. Трудно было поверить, что в дубовой колоде покоилась целая эпоха. Медведь был мостиком, который связывал старые традиции с новыми.

Похороны решили устроить скромные, без помпезности. Но когда на кладбище появилась дюжина воров в законе, могильщики засомневались.

— Кого хороните? Тоже урка... Понимаем, понимаем. Нам все равно, как скажете. Сделаем все в лучшем виде, нам и за молчание платят. Сам зону прошел, — частил один из них, сверкая золотыми зубами. — А такое количество урок и на зоне не увидеть. Видать, большой человек был, если такой почет оказали.

— Что правда, то правда, не маленький.

— Вот и я о том же, — горестно кивал он. — Какой бы человек ни был, а умирать приходится.

Когда опускали гроб в могилу, Варяг оглянулся. Ему показалось, что у одной из оград, вдалеке, он увидел знакомую фигуру. Человек молча наблюдал за происходящим. Лицо его было спрятано в тени. Но резкие, порывистые движения могли принадлежать только одному человеку. На крышку гроба упал первый ком земли. Потом еще один, еще и еще... Бросил горсть земли и Варяг, а, когда обернулся, того человека уже не было.

Странно, почему он здесь? Впрочем, этого не может быть. Скорее всего, показалось, решил Варяг.

Некоторое время законники стояли у могилы, потом, по обычаю, поставили стакан водки на холмик и разошлись.

— Ангел, у тебя есть немного времени? — спросил Варяг.

— Что спрашиваешь, теперь ты остался вместо Медведя. Если имеется какое-то дело, тогда так и говори, я этим академическим тонкостям не обучен, — хмуро отозвался Ангел.

— Ко мне в институт через час должен приехать человек. Я бы хотел знать, куда он отправится сразу после нашей встречи. Не исключено, что захочет наведаться в госбезопасность.

— Сделаем, — отозвался Ангел.

Они вышли с кладбища. Жизнь встретила их городским шумом. Варяг сел в машину.

— Куда поедем, Владислав Геннадьевич? — поинтересовался шофер.

— Давай в институт.

Предстоящая встреча обещала быть необычной. Человек, о котором он сказал Ангелу, уже заходил накануне. Он довольно прозрачно намекнул, что располагает информацией о крупных деньгах и хотел бы продать ее подороже.

— Почему вы пришли именно ко мне? — сделал удивленные глаза Варяг, раздумывая, не выставить ли визитера сразу за дверь.

Не исключено, что это элементарная провокация. Но что-то подсказывало ему не торопиться с выводами.

— У меня есть для этого кое-какие основания. Я

не буду вам о них рассказывать. Могу только сказать — вы человек со связями и, я думаю, с большим будущим.

— Мне нужно посоветоваться.

— Ради Бога! Это можно и завтра решить, но советую не затягивать, потому что деньги могут уйти в любой момент.

Варяг ждал гостя с нетерпением, а тот, не заставив себя ждать, явился ровно в назначенный срок. Уверенно постучав в дверь кабинета директора института, он вошел мягкой походкой. Кивнув в ответ на приглашение присаживаться, он опустился в кресло, положив ладони на полированные подлокотники.

Варяг подготовился к беседе. Два часа назад ему на стол положили пухлую папку, в которой была документально представлена жизнь гостя за последние пятнадцать лет. Варяг знал, что к нему пожаловал партаппаратчик средней руки, который не был избалован милостями великих мира сего, однако был вхож во многие кабинеты. Как и всякий информированный чиновник его круга, он предпочитал помалкивать. Он уже перевалил тот возраст, когда делают стремительные карьеры, и на него смотрели, как на старательного исполнителя, которому можно поручить любое кропотливое дело. Такие, как он, никогда не бывают рысаками, такие, как он, — вечно ломовые, размышлял Варяг, наблюдая за посетителем.

Впрочем, такие, как он, иногда приподносят сюрпризы, поскольку эти люди, как правило, самолюбивы и переполнены сознанием собственной значимости. Эти люди как бы посредники, без которых не обходится ни одно крупное дело. Они службисты и основные советчики. И когда гремит гром и сверкают молнии, именно они являются громоотводами.

Вот такой человек и сидел сейчас перед Варягом.

Этот важняк являлся ключом, при помощи которого можно было отомкнуть многие ларчики из тех, что открываются совсем непросто. Последние три года этот человек работал референтом у одного из генсеков, и Варяг догадывался, о каких деньгах шла речь накануне. Варягу было известно, что год назад он развелся с женой. Оставив ей шикарную квартиру в центре города, сейчас жил у своей любовницы — двадцатипятилетней манекенщицы. Естественно, что при таком раскладе, ему нужны деньги.

Вероятно, он и детям помогает, соображал Варяг, хотя сын и дочь уже взрослые.

— Прежде чем приступить к разговору, мне бы хотелось получить от вас гарантии, что со мной ничего не случится.

— Я сделаю все, что в моих силах.

— Мне этого достаточно. Я хочу начать с того, что у меня сын и дочь, а сам я живу с молодой женщиной, младше меня на двадцать лет...

— Я знаю все это. Почему вы решили обратиться именно ко мне? — Варяг посмотрел на него в упор.

Посетитель не отвел взгляда. Он тоже знал кое-что интересное о директоре института. Однако не собирался об этом распространяться, разве что под дулом пистолета.

— Извините, но это моя тайна. Я не смогу ответить на этот вопрос. Но поверьте, дальше меня это никуда не пойдет.

— Вчера вы озадачили меня, не скрою. Я готов вас выслушать.

Гость начал издалека:

— Мы с вами являемся свидетелями катастрофы, которая называется распадом великой державы. Вы никогда не задумывались о том, где сейчас партийные деньги, которые накапливались десятилетиями и были сосредоточены в одних руках?

Варяг улыбнулся. Именно об этом он и думал последнее время.

— Задумывался. И где же они? Может, их зарыли?

— Ну зачем вы так? Их переправляют в заморские банки. Кто еще вчера махал нам с трибуны Мавзолея ручкой, открывают там на свое имя счета. Вы даже представить себе не можете, какие это суммы! Миллиарды рублей... Такие люди, как я, выполняют техническую часть этой бухгалтерии. Но большая часть этих денег пока еще в стране. Вы, конечно, знаете о том, что дипломатическая почта неприкосновенна?

— Разумеется.

— Ну так вот, золотые слитки вывозят даже дипкурьеры, причем не подозревают об этом. Все продумано. В этой операции задействованы наша и западные таможенные службы, получающие неплохой процент за молчание. Все это осуществляется на самом высоком уровне, однако лицам первого эшелона власти все равно не обойтись без таких людей, как я. Но меня беспокоит другое: как только кто-нибудь из нас выполнял небольшой объем своей работы, он тут же бесследно исчезал. И что самое интересное, Фемида не только слепа, она еще и оглохла. Теперь она вообще глухонемая. А не так давно я обнаружил, что за мной следят. Значит, я следующий. И я больше чем уверен: как только переправлю золото за границу, от меня тут же избавятся, как от опасного свидетеля. А ведь я только сейчас и начал жить... Никогда не знал, что такое любовь, а тут втюрился, как студент. И счастлив! Не хочется умирать... Вы меня понимаете?

Варяг задумался. Возможно, этот человек что-то знает и о нем. В последнее время доктор Щербатов на виду, и наверняка он, Варяг, мог где-то засветиться. Логично будет, если он поможет запрятать этого куда-нибудь подальше.

Но вслух он сказал совсем не то, что подумал:

— Вы просите у меня защиты?

— Да. Я знаю, что это в ваших силах. Но это еще не все. Я бы хотел продать вам информацию, за которую другие отвалили бы мне миллионы, но я не прошу у вас много. Мне нужно ровно столько, чтобы обеспечить себя и свою семью на всю оставшуюся жизнь. Потом я бы хотел для всех исчезнуть, только не по чьей-то злой воле, а добровольно. Раствориться в каком-нибудь тихом городке Западной Европы, быть одним из многих и умереть под чужой фамилией. Если будут деньги, то это не составит большого труда.

Силен партаппаратчик, соображает...

— Вы хотите сказать, что знаете, где находятся остальные деньги? — переспросил Варяг, все еще не веря в подвернувшийся фарт.

— Именно это я и хочу сказать! Я знаю людей, которые отвечают за операции по переправке золота. Знаю сроки, когда они будут проводиться. Знаю, какие суммы денег в самое ближайшее время навсегда уйдут из России. Я знаю людей, в чьих руках они потом будут сосредоточены. Я знаю все! Партийная элита не затрудняла себя в выборе средств для достижения цели. Есть на Сицилии некий дон Валаччини... Так вот, он помог им надежно упрятать партийные деньги в престижные банки.

— Вы не ошиблись? Дон Валаччини? — переспросил Варяг.

— Вы его знаете? — не удивился гость.

Он знал, куда шел. Конечно, он предпочел бы не заводить такого знакомства, но у него просто не было выбора.

— Было дело, — сознался Варяг.

Человек, сидящий перед ним, был интересен, умен и очень осторожен, и теперь Варяг нисколько не сомневался в том, что сказанные им слова не пойдут дальше этих стен.

— Дон Валаччини — лишь маленькое звено в огромной цепи. Если вы будете осторожничать и откажетесь от моего предложения, то уже через две недели ничего нельзя будет сделать.

Зазвонил телефон, Варяг поднял трубку.

— Да.

— Это я.

Он узнал голос Ангела.

— Так, слушаю.

— С твоим посетителем все чисто. Около дома, где он живет, кто-то все время крутится, но к тебе он никого не привел. Мы здесь узнали через своих людей, что в органах он не значится. Не подставной, и с ним можно иметь дело. После разговора с тобой проводить его домой?

— Обязательно, но сначала позвонишь еще, — коротко распорядился Варяг и осторожно положил трубку на рычаг. — Если мы все-таки примем ваше предложение, вы рассчитываете на какой-то процент?

— Мне не нужен никакой процент. Я бы хотел иметь миллион долларов, — уверенно посмотрел гость в глаза Владиславу Геннадьевичу. — Моя информация стоит в сотни раз дороже! Вы на этом заработаете не один миллиард. Наверняка на Западе у вас есть свои люди, они помогут вам безболезненно провести операцию. Мой миллион долларов прошу перевести в один из банков Европы. Какой именно, я назову позже. И чтобы вы поверили мне и не считали за сумасшедшего, я дам вам списочек с двумя адресами. Он очень много стоит. Там вы возьмете десятка два миллионов долларов и отдадите мне пятьсот тысяч, а потом я называю вам остальные адреса, и вы мне отдаете вторую половину моих денег. Вас устраивает мое условие?

— Хорошо. Назовите, кто это.

— Это некий Гаврилов Юрий Петрович. В свое время занимал крупный пост, хотя о нем мало кто знает. Гаврилов был одним из главных разработчиков этой операции. Так сказать, ее мозг. В его руках — десятки нитей, которые уходят далеко на Запад и Восток. Но даже он не знает всего. Эта операция многоплановая и очень хорошо законспирирована, каждый отвечает за свой кусок работы. Второй человек — Захаров Гавриил Львович. Он директор банка. Его банк — своего рода перевалочный пункт, с которого золото уходит за границу.

— Вы можете подсказать, как к ним подобраться, чтобы не навлечь подозрение?

— Я не знаю этого. Они очень осторожные люди, и сделать это будет весьма непросто. Я продал вам информацию, а там уже ваше дело. Но деньги, которыми они владеют, не числятся нигде. Они не значатся ни в одной бухгалтерии! Их даже не будут разыскивать, об их существовании знает только небольшая группа посвященных. И если эти деньги не возьмете вы, к ним может прийти другой человек, который заявит на них свои права. Повторяю, через две недели может быть поздно! За рубежом они сразу разойдутся по множеству каналов.

— Хорошо. Если все будет так, как вы говорите, то ровно через неделю... максимум через десять дней вы получите свои первые пятьсот тысяч долларов.

Посетитель распрощался, и уже через минуту зазвонил телефон.

— Он вышел.

— Если заметите хоть малейший контакт, то, думаю, не надо вас учить, что делать в этом случае. И тут же сообщите мне.

— Договорились. У тебя все?

— Нет, поднимись ко мне.

Ангел никогда не заходил к Варягу и сейчас, услышав от него эту просьбу, удивился.

— Хорошо, буду!

Через несколько минут дверь распахнулась.

— Ты неплохо смотришься за этим столом, Владислав Геннадьевич, — протянул Ангел руку.

— Спасибо, садись. Знаешь, что это за человек?

— Откуда? Он не ко мне приходил!

— Помнишь, год назад все газеты писали о том, что исчезли партийные деньги. Была организована какая-то комиссия, но концов так и не нашли. И об этом деле потом перестали писать.

— Видно, не очень-то и хотели.

— Все может быть. Так вот, этот человек мне обрисовал общую картину и дал списочек с адресами, которые нужно проверить. Часть денег должна быть там.

— Варяг, ты забыл, мы уже пробовали заниматься этим. У нас ничего не вышло.

— У нас не вышло потому, что люди, к которым мы подбирались, как в воду канули. Сначала это была мощная государственная машина, с которой тягаться нам было просто трудно. Сейчас мы окрепли, а государство, наоборот, стало трухлявым. Я допускаю такой вариант, что, как только узнают о том, что он раскрылся нам, его немедленно попытаются убрать. Поэтому не сводите с него глаз ни днем, ни ночью. Охраняйте, как если бы это был Медведь. Сможешь мне дать информацию об этих адресах завтра?

— Хорошо, завтра я сообщу тебе о результатах, — не стал задерживаться Ангел и, поднявшись, махнул на прощание рукой.

Как только Ангел вышел, Варяг взял телефон и набрал номер. Ответом ему были длинные гудки. Светы дома не было.

Неделю назад она заявила, что ей надоела эта тюрьма, что она свободна и вольна жить так, как хочет. Она по-детски растирала кулаками по щекам слезы и говорила, что он — тиран. Потом тут же бросалась к нему на шею, и он услышал совершенно обратное: она его любит, не представляет без него своей жизни.

Варяг понимал, что ничего не способен делать, пока не выяснит, что произошло. Он было снова потянулся к трубке, но рука неуверенно замерла над столом. Нет! Нужно ехать самому.

Всю дорогу Варяг молчал. И шофер, крепкий и добродушный парень, заметив настроение шефа, тоже не лез с разговорами. Варяг почувствовал неладное, когда они подъезжали к дому: свет в окнах не горел, брехнув разок, умолкла собака.

— Посиди здесь, — попросил Варяг, — я сейчас вернусь.

Он пошел на крыльцо; стукнул в дверь трижды через равные промежутки, как это делал и раньше. В ответ дернулась занавеска, и он увидел лицо хозяйки.

— Где Света? — удивленно спросила она, отворяя дверь. — Разве она не с тобой?

Варяг понял, что произошло непоправимое.

— Приехала машина. В ней были двое. Один из них сказал, что они от тебя, и увезли Свету, — изменилась в лице хозяйка. — Разве ты за ней не посылал машину?

— Хоть раз было, чтобы я посылал за ней машину?! Я всегда приезжал сам! Как они выглядели?

— Один в машине сидел, я его даже не разглядела, а вот другого видела хорошо. Высокий, темные волосы. Красивый такой, лет сорок. Раньше я его никогда не видела. Одет прилично и разговаривал со мной очень вежливо.

Варяг и раньше замечал, что он живет так, будто кто-то постоянно подсматривает в его карты. Он не успевал сделать ход, как кто-то другой спешил накрыть его карту. Но тем не менее он никогда не находился в проигрыше, про запас всегда оставался козырь, который он берег для самого главного случая.

А сейчас вдруг почувствовал, что ему нечем крыть. Он даже не знает, откуда исходит опасность. Он всегда на виду, но со своими партнерами играет втемную. В его жизни был единственный человек, которого он опасался, — это Медведь. Сейчас его не стало, но он все время ощущал, будто рядом незримо присутствовал дух великого Медведя. Кто-то очень сильный находился возле него и знал о нем практически все. Именно этот некто координировал его действия, направлял его энергию в нужное русло. И визит партийной шестерки тоже был не случаен. Ведь кто-то подсказал ему? Этот неизвестный как бы стоял за его спиной. Наверняка он знал о существовании Светланы и раньше, но ее не трогали до тех пор, пока она не представляла опасности, а сейчас, когда ставка утроилась, ее просто изолировали, чтобы она не стала объектом шантажа.

В комнате зазвонил телефон, который вывел Варяга из задумчивости.

— Да, — услышал он голос хозяйки — Здесь... Владик, это тебя к телефону.

Варяг не удивился. Если этот неизвестный знает о вещах, о которых не подозревают и ближние, то что говорить о таком пустяке. Скорее всего, они видели его машину, подъезжавшую к дому.

— Варяг, не делай никаких глупостей! Дело слишком серьезное, чтобы заводиться из-за бабы. Она мешает тебе!

— Кто ты такой, чтобы вмешиваться в мои дела?

— Слушай внимательно. Она не должна мешать тебе. Ею заинтересовались другие, кому знать об этом не положено. Если с ней что-то случится серьезное, тебя это может вывести из равновесия, а мы этого не хотим. Будет самое лучшее, если она скроется за границей. Мы понимаем, что это твое слабое место, но на карту поставлено слишком многое.

— Кто ты?! Я могу выйти из игры, если кто-то вздумает указывать мне, что нужно делать!

— Ты не можешь выйти из игры, ты давал клятву.

— Я давал клятву не тебе! Где гарантии того, что со Светкой ничего не случится?

Ах ты, черт! Он-то думал, что выше его никого нет, а, оказывается, существует какая-то сила, о которой он не подозревает, и именно она заставляет его совершать поступки вопреки желанию.

— Год она будет жить за границей в безопасном месте. В течение этого года мы должны осуществить задуманное. Мы не можем рисковать тобой, а потом, если захочешь, можешь забрать ее обратно. Поверь, мы связаны общим делом, и я имею ту же наколку, что и ты.

— Хорошо. Я верю тебе, — неожиданно для самого себя сдался Варяг. — Но через год я с ней встречусь.

— Ты сможешь встретиться с ней даже раньше. Все зависит от того, как пойдут дела.

К машине Варяг вернулся другим.

— Что-нибудь случилось? — посмел нарушить молчание шофер.

— Нет, все в порядке. Поезжай.

ГЛАВА 22

Через день Варяг с Ангелом встретились в скромном ресторане, где для них был накрыт столик.

Ангел огляделся. Совсем недавно сходняк вершил здесь суд. В тот день соседний столик был залит кровью. Он привстал. Темные пятна наверняка остались на ковре.

— Ты что там высматриваешь? — усмехнулся Варяг, наливая в бокалы вино.

В элегантном костюме, подтянутый, с аккуратной прической, он мог сойти за бизнесмена. Ангел вспомнил свою первую встречу с Варягом. В комнате с прокисшим запахом блевотины, среди множества пустых бутылок Варяг выглядел не так презентабельно, как сейчас. Нужно иметь дар предвидения, каким обладал Медведь, чтобы разглядеть в дерзком воре многообещающие задатки.

— На ковре должно было остаться пятно от крови. Вот и смотрел. Сходняк здесь приговорил одного законного.

Варяг подцепил вилкой кусок селедки.

— Кучка золы осталась от того ковра, — хмыкнул он.

— А помнишь, как мы встретились в первый раз? — Ангел обнажил в улыбке золотые зубы.

— А то! — бросил Варяг. — Я тогда как раз из зоны вышел.

— Дело прошлое, Варяг, не думал я, что из тебя что-то путное получится. А ты вон как закрутил!

Варяг вспомнил Свету. А что, если здесь не обошлось без Ангела? Захотелось задать пару вопросов, но, подумав, он поборол это желание. Может, они и правы: затянулась воркутинская любовь...

— Это еще не все. Нужно пробиться в Думу.

— Ого! И что для этого нужно сделать?

— Создать свою партию.

— Вон куда ты замахнулся!

— Дело в том, Ангел, что у нас есть такая партия. С отлаженной системой руководства и железной дисциплиной... это весь воровской мир. Единственное, чего нам не хватает — легальности. Подключи людей по всем регионам. Пускай собирают подписи для ее регистрации, то есть для придания законной силы. В Думу мы пробьемся, когда станем легальной партией. Это сейчас наша главная задача. Уговоры, деньги, угрозы — все сгодится, но мы обязаны собрать нужное количество подписей.

— Понял.

— Как дела с деньгами коммуняков? Наш знакомый шустрит?

— Мои люди не спускают с него глаз. Похоже, залег — никуда не выходит. Слушаем его телефон, но там все пусто.

— А тех, что в списке, проверили?

— Вчера еще. Квартиры шикарные, но без особых излишеств. Если золото и есть, то оно в другом месте.

— Золото, о котором идет речь, не уместится даже в десяти таких квартирах. Может, видели какие-либо бумаги, заслуживающие внимания?

— Просил пошуровать, но ничего такого мои люди не нашли. Полагаешь, он говорил правду?

— Не полагаю, а твердо убежден! Чего ради ему врать? За такие шуточки можно и головы лишиться. К тому же у него нет другого выхода. Не могла же прорва денег исчезнуть без следа! Значит, их кто-то умело прибрал к рукам. Нужна отмычка, при помощи которой мы отомкнем заветную дверцу.

— Ты собираешься дать ему миллион баксов?

— Да. Я всегда выполняю обещания. А эта информация стоит куда больших денег.

Ресторан понемногу наполнялся завсегдатаями. На эстраде появилась молодая певица. Варяг на миг задержал на ней взгляд. Чем-то неуловимым она напомнила ему Светлану.

— Кто такая? Я ее не видел здесь раньше.

— Это Вера. Хозяин отыскал ее в каком-то кабаре. Если ты обратил внимание, она классно двигается. Хозяин законников как-то стриптизом угощал, она имела бешеный успех. В порядке девочка! Могу поспособствовать... если есть желание. Она против не будет. За бабки выложится на полную катушку.

Варяг мгновенно потерял к ней интерес. То, что доступно, его сроду не вдохновляло. Он был убежден: все, что само падает в руки, чаще всего — с гнильцой.

Непроизвольно он опять скользнул по ней взглядом. Ладная деваха! Голос так себе, сипловат, но зато какие ножки... Может, взять да и расслабиться на денек-другой? Загулять, забыться в пьяном угаре на пару с этой киской...

— Обожди, я сейчас, — встрепенулся Варяг.

Ангел кивнул.

Варяг вышел в вестибюль. В телефонной будке белокурая особа бросала в трубку резкие слова. С мужа снимает стружку, догадался Варяг. А ему что делать? Звонить, не звонить... Блондинка не унималась. Видно, не судьба! — подумал он. Но блондинка как раз повесила трубку.

— Вы будете звонить? — раздался за спиной нетерпеливый голос.

— Да.

Варяг набрал номер академика Нестеренко.

— Я вас слушаю, — сказала Вика.

Он загадал: если трубку снимет Нестеренко — вернется в зал, если Вика — значит, так тому и быть.

— Вика, это Владислав.

— Ой, как я рада вас слышать! — рассыпалась она колокольчиком.

— Ты одна?

— Одна. Папа в командировке, будет только послезавтра.

— Вика, ты знаешь, где я живу?

— Ты меня к себе не приглашал. — Она с ходу перешла на «ты».

— Это на Тверской. Записывай. — Варяг продиктовал адрес. — Бери такси и лети ко мне. Буду ждать. Даю час на сборы.

— Ой, я не успею! Надо прическу сделать, привести себя в порядок.

— Это все лишнее. Жду! — Варяг повесил трубку.

У столика он увидел певицу. Она улыбалась Ангелу. Когда Варяг подошел, она тут же упорхнула.

— Зря ты, Владик, отказался, — расплылся в улыбке Ангел. — Такая женщина! А я вот с ней договорился. И совсем недорого.

— Торговался, что ли?

— Ну, ты даешь! Она сама назначает цену.

...Отношения у Варяга с Ангелом сложились сразу. Ангел был признанный вор. О нем знали во всех кругах. К нему за помощью обращался весь воровской мир. Однако он сразу признал в Варяге своего. Они были равны, и это равенство их сплотило. Это было нормально, поскольку воры в законе всегда тянутся друг к другу, где бы ни находились. У Ангела с Варягом деловое партнерство не

285

замедлило перерасти в дружбу. Если поначалу Ангел был для Варяга связующим звеном с воровским миром, то теперь встречи накоротке стали для обоих необходимостью.

— Мне нужно идти, — сказал Варяг.

— Тебя проводят.

— Нет, я пойду один, меня ждет женщина.

— Ну тогда желаю успеха!

— И тебе того же!

...Вика не задержалась. Она появилась ровно в назначенное время. Черт возьми, а она похорошела! — подумал он, когда она перешагнула порог его холостяцкой квартиры. Варяг уже прикидывал, как будут развиваться события. Когда шампанское вскружит ей голову, он расстегнет белую кофточку и освободит упругую грудь из плена лифчика, а потом он начнет неторопливо расстегивать коротенькую юбочку. А Вика перешагнет через нее и... долой все условности!

— Ты меня ждал?

— Как никогда!

Варяг не кривил душой. Облик Светы за это время потускнел и даже как бы отдалился. Время — великий лекарь! — подумал он, а вслух сказал:

— Я налью тебе шампанского, не возражаешь?

Красиво сервированный стол польстил Викиному самолюбию, а роскошные розы на длинной ножке привели в восторг.

— Потом, потом, — сказала она и, подойдя к нему, стала расстегивать пиджак.

С галстуком и рубашкой она справилась без труда. Пришлось немного повозиться с пряжкой на ремне. С брюками тоже не возникло сложностей. Перешагнув через них, он сказал:

— Женщин приходилось раздевать. И не раз! Но вот меня раздевают впервые.

С его лица не сходила улыбка.

ГЛАВА 23

Неделя не прошла — пробежала! А с какой стороны подступиться к золоту, Варяг так и не знал. Конечно, можно у элитных квартиросъемщиков вырвать признание под пытками... подвесить за ноги в лесу. Нет, не годится. Грубо! А если просто припугнуть? Отпадает... На их стороне не менее сильная команда, с которой придется столкнуться нос к носу. А если подкупить? Нелогично...

И тут Варяг вспомнил, какое впечатление произвел на него в юности гипнотический сеанс. Столько лет прошло, но как будто это было вчера! Гипнотизер вызвал на сцену несколько человек, в том числе и его. Гипнотизер обвел всех взглядом. От его пронзительных глаз веяло холодом и властностью. Таким глазам невозможно было не подчиниться. Он запросто внушал, что питьевая вода — шампанское, а вино — томатный сок. Под действием гипноза мужчины прыгали через скакалку, вальсировали, совершали самые нелепые поступки. Потом, усадив на стул, он каждого расспрашивал о прежней жизни. Но самое удивительное заключалось в том, что позже никто не помнил ничего из своих откровений. Он сам удивлялся, когда приятели рассказывали ему о тех проделках, которые он совершал под действием внушения. Оказывается, вместе со всеми он «бегал по лужайке», рвал мнимые цветы, играл в футбол, летал на самолете. А на вопрос гипнотизера, что он делал накануне вечером, вполне искренне отвечал, что лазил в окно по водосточной трубе. К кому? К Тане. Почему не в дверь? Чтобы не встречаться с соседями. В тот день родители Тани уехали на дачу, и он подробно рассказал всем, как приятно провел время за бутылочкой вина. Это было потрясающе!

Варяг задумался. А не попробовать ли загипнотизировать своих подопечных. Шантаж, угрозы — это пошло. Граждане сами выложат все, да еще и помнить ничего не будут!

В последней ходке, на Севере, в одной из воркутинских зон Варяг познакомился с человеком, который обладал таким даром. Это был мужик по кличке Гоша. Причем мужик из настоящих, с такими считаются даже воры в законе. Среди своих его слово было равносильно приказу. Иногда ему ничего не стоило наехать на урку, поскольку знал: на его сторону встанет добрая сотня мужиков. А это была сила, с которой приходилось считаться всем. Шальная, стихийная сила, которая шарахалась из одной стороны в другую, то соглашаясь с политикой нэпмановских воров, а то выступая за новые авторитеты. Но, конечно, охотнее мужики отстаивали собственные интересы. Дважды воры подваливали к Гоше, предлагая ему свое покровительство. Лучшего союзника и желать было нельзя!

Гоша оба раза ответил отказом, потому что он обладал даром внушения. Любую бузу он мог прекратить в один миг. Он не кипятился с пеной у рта, не махал руками, не рвал на себе рубашку. Он обводил всех взглядом, говорил, что хотел сказать, и все. Когда воры предложили короновать его за-

288

конником, он ответил: «Нет. У нас разные дороги. Я — мужик и таким хочу остаться. Воровское дело хлопотное, оно не по мне».

Глаза у Гоши действительно были особенные: черные, бархатистые. Темными были даже белки, многократно усиливающие магию взгляда. Эта его особенность никак не сочеталась с волосами цвета прелой соломы.

Гошину способность убеждать глазами, а не словами, зеки раскрыли после первой же ходки, когда он шутки ради внушил куму, что тот — зек. И не было конца веселью блатных, когда Филиппыч, стареющий тюремный начальник, растянулся на нарах.

Филиппыча списали тогда подчистую, назначив пенсию по болезни, а начальству и в голову не могло прийти, что всему виной были глаза Гоши.

Гоша рассказывал, что дед его, цыганский барон, мог вызывать нечистую силу, но свой талант чаще распространял на женщин, которыми окружал себя до самой старости. Гоша недалеко от него ушел — своим даром развлекал сокамерников. Однажды он поспорил, что выйдет из тюрьмы никем не замеченным.

Блатные пришли в дикий восторг, когда увидели, как стоявшая у ворот охрана взяла под козырек. Побродив на воле часа три, Гоша заскучал и решил вернуться. Нетрудно представить, как удивились охранники, когда он появился у ворот.

— Гоша я, не узнаешь, что ли? Отворяй ворота, жрать хочу!

— Как ты вышел?

— Как, как! Кого выпустил три часа назад? Кому честь отдавал?

— Так то был начальник тюрьмы.

— Так то был я!

Потом Гоше долго не давали прохода, все спрашивали, не желает ли он снова на волю? У Гоши всегда был один ответ: «А чего там делать? Здесь веселее!»

Варяг знал, что жизнь у Гоши сложилась иначе, чем у него. Видно, верх одержала кровь деда — барона. После отсидки он отошел от воровских дел и создал свое собственное, окружив себя колдунами, знахарями, кудесницами. Теперь он назывался экстрасенсом и бахвалился своим уголовным прошлым, которое как нельзя более соответствовало его черным сатанинским глазам. Может, именно это и привлекало к нему толпы клиентов.

Варягу было известно, что Гоша живет на широкую ногу: отгрохал коттедж, купил «мерседес», в центре города имеет шикарный офис, который стоит весьма недешево. Оставалось только гадать, откуда в нем столько энергии, позволившей осилить все это. Однако, поразмыслив, Варяг понял, что все закономерно. Гоша всегда был крепким мужиком с хорошими организаторскими способностями, а если к этому добавить еще и его феноменальный дар, то этого следовало ожидать.

Они не виделись несколько лет, и, конечно, оба изменились. Варяг стал и внешне другим, но дело стоило того, чтобы приоткрыть старому приятелю свою личину.

Варяг пришел в офис один. Молодая секретарша сообщила, что Григорий Яковлевич скоро освободится.

Варяг огляделся. Пол под мрамор, стены выложены яшмой. Он прикинул, во сколько обошлась хозяину небольшая гостиная, и понял, что тот на подъеме. Гошина популярность росла год от года, частенько он появлялся на экранах телевизоров, поражая обывателей магическими способностями. Кто бы мог подумать, что Гоша умеет не только причинять боль, но и снимает ее, успешно заговаривает болезни. Однажды он присутствовал на трудных родах. Как потом утверждала женщина — роды под гипнозом прошли совершенно безболезненно. И Варяг нисколько не сомневался, что так это и было.

Газеты любили писать о том, что он связан с космосом и внеземными цивилизациями и потому раз в неделю непременно получает информацию о грядущих стихийных бедствиях в различных частях света. Самое удивительное было то, что частенько эти предсказания сбывались.

Гоша взял на себя роль оракула... предсказывал перестановки в правительстве, рождение новых партий и многое другое. Одна из местных газет ввела рубрику, которая так и называлась: «О чем говорит Григорий Яковлевич».

Впрочем, он всегда был шарлатаном высшей пробы. И срок мотал за мошенничество! — Подвел итог своим мыслям Варяг.

— Входите! — услышал он голос секретарши. — Григорий Яковлевич ждет вас.

Варяг посмотрел на девушку. Она была красива. Как, должно быть, сладко стонет эта киса под телом Гоши, подумал он и тут же потерял к ней всякий интерес.

— Чем могу быть полезен? — спросил Гоша вежливым тоном.

Варяг смотрел на него и с трудом узнавал прежнего лагерного мужика, который цедил бранные слова, как пижон пиво. Вишь ты! Чем могу быть полезен...

— Не узнаешь меня... Гоша? — решил быть откровенным Варяг с самого начала.

Григорий Яковлевич пристально посмотрел на гостя. Не каждый день вспоминают его кликуху! А потом зрачки у него расширились... он включил свой «фонарь» внутреннего зрения.

— Это ты, Варяг?

— Я.

— Не ожидал. Какими судьбами? Пустили слушок, будто ты пропал. Не то убили тебя, не то свалил за бугор. И лицом на себя не похож! Я уж думал, что и не узнаю, — удивлялся Гоша. — Да ты садись! Чего стоишь? Расскажи, все как есть. Устал я от этих клиентов! Кроме собственных болячек, ничего их не интересует. Того и гляди, что сам сляжешь. Приятно все-таки общаться со здоровыми.

— А ты меня узнал, — протянул Варяг.

— Не волнуйся! — отмахнулся Гоша. — Если надумал скрываться, то тебя никто не узнает, уж ты мне поверь. Не знаю, что ты с собой сделал, но у тебя изменился даже голос.

— От тебя я не думаю скрываться.

— Тогда выкладывай, в чем дело.

— Это долгая история. Если расскажу все как было, ты не поверишь.

— Я могу узнать все и сам, ты только слегка расслабься.

— Валяй! — согласился Варяг.

— Смотри на мою ладонь! — Гоша вытянул руку в сторону. — Считай про себя до тридцати.

На втором десятке Варяг ощутил, что погружается в легкую дрему. Вдруг захотелось сбросить ее с себя, но у него уже просто не оставалось на это сил, и, устав сопротивляться, он отдался этому чувству и крепко заснул. Он не знал, сколько это продолжалось, а когда открыл глаза, увидел перед собой строгое лицо Гоши.

— Да... Ничего себе! Диву даюсь... Впрочем, способностей у тебя навалом. В картах тебе нет равных, умножать и делить в уме — раз плюнуть... Но чтобы такое? Значит, ты теперь Владислав Геннадьевич и доктор наук?

— Да.

— А когда успел языки выучить?

— Способности, Гоша! Английский неплохо знал еще в колонии. А однажды к нам в зону попал внешторговец. Тут уж я не растерялся.

— Внешторговец... Надо же! За что сидел?

— За валютные махинации. В общем, английский я прилично знаю, французский волоку...

— А зачем это тебе?

— Ты был крепкий мужик и почти блатной. Я отвечу тебе так, как есть. С русским на Западе делать нечего, а нам туда надо позарез. Не удивляйся, но без твоей помощи не обойтись, и в этом плане за нами не заржавеет.

— Всегда пожалуйста! Что от меня требуется?

— Сеанс гипноза, скажем так. Нужно выяснить, что на уме у двоих субчиков. Парочка вопросов, и все такое.

— Конкретно давай!

— Хотелось бы узнать, где золотишко коммуняков.

— Ну и ну! — Гоша выпрямился. — Круто! Старые привычки живучи. Гоша запустил пятерню в свои соломенные волосы и долго массировал загривок.

— После твоих сеансов клиенты помнят, о чем их спрашивали?

— Исключено! Я даже могу внушить ситуацию, не относящуюся к делу. Будто гуляют по лесу, плавают в реке, — улыбнулся Гоша.

— А скажи, все подвержены гипнозу?

— В нашей среде бытует мнение, что некоторые не поддаются. Но у каждого специалиста есть коекакие секреты. Так вот, я считаю, что гипнозу подвластны все! Просто к каждому нужно подыскать свой ключик. На одного достаточно просто посмотреть, с другим необходимо поговорить по душам, с третьим надо распить бутылочку. Твои клиенты, они что — крупные шишки?

— Не сказал бы, но от них многое зависит.

— Хочешь получить от них информацию раньше, чем они успеют слинять?

— Именно так, Гоша!

Григорий Яковлевич раздумывал не дольше секунды.

— Я согласен, — сказал он. — Как говорится, по рукам. Сколько я огребу?

— Даю сто тысяч.

— Сто тысяч баксов?!

— Ну не деревянных же! — погасил его эмоции Варяг.

— Да за такие деньжищи я и лавочку свою прикрою! Впрочем, вру. Втянулся... Суета, конечно, но как-никак общение. А теперь давай посидим, выпьем, покалякаем. Былое-то не вспоминается?

— Такое не забывается.

— Это надо же! Ну кто бы мог подумать! Ты, Варяг, — совсем другой!

Забулькало дорогое вино. Варяг взял фужер и прищурился сквозь хрусталь на свет.

— Нет, Гоша, тут ты ошибаешься! Я по-прежнему вор в законе... Но вернемся к нашему делу. Один из них заядлый картежник — стало быть, тебе и карты в руки.

Гоша улыбнулся. Карточную игру он обожал. Это было всем известно. Долгое время он был шулером высшей пробы. Шлифовал свое мастерство всюду, где бы ни находился: на нарах, в столовой, на прогулках. Катая в ладонях шарики, упражнял мышцы пальцев. Стачивал кончики, отчего они приобретали особую чувствительность, отказывался выполнять физическую работу, чтобы они не огрубели и не потеряли осязаемость. Пальцы были его глазами: при раздаче он без особого труда узнавал каждую карту. Он знал сотни шулерских приемов. Раз в месяц собиралась компания. Ночь напролет резались в карты, выигрывая друг у друга машины и дачи. Главным условием игры было обязательное шулерство, возведенное в ранг искусства. Эти сборища были чем-то вроде высших курсов повышения квалификации, где партнеры перенимали друг у друга мастерство и приемы, тренируя психику и пальцы.

Однако на зоне Гоша принадлежал к сословию мужиков и свой статус предпочитал всем остальным.

Гоша был легендарной личностью.

Однажды в Кишиневе судьба свела его с местными шулерами, которые специализировались на том, что обыгрывали залетных фраеров. Секрет везения заключался в том, что столик был оснащен специальной аппаратурой, высвечивающей карты у игроков. А вся эта сложная механика приводилась в действие шулером, который сидел на балконе и врубался мгновенно, стоило только его напарнику подать знак.

Гоша проигрывал. Такого еще с ним не случалось! Он терял банк даже при удачном раскладе. Кроме того, игра шла «в лобовую», запрещались всякие шулерские приемы. Гоша насторожился. Партнеры, похоже, «ночевали» в его картах. Или же кто-то невидимый стоял за его спиной и указывал сидящим рядом нужную масть.

И тогда Гоша решил воспользоваться даром деда, хотя за карточным столом такого себе не позволял. Игрой заправлял парень лет двадцати восьми, который то и дело лыбился и цедил блатные словечки. На блатного он не тянул. Из приблатненных, решил Гоша и посмотрел ему в глаза.

— Ты почему у нас выигрываешь? — спросил он с расстановкой. — Знаешь расклад, о котором мы понятия не имеем?

— Я знаю, что ты отменный шулер. Обыгрываю тебя, потому что на балконе свой человек включает систему, что вмонтирована в стол. Она высвечивает карты, — с откровенностью пятилетнего пацана сказал приблатненный.

За столом сделалось тихо. Тишина предвещала бурю. А Гоша уже выключил свой «фонарь» и с лукавой улыбкой наблюдал за тем, что последует дальше.

— Да что ты, падла, делаешь?! — поднялся один из купцов. — Ты нас что, за фраеров держишь?! Да мы тебя живого в землю зароем! — бросил он тому в лицо карты.

Приблатненный недоуменно пожал плечами.

— Ты о чем, братан?

— Ну гад! — Купец зыркнул на балкон. — Эй ты, потрох, а ну сюда живо! Или завтра каждому из нас по новенькому «жигуленку», или считайте, что зря на свет родились. Приговорим вас, и все дела!

Это была серьезная угроза, и никто не сомневался, что через сутки она будет выполнена.

На следующий день у Гоши был новый «жигуль».

Сейчас, слушая Варяга, Гоша подумал о том, что начал забывать шулерские приемы. Он извлек из стола нераспечатанную колоду карт. Тщательно перетасовал, а потом положил перед Варягом четыре карты, и, когда тот взял их, Гоша без колебания сказал:

— У тебя на руках три туза и восьмерка бубен.

— Точно! — Варяг бросил на стол карты.

— Продолжим?

— Давай.

Гоша сдал Варягу и себе.

— У тебя три шестерки, у меня три короля. Ваши не пляшут!

Небрежным и в то же время щеголеватым движением пальцев, по которому всегда можно узнать картежника, он перевернул карты.

Перед ним лежало три короля.

— Сейчас первую карту из колоды беру я. Сверху будет туз. — Гоша не ошибся. — Следующая твоя карта, это восьмерка червовая, дальше дама пик.

Варяг улыбался, переворачивая карты.

— Из тебя получился бы хороший вор. Напрасно ты нас сторонился.

— Блатной хомут не для моей шеи, — поскромничал Гоша. — Но когда в руки плывут хорошие деньги, отказываться грех!

Он усмехнулся, и его лицо приняло плутоватое выражение.

ГЛАВА 24

Страсти предвыборной кампании разделили избирателей на две неравные половины. Одни топтались на площадях, выкрикивая всякие лозунги, другие выражали свой протест, сидя перед телевизором. Время от времени обе стороны обменивались мнениями — в курилках, магазинах, на транспорте, готовые в любой миг сойтись в рукопашной. Так зарождались прогрессивные движения, так рушились прежние программы, и идея, отшлифованная где ни попадя, спешила вырваться на свежий воздух с одной лишь целью — ломать, крушить. Повсюду красовались портреты кандидатов. Молодые и не очень, угрюмые и с белозубой улыбкой, они грозили, обещали. В глазах рябило от множества партий и обилия лозунгов. Похоже, каждый кандидат заманивал избирателя красочным фантиком. Однако эти призывы напоминали сказку про витязя на распутье. В какую сторону ни пойдешь, везде плохо! И потому никто никуда не спешил.

Варяг неторопливо шел по улице. Стихийные митинги набирали силу. На лицах многих он видел скептические ухмылки, некоторые слушали, разинув рот, другие — так, как могут внимать лишь словам пророка. «Интересно, какими глазами они смотрят на меня», — подумал Варяг.

Он внимательно наблюдал за доморощенными трибунами, видя в каждом из них потенциального противника, и уже сейчас отмечал слабые и сильные стороны оппонентов. Одни умели говорить и держали аудиторию — эти опасны! Косноязычных он вообще не брал в расчет.

Увидев на стене листовку со своим изображением, он остановился. Пробежал глазами набранный крупным шрифтом текст программы и несколько обещаний, без которых не может обойтись ни одна предвыборная канитель. «Интересно, читают или нет? Ни пятен на листе, ни царапин. А может, избиратели так меня любят, что не хотят портить мой фотогеничный портрет? Вот других же марают!»

Шагов через двести Варяг задержался надолго. На площади негде было яблоку упасть. Народ не безмолвствовал — гудел, как растревоженный улей. Когда на трибуну, наспех сколоченную из досок, поднимался оратор, все умолкали.

— До каких пор мы будем терпеть всяких прихлебателей? — негодовал иной.

— До каких пор мы будем терпеть над собой эксперименты? — вторил другой.

На трибуну взобрался третий — невысокий коренастый мужчина.

— Наша жизнь — это не опытное поле для неуемных в своей тупой деятельности бездарных личностей, — громко чеканил он каждое слово. — Мы не подопытные кролики. Если тех, кто сейчас сидит в креслах, оставить еще на пару лет у власти, мы совсем разучимся жрать! Это какой же нужно быть бездарью, чтобы в такой короткий срок разбазарить страну. Наша держава, как продажная девка, пошла по рукам. До каких пор будут насиловать нашу Родину?

Варяг внимательно слушал. Это был один из кандидатов, он узнал его по портретам. И, судя по всему, противник серьезный. Он, подобно музыканту с абсолютным слухом, играл такую мелодию, которая никого не оставляла равнодушным. Родина. Честь. Это всегда беспроигрышный вариант.

— Мы и раньше жили не богато, но сейчас дошли до черты, за которой — пропасть. Россия сейчас напоминает человека, который надумал перебраться через бурлящую реку по узкой доске. Один неосторожный шаг — и мы в пучине. Месяц назад у меня умерла мать. Добрая набожная старушка, каких в России не один миллион. Что она сказала мне перед смертью? Сынок, говорит, прожила я долгую жизнь, а вот вспомнить нечего. Батрачила, жила в нищете, теперь в нищете помираю. Хоть бы один светлый денечек в памяти воскресить, так нет его! Вот так и вся наша Россия. Сколько бы мы ни трудились, а жизнь наша лучше от этого не становится. Обнищал народ. Разве не обидно труженику получать пенсию, которой едва хватает на хлеб и чай, когда безусые юнцы разъезжают на дорогих машинах и покупают виллы на Средиземном море? Я — доктор наук, заведующий кафедрой университета, однако получаю меньше дворника или сантехника из домоуправления. Нужно потребовать у государства выплаты задолженностей, нужно пересмотреть механизм распределения заработной платы. Нужно требовать отставки правительства и серьезно подходить к выбору каждого кандидата. В новый парламент должны войти люди честные, принципиальные, болеющие и за судьбу государства, и за каждого человека в отдельности.

Он сошел с трибуны, тотчас смешался с толпой.

С каждым днем Варяг все более втягивался в предвыборную борьбу. Она напоминала ему азартную игру с большими ставками, где каждый норовил применить шулерские приемы. Допускалось все:

от подглядывания до крапления карт. Варяг, владеющий этими приемами в совершенстве, неуклонно продвигался к финишу. Денег он не жалел, давал всякому, кто обещал отдать за него свой голос. Там, где он выступал, всегда было полно народу, а старики, получавшие вознаграждение в размере месячной пенсии, смотрели на него такими глазами, какими верующий взирает на апостолов.

— Милóй ты наш, — шепелявили беззубые рты, — вот за тебя мы и будем голосовать. Никто нам не нужен, все нас обманывают, только что по миру не ходим. Совсем жизни не стало. И помирать страшно. Гробовые отобрали... Одной только мыслью и тешимся, может, добрые люди сжалятся и как-нибудь схоронят.

В округе баллотировалось еще четверо, и Варяг чувствовал, как стрелка доверия склоняется в его сторону. До выборов оставалась ровно неделя, и последний день должен быть решающим. Нужно распорядиться, чтобы наняли людей, которые должны выкрикивать его имя хоть в конференц-зале, хоть на многолюдных перекрестках. Так тоже создается популярность. За деньги можно сделать все. Больше шумихи — больше пользы. Для достижения цели хороши все средства.

На трибуну забрался молодой мужчина. Тощий и крикливый, он брызгал слюной. При каждом бранном слове его острый кадык судорожно дергался, будто он за раз опрокидывал в себя стакан водки.

— Господа, — сказал он, — нас призывают голосовать за Щербатова. Что мы знаем о нем?

Варяг насторожился.

— Это человек, который в тридцать с небольшим стал доктором наук. Эдакий баловень судьбы, вознамерившийся шагать по нашим головам к своим честолюбивым планам. Что он знает о жизни? — Варяг хотел было уйти, но решил остаться и теперь с интересом всматривался в плотоядное узколобое лицо. Судя по настроению оратора, речь обещала быть захватывающей. — Да ничего, кроме неодушевленных книг.

Варяг едва сдержался, чтобы не расхохотаться. Он стоял поодаль и внимательно наблюдал за всеми. Совсем не хотелось, чтобы именно сейчас кто-либо узнал его в лицо.

— А нам нужен человек, который хлебнул бы соленого до слез и на собственной шкуре испытал бы, что значит шкандыбать по буеракам! Он нас на дорогу не выведет. Это не тот человек, за которого мы должны отдавать свои голоса.

Варяг улыбнулся. Это как-никак тоже реклама! Следующим оказался крепыш с красным лицом. Некоторое время он выдерживал паузу, посматривая по сторонам, словно искал, к кому бы обратиться с речью, а потом уверенно начал:

— Вот предыдущий оратор говорил, будто господин Щербатов — книжный червь. Может быть, оно и так, только этот кандидат не такой ангел, каким хочет показаться. Знаете, почему там, где он выступает, полно народу? А потому, что купил всех! Выдает деньги каждому, кто обещает голосовать за него. — Речь становилась все интересней, и Варяг решил дослушать ее до конца. — А все эти темные личности, что шастают в толпе во время его выступлений? Да это самые настоящие уголовники! Уверяю вас, это сговор, который может иметь далеко идущие последствия.

Следующий оратор — молодой мужчина с хорошо выраженной мимикой — все время шмыгал носом, и чего ему не хватало, так это зажать ноздрю да и сморкнуться на тесаный пол. Он не говорил, он пищал:

— Избиратели, мы не имеем права голосовать за человека, моральные качества которого оставляют желать лучшего! Нам стало достоверно известно, что он гомосек. Щербатов всюду таскает за собой мальчиков. Вы посмотрите на его глаза! Такие глаза могут быть только у человека с дурными наклонностями. А еще он связан с мафией...

Варягу показалось, что взгляды присутствующих обратились на него. Три шага назад, и он оказался в тени.

— Случайно не знаешь, кто это? — спросил Варяг у парня, стоящего рядом.

— Кирилл Новиков. Он один из лидеров движения демократического плана.

Дальше Варяг слушать не стал. Он повернулся и зашагал прочь.

Ангел не скрывал негодования.

— Ну и что! Он тебя назвал педиком, а мы должны подставить под удар все наше дело? Ты поддаешься эмоциям. Сейчас нужно быть выше этого. Один неверный шаг, и мы можем потерять многое.

— Сам знаешь, что бывает на зоне за это слово. Я не простил бы там, не собираюсь и здесь! — закипал Варяг. — Пропади все пропадом, а я этого так не оставлю.

— Но для всех ты не вор, а доктор Щербатов!

— А я плевать хотел на это! Я — Варяг! Я — урка!

— Варяг, ты теряешь рассудок! Сейчас ты похож на зарвавшегося пацана! Пойми ты наконец, что это может плохо кончиться!

— Все, Ангел! Я сказал свое слово!

— Черт с тобой! Сделаю то, что ты хочешь. — Ангел помолчал. — А может, ты и прав, дуракам укорот не помешает!

— Его зовут Кирилл Новиков! Узнай, где работает, где живет.

— Ладно! Накажу его.

— Нет! Я сам. Для меня это принципиально.

Никто никогда не называл меня так, не будет называть и впредь. Ты знаешь наши законы, и за это нужно наказывать строго, иначе воры не будут уважать!

— Из тебя точно получится отличный парламентарий. Еще в Думу не прошел, а уже навязываешь свои законы. А может, все-таки послать к нему качков?

— Нет! Я сам!

— Где мы встретимся?

— Зайду к тебе вечером.

Варяг из осторожности никогда не бывал у Ангела. Хотя знал, где его дом. А сейчас он заметался, словно гончая, потерявшая след.

Варяг нервничал, но внешне был спокоен. Правда, кривая усмешка выдавала его волнение.

— Ты готов?

— Пойдем.

Некоторое время Ангел стоял у подъезда. Огляделся, прислушался. Ни души! Этот район и днем был малолюдным, а в поздний час вымирал совсем. Ангел докурил сигарету, щелчком послал в кусты окурок, махнул рукой.

Трое, поочередно, шмыгнули в темный подъезд.

— Говоришь, он живет один?

Глаза Варяга горели желтым огнем, как у волка, вышедшего на охоту. А может, это лунный свет? — покосился на него Ангел.

— Один. Месяц назад расстался со своей бабой и сейчас злой на весь мир. В квартире, кроме него, точно никого.

— Что он за человек?

— Ни Богу свечка... Черт, одним словом, — ввернул Ангел лагерное словечко. — Побывал у него. По углам кучи мусора... хоть лопатой выгребай. Похоже, на уме одни митинги.

— Так, понятно!

Они поднялись на второй этаж. Потребовало несколько секунд, чтобы отомкнуть дверь. Один за другим вошли и те трое. У стены стоял диван, на котором лежал человек. Слышалось легкое посапывание.

Варяг подал знак, и тут же один из качков сдернул со спящего одеяло, другой накинул на шею веревку.

— Кто вы такие? — хрипел перепуганный Новиков. — Что вам от меня нужно?!

— Не узнаешь? — хохотнул Варяг. — А мне показалось, что ты обо мне знаешь все, и даже больше...

— Ты... Щербатов?!

— Странное дело. Ты меня знаешь, а я тебя нет. Чем же я тебе так насолил? Молчи больше — за умного сойдешь! Слыхал такую мудрость? Разбазлался ты нынче, дурачок... Придется наказать тебя, чтобы не зарывался.

Варяг подошел ближе. Хотелось, чтобы глаза Новикова остекленели от страха, но он увидел в них лишь недоумение.

— Что такого я тебе сделал?

— Ослабьте веревку, — добродушно хмыкнул Варяг. — Задушите раньше времени, и поговорить будет не с кем. Знаешь, кто я такой?

— Кандидат, — промямлил Новиков.

— И это тоже. Только это не самая главная моя добродетель. Приходилось слышать о ворах в законе? Так вот, я один из них. Во мне криком кричат десять лет, проведенные за решеткой. Наверное, обратил внимание на то, что ни в одной газете об этом не упоминается. То-то! Для всех я другой, но сам-то знаю, что я остался прежним, и я не люблю, когда такие козлы, как ты, стоят у меня на дороге. По глазам вижу, хочешь спросить, почему я лично занимаюсь тобой. Потому что ты меня задел. Ты говорил, что я связан с мафией? Говорил... Так вот ты не прав! Потому что я и есть мафия! Ты оскорбил меня прилюдно. Я обязан тебя убить, иначе со мной перестанут считаться. Ладно, наша беседа затянулась, у меня есть другие дела. — Варяг пошел к двери. — Да не веревкой! — бросил он с порога. — Подушкой надо.

— Надеюсь, все помнишь, ничего не забыл? Говоришь Юрию Петровичу, что мы твои друзья, — наставлял аппаратчика Варяг. — А потом скажешь, давайте, мол, перекинемся в картишки.

— К картам у него слабость.

— Какой игре отдает предпочтение?

— Ему без разницы. В очко, в буру, в свару...

— Это хорошо. Ты ему объяснил, что придешь не один?

— Да.

— А он что?

— Мужик он простой, без светских церемоний. В подробности вдаваться я не стал. Сказал, что вы тоже из аппарата. Этого ему вполне достаточно.

— Ладно, теперь поехали!

Машина нырнула в плотный поток автомобилей и затерялась в чадящем стаде. Варяг без интереса посматривал по сторонам.

— Прямо... До второго поворота... Теперь налево... У светофора направо, — командовал аппаратчик.

Гоша уткнулся в окно и помалкивал.

— Ты знаешь про Лиса? — спросил Ангел.

Варяг в ответ кивнул. Печальные вести — как круги по воде. Оба думали об одном и том же. Что убили Лиса, Варяг узнал с опозданием, прочитав вечернюю газету. Труп изуродовали, опознали лишь по наколкам. Когда Лис неожиданно исчез, это не вызвало ни у кого подозрения: он и раньше пропадал неделями. Лис был дамский угодник. Решили, опять загулял. И только несколькими днями позже в лесу был обнаружен его труп.

Для Варяга и Ангела не являлось откровением, а уж тем более секретом, что нэпмановские воры поведут наступление по всему фронту, чтобы поправить свое пошатнувшееся положение. Кто владеет общаковской кассой — тот и главный! Это все известно, как и то, что перевес в последние годы оказался у новых воров. То, что они решили дожать, не вызывало сомнений. Было ясно и другое. Смерть Лиса, скорее всего, открывает длинный список имен. Нэпмановские воры и так уже значительно потеснили своих конкурентов с рынков, из гостиниц. Убийство Лиса было частью ответа на акцию, которую новые воры предприняли, устранив Колуна и Гордого с год назад. Поверить в то, что сумеют оправиться от потрясения так скоро, было трудно. А вот поди ж ты! Не прошло и двух недель, как нэпманы нанесли ответный удар по авторитетам — выбили две ключевые фигуры.

Варягу не хотелось впрягаться в это дело именно сейчас. Впереди маячили другие ориентиры, более перспективные, а ему приходилось отвлекаться, дабы разобраться в собственном семействе.

Сейчас, как никогда, нужна мудрость великого Медведя. Он-то уж точно нашел бы выход, сумел бы уладить конфликт. В стране вечный бардак и беспредел. С этим пора кончать.

— У тебя есть связь с нэпманами? — спросил Варяг.

— Есть, — отозвался Ангел. — Впрочем, она никуда и не пропадала. Сам знаешь, некоторые проблемы решаются только при личных встречах.

— Организуй мне такую встречу. И чтобы присутствовали как наши авторитеты, так и их авторитеты.

— Собираешься им что-то сказать?

— Да, кое-что.

Машина подкатила к многоэтажному зданию.

— Здесь живет Юрий Петрович, — сказал аппаратчик. — Сначала обитал в правительственном, потом со всеми этими перестроечными делами перевели в квартиру поменьше. Но здесь тоже не хило, сейчас сами убедитесь. Он нас уже минут пятнадцать дожидается.

Первым в квартиру вошел Гоша, следом все остальные.

Хозяин оказался плотным лысеющим человеком в модных подтяжках. Они были настолько широки, что на его спине выглядели пулеметными лентами. Он радушно распахнул объятия, будто был знаком с гостями по крайней мере со студенческой скамьи. В его глазах, да и в манере держаться не было ничего такого, что давало бы основание предположить, что он чиновник средней руки. А что на прием к нему нужно записываться и подолгу отстаивать в длинных очередях, и в голову не могло прийти. Он был прост и доступен.

Тотчас на столе появились бутылка водки и приличная закуска. Видно, хозяин и вправду готовился к встрече. Гоша с удовольствием уплетал постную ветчину. В правом кармане ждала своего часа колода карт с голехонькими девочками вместо тузов. Ему не терпелось метнуть колоду на стол.

Хозяину грешная страсть тоже не давала покоя. Он вскоре предложил переброситься в картишки. Варяг отметил в его глазах азартные огоньки, когда Юрий Петрович принялся тасовать колоду.

Гоша знал, что у каждого человека против гипноза существует ряд преград, и для того, чтобы легче было добраться до сознания, нужно устранить эти барьеры. А если точнее — требовалось укрепить фундамент, на котором он построит здание, где и будет властвовать. Гипноз — это всего лишь ключ, с помощью которого он отомкнет сознание — дверь, через которую войдет. Но прежде чем повернуть ключ, нужно, проиграв в буру крупную сумму, распалить партнера. Вот тогда бери его голыми руками!

Гоша терпеливо ждал этого момента, понимая, что проигрыш окупится сторицей. Хозяин ликовал. Ему неимоверно везло, и он совсем не догадывался, что удаче сопутствовали ловкие и чуткие пальцы Гоши.

Варяг с Ангелом следили за игрой. Правда, хозяин отвлекал, он то и дело оттягивал подтяжки, хлопая пулеметными лентами по мощной груди. Желая заполучить дармовой куш, он напоминал мальчишку — искренне огорчался, когда карта избегала его, и не сдерживал эмоций, когда удавалось забрать банк.

Аппаратчик цедил водочку и, делая вид, будто ему неинтересно, косился на столик, где бушевали страсти. Единственный, кто оставался безмятежным, был Гоша. Он с легкостью проигрывал солидные суммы, будто играл на фантики. На стол легла крупная купюра, потом еще одна, третья, четвертая... И, наконец, будто устав от игры в поддавки, Гоша отчеканил:

— Смотри на меня и слушай!

Варяг увидел, как в его черных цыганских глазах загорелся огонек. Хозяин покорно уставился на него. Сила взгляда Гоши была настолько велика, что на некоторое время подчинила себе и сидящих рядом. Он как бы стал электромагнитом.

— Где деньги, которые ты намереваешься переправить за границу?

Пауза. Мальчишка, дуриком выигравший кучу денег, сопротивлялся...

— Знаешь ли ты, где находятся деньги? — Вопрос прозвучал строже.

— Знаю.

— Где?

— На военном складе.

— Командование знает?

— Об этом не знает никто. Они в обычных ящиках и значатся, как важный стратегический груз.

— Что там? Золото?

— Да. В ящиках золото. Правда, в некоторых упакованы доллары, марки, швейцарские франки.

— Сколько ящиков?

— Много. Потребуется несколько грузовиков.

— Знаешь ли ты, где находятся остальные деньги?

— Могу только догадываться. Я отвечаю за свою часть.

— Помимо тебя, кто еще распоряжается этими деньгами?

— Практически никто. Ни один ящик не может быть отгружен без моего согласия. Причем я обязан лично отдавать распоряжения.

— Слушай меня и запоминай мой голос. Я тебя буду называть Козырь. Это твое второе имя. Где бы ты ни услышал его, должен подчиниться моей воле. Твое имя Козырь! Запомнил?

— Мое имя Козырь.

— Как только скажу: «Золото вывозить», немедленно должен исполнить мой приказ. — Козырь молчал. — Ты понял меня?

Глаза Гоши смотрели на него не мигая.

— Да, я понял.

Гоша почувствовал, что устал. Так бывало после каждого сеанса. Крупные капли пота выступили у него на лбу, рубашка промокла насквозь. Душ бы принять, да не встанешь ведь из-за стола, игра идет! Гоша ослабил воротник. Он видел перед собой глаза Козыря — тот готов был исполнить любой приказ. Чтобы подчинить его себе, потребовалось проиграть пару тысяч в карты. Только и всего!

— Пока ты свободен, Козырь, жди моего приказа.

Перерождение произошло мгновенно.

— И это мое! — живо выкрикнул Козырь, очнувшись от сна. Теперь он уже ничем не напоминал того человека, каким был еще минуту назад. Сейчас перед ними сидел вполне респектабельный мужчина, увлеченный игрой в карты, и не было для него большего наслаждения, чем выиграть еще одну тысячу. — Вот так-то!

Гоша скинул карты.

— Забирай, тоже твое.

— Давно мне так не везло, — весело смеялся Козырь.

— Бывает! — улыбнулся Гоша, понимая, что еще один человек целиком в его власти. — Забирай последнее, что у меня осталось.

Козырь довольно похихикивал, распихивая по карманам пачки денег.

ГЛАВА 25

Ангелу не стоило большого труда связаться с нэпмановскими ворами, хотя их разделяли несколько лет взаимной вражды. Совсем недавно все было тихо-мирно, а потом — пошло-поехало. Незначительная ссора перешла в конфликт.

Главной причиной раздора была непримиримость нэпмановских воров. Они отвергали всякого, кто не признавал их идеологии, чересчур жесткой для обычного вора. В число опальных попало целое новое поколение воров в законе, которые рискнули взять под защиту зарождающуюся буржуазию и нередко становились ее компаньонами.

Нэпмановские воры не признавали никаких компромиссов. Прямолинейные, они свято блюли идеологию законника, завещанную урками двадцатых годов. Нужно было проявить незаурядную гибкость и изворотливость, чтобы добиться от них согласия на встречу с раскольниками.

Это получалось только у Ангела.

Ангел выехал на встречу. Один. Нэпманы по достоинству оценили его смелость, предоставили машину и сопровождение. Двадцатилетние юнцы во все глаза пялились на важного гостя. Он был посланником из другого лагеря и представлял собой мир, который они видели лишь издалека. Раскольники слыли богачами. Каждый из них сколотил состояние, которого хватило бы на десяток жизней обычных смертных. Нэпмановские воры были аскетами. Напоминали черных монахов богатых монастырей — даже скудную милостыню там складывали в общак.

Главным среди нэпмановских воров был дядя Вася. Он даже выход на свободу воспринимал, как наказание. Если и доводилось ему покидать зону, то, как правило, ненадолго и всегда по уважительной причине. Время от времени приходилось наказывать отступников и перераспределять общаковскую кассу.

Вся жизнь дяди Васи была примером для нэпмановских воров. В общей сложности он провел за решеткой больше тридцати лет. Всегда подтянутый, он имел строгую осанку командира и выглядел значительно моложе своих шестидесяти с хвостиком. Первый раз он сел подростком, едва четырнадцать стукнуло. Начинал простым карманником на вокзале. К двадцати годам он достиг такого мастерства, что с ним было трудно тягаться самым опытным ворам. Шутки ради он вытаскивал у прохожего из кармана часы и так же незаметно возвращал их обратно. Его чувствительные пальцы могли сравниться разве что с пальцами виртуоза-пианиста. В двадцать лет он и получил эту кличку. Дядю Васю уважали авторитеты. Однако к ремеслу карманника он со временем охладел и стал специализироваться на квартирных кражах.. И здесь он в короткий срок достиг такого уровня, которого обычный вор не успевает приобрести и при пятилетнем стаже. Дядя Вася без труда отпирал любой замок, и чем сложнее он был, тем интереснее ему казалась работа. Именно работа, поскольку содержимое квартир его как бы не интересовало вовсе. Одинокий, он отдавал всего себя воровской семье.

Дядя Вася ждал Ангела в тихом скверике, от которого лучами расходились четыре дороги. Это было предусмотрено на тот случай, если кто-либо попробует сыграть с ним злую шутку. Дядя Вася поступал так потому, что уже давно не доверял чужакам, а Ангел был для него именно таким. «Что это за законник, который давно вышел из тюрьмы!» — недоуменно пожимал он плечами.

На соседних скамейках сидели крепкие парни — охрана дяди Васи.

Ангел увидел его еще издалека. Дядя Вася не менялся последние двадцать лет. Казалось, годы обходят его сухощавую статную фигуру стороной. Время, конечно, оставило на его лице следы, но весьма незначительные. Несколько морщинок в уголках глаз его не старили.

Они были друг от друга так же далеки, как папа римский от патриарха, однако их разногласия не мешали поклоняться одному богу. И у новых, и у нэпмановских воров были во многом общие законы, нарушать которые значило сделаться вероотступником и впасть в ересь.

— Садись, Ангел, — сказал дядя Вася. — Мы ценим, что ты пришел к нам один, но больше не делай такой глупости. У нас достаточно желающих видеть тебя в белых тапочках.

— Это мне известно.

— Ну и слава Богу! Тогда чем обязаны?

— Закурить не хочешь? — Ангел потянулся в карман за пачкой сигарет и тотчас увидел, что на соседней скамейке парень смахнул с колен кепку. Вороненый ствол был направлен в его сторону — это он тоже увидел. Ангел понял: резкое движение, и тот без колебаний разрядит в него половину обоймы.

Задымили. Тяжелый разговор лучше начинать, хлопнув водочки, ну а если не поднесли, то можно и подымить. Иногда помогает снять напряжение.

— Тут вот какое дело! Не встретиться ли нам всем вместе? Обсудили бы, как жить дальше...

314

— Это еще зачем? — отозвался дядя Вася. — Нам и так все ясно.

— Что ясно? Так и будем жить, наставив друг на друга пушки? Тебе не кажется, что накопилась масса вопросов, на которые нужно отвечать сообща?

— О свидании просите, а сами предали воровскую идею. Как я объясню это своим людям, да вот хоть этим пацанам? — Дядя Вася начинал закипать, и Ангел видел, прибавь он немножко огонька, крутой кипяток хлынет через край. И вот тогда берегись! — Одну за другой вы похерили все заповеди законника. Барахлом разжились, раскатываете на дорогих машинах, в загранку зачастили, вам Гавайи подавай, снюхались с ментами! Вор в законе имеет право идти на контакт с ментами только в том случае, если это по делу. А вы с ними лижитесь, шуры-муры развели.

— Дядя Вася, ты забываешься, — нахмурился Ангел. — Если мы и контачим с ментами и тюремной администрацией, то только для того, чтобы облегчить жизнь ворам. У нас должны везде быть свои люди. Наступили другие времена. Нужно менять тактику хотя бы для того, чтобы не проморгать молодежь, а она, между прочим, хочет жить красиво. Не хуже гангстеров в Америке. Это тоже нужно учитывать. Я и сам не раз опускал всякого, кто начинал путаться с легавыми. Но то, что сейчас происходит, совсем другое дело! Пойми меня правильно, дядя Вася. Пойти на мировую с хозяином порой необходимо, чтобы нашей братве жилось полегче. Думаешь, если без конца с ними цапаться, можно творить благое дело? Как рыбак прикармливает рыбное место, так и мы их кормим.

— Можно говорить всякое, но большинство новых воров, что ведут дружбу с ментами, ссученные! Ни один из старых урок не позволил бы себе такого! Не воры, а барахольщики... Старые урки семей не имели. Все в общак! А теперь посмотри.

Авторитета не набрался, а уже себе домину отгрохал, машину купил. И не для дела, а чтобы пофикстулить друг перед другом. Раньше вор в законе гордился тем, что его общак самый сытный, и упаси Боже, чтобы взял себе полкопейки! А сейчас общак разбазаривается почем зря. С него тянет каждый, кому не лень. Сейчас как? Кто богаче, тот и авторитет. Скажешь, нет? А братва на зоне без подогрева задыхается! Нет, не понять мне вас. Раньше цеховики деньги нам выплачивали, а теперь воры в законе у них на службе состоят. Воровскую идею подорвали, а еще примирения хотите.

— Ну чего, дядя Вася, выговорился? — улыбнулся Ангел обезоруживающе.

— Нет еще! Кто у вас сейчас главный? Граф? Гуро? Да все они картежники! Никогда чернушник в авторитетах не ходил. Напутали вы все. То, чего еще десять лет назад стыдились, сейчас считается чуть ли не достижением. Всем пацанам мозги запудрили, опереться не на кого. Если и дальше пойдет по-вашему, то уже не каталы воровским миром заправлять станут, а босяки! Вы забыли, что настоящим вором считается не тот, кто обыгрывает в карты, а тот, кто крадет! Забыли клятву! — не унимался дядя Вася. — А ведь прежде чем вором в законе стать, каждый говорил: «Клянусь в преданности преступному миру, душой и телом сохраню идею справедливости людей!» А теперь ни справедливости, ни идеи. Все обосрали!

Дядя Вася неожиданно умолк. Окурок у него в руке давно погас, и упавший пепел испачкал брюки.

Парни на лавочках скучали, терпеливо дожидаясь, когда закончится встреча. На их лицах отражалась полнейшая безмятежность.

— Думаешь, мне не больно все это видеть, — продолжал после паузы дядя Вася. — Рушится то, чему я служил всю жизнь. Никогда не было в нашей семье ссоры. Вор в законе не имел права даже замахнуться на равного себе. Не то что ударить! А если и случался конфликт, то только сходняк решал судьбу обидчика. А сейчас стреляем друг в друга, как в тире по мишеням. Если такими темпами пойдет дальше, то мы вымрем все, как мамонты. Менты с нами ничего не могли сделать, так мы теперь им в этом помогаем — гробим друг друга. Но ты меня не перебивай, дальше слушай... До чего мы докатились? За деньги стали давать вора в законе. Это не получка, это титул! Каждый из нас его выстрадал, заслужил! За нас подписывались, и каждый из них ответил бы воровской честью, если бы мы изменили делу. А сейчас как выходит? Вором в законе может называть себя всякий денежный мешок. Куда мы пришли с такими правилами? Все переменилось на этом свете.

Ангел молча курил. Эта философия ему была близка, когда-то он и сам начинал именно с нее. Двадцать лет назад не было понятия «нэпмановский вор», «новый вор». Был один сход, все называли себя законниками. Для того чтобы стать вором в законе, нужно было иметь не только характер, но и, как монаху, соблюдать обет безбрачия. А когда сход все-таки разделился, Ангел принял сторону Медведя.

Именно тогда, наблюдая за цеховиками, он ко многому стал относиться иначе, справедливо полагая, что жизнь одна. Хотелось жить красиво. В конце концов фартовая жизнь — это не бараки, это не лярвы! Тянуло к красивым женщинам, к теплому морю, а чахлые березки северных широт хотелось поменять на пышные пальмы субтропиков

Медведь велел ему переманивать в их лагерь авторитетную молодежь из числа нэпмановских воров. Вот почему Варяг оказался у них.

Хотя продолжали собирать общий сходняк, но каждый из законников уже сделал свой выбор.

Многие законные, едва отмотав срок, уезжали на

317

море залечивать душевные раны. Покупали машины, коттеджи, обставлялись мебелью — словом, строили коммунизм для себя. Старую истину, мол, сначала воровская семья, а уже потом все остальное, они даже и не вспоминали. Тем самым они расшатывали устои, на которых держался принцип воровской справедливости.

Сначала их было немного, потом это сделалось явлением. Эта зараза стала распространяться по всему преступному миру, подобно ржавчине разъедала крепкую сталь воровских традиций. Новое поколение авторитетов — из молодых, да раннее — отличалось от воров в законе: неимоверная тяга к личному обогащению вытесняла все остальное. Они стали привлекать на свою сторону старых авторитетных воров, приглашали их на сходки и за приличную сумму покупали голоса, пока наконец преступный мир не раскололся на два враждующих лагеря.

Нэпмановских воров нельзя было уговорить, ибо своей жестокой аскетичностью они напоминали старообрядцев, которые готовы были скорее сгинуть в огне, чем изменить своим принципам. Но все люди смертны. Один за другим в могилу стали уходить прежние авторитеты, а освободившиеся места быстро заполнялись новоявленными ратниками.

Ангел сочувствовал нэпмановским ворам, но оставаться с ними не хотел. Он принял как бы обряд очищения и сейчас жил в новой вере. Дядя Вася внушал ему уважение своей непримиримостью, прежними заслугами, но не более того. Он был так же беден, как и десять, двадцать лет назад. Если позволял себе воспользоваться общаковской кассой, то лишь для того, чтобы справить новый костюм и отобедать в ресторане.

Старые урки всегда довольствовались минимумом.

— Вот видишь, дядя Вася, сколько всего накопилось. Нам есть о чем поговорить. Сообща, заметь... Сейчас, вдвоем, проблемы мы не разрешим.

Дядя Вася докуривал вторую сигарету. Ангел покосился на него. Настоящий проповедник аскетизма, ничего не скажешь! Дядя Вася, идеолог нэпмановских воров, сейчас размышлял, как лучше сделать, чтобы не навредить авторитету старых воров. Если старообрядцы выбрасывают за околицу кружку, из которой поили гостя, то как в таком случае должны поступить старые урки, когда будут сидеть за одним столом с отступниками, дерзнувшими поднять руку на былые воровские традиции?

— Нет, не получится!

— Пойми, дядя Вася, это нужно для нас всех, для всего воровского мира, — стоял на своем Ангел. — И надо торопиться, пока менты не обложили нас со всех сторон.

Эти слова дядю Васю заставили задуматься. Может, он в чем-то и прав, этот Ангел. Встретиться, послушать, что скажут, а дальше видно будет. В конце концов свои ведь, законники, а не легавые.

— Ладно! Уговорил. Когда и где?

— Во время похорон. На поминках. Лучшего места и не придумаешь. Успеешь предупредить своих?

Дядя Вася раздумывал секунду, а потом отрубил:

— Успею. И чтобы никакого оружия!

— Я ведь, кажется, дал понять, что нам перестрелка ни к чему?

— Я напомнил, — растопырил ладонь дядя Вася.

Они не доверяли друг другу. Возможно, авторитеты и будут без оружия, но те, кто обязан их прикрывать, наверняка явятся не с пустыми руками.

ГЛАВА 26

После похорон Лиса воры в законе собрались в просторном кафе. Смерть одного из них успела сплотить остальных, и какого бы лагеря они ни держались, становилось понятно, что проповедуют они одну религию.

Очень скоро выяснилось, что Лис был убит одним из бандитов. Так воры называли мужиков, которые задались целью изничтожить законников. Бесшабашные головы, они не робели, авторитет им был не указ. Бандиты рвали на себе рубахи и клялись в том, что сживут со света законников. Они были неплохо организованы, подчинялись воле своего пахана, и что их всех объединяло, так это обида на законы, установленные блатными. Бандиты отказывались давать деньги в общак, в открытую дерзили ворам. Заядлые картежники, они никогда не отдавали с кона на благое дело. Скорее всего, они так бы и растворились среди безголосых мужиков, терпеливо мотающих свой срок, если бы не схожесть их характеров. Они умели находить подобных себе в людской массе, а уж потом держались друг друга. Встретившись раз, больше не расставались.

Лиса подстрелил бандит по кличке Меченый. На

правой щеке у него действительно была метка — красное родимое пятно. Четыре года назад Лис надумал расправиться с этим паханом. Поскольку на одной зоне не может быть двух королей, он решил перевести Меченого в разряд отверженных, короче говоря — опустить.

Когда мужики ушли на работу в цеха, Меченого заманили в сортир, где его уже поджидали блатные. Они пытались заломить ему руки, срывали одежду. Меченый отбивался с отчаянием приговоренного — заточкой вспорол одному из блатных живот, зубами разорвал вену на руке другого, а потом выбросился из окна второго этажа и еле доковылял до цехов. Это спасло его от бесчестья. Потом зеки долгие годы рассказывали байку о том, как один из мужиков избежал петушатины.

Зона гудела несколько дней, бандиты требовали расправы с блатными за беспредел. И тогда мужики прошлись по цехам — ломали машины, крушили все, что попадалось под руку.

Свара прекратилась только тогда, когда враждующих разделила живая стена из молоденьких солдат, готовых на хриплый голос прапорщика палить в правого и виноватого, не выделяя среди одинаковой зековской робы ни блатного, ни мужика.

Обиду Меченый не забыл и сквитался с Лисом уже после зоны.

Законники тихо поминали Лиса, время для деловых разговоров еще не настало. Хмель должен был растворить в себе скорбность поминок. Всюду слышалось одно: «Как ни тонок и хитер был Лис, а попался и он».

О Меченом не говорили. Все знали, что и недели не пройдет, как он будет зарыт в дальнем конце кладбища, где обычно покоятся безымянные бродяги.

Смерть Лиса объединила всех урок ровно настолько, чтобы нести на плечах гроб с его телом.

Не в первый раз хоронили законного, да и, как видно, не в последний. Меченого приговорили дружно, не тратя лишних слов. А потом, будто за помин беспредела, выпили по стакану водки. Захмелев, дядя Вася кинул через стол Ангелу:

— Ну, чего звал? Что такого сказать хотел?

Дожевав кусок селедки, Ангел вытер салфеткой губы.

— Подожди еще пять минут, дядя Вася, сделай милость, — сказал он, посмотрев на часы.

Дядя Вася недовольно хмыкнул:

— Ладно, пять минут ждать могу.

Варяг появился, как и обещал, ровно в десять. Сопровождаемый двумя авторитетами, он миновал плотный кордон качков, которые молчаливо бросали на него любопытные взгляды, и уверенно вошел в зал, где сходняк пока еще справлял поминки. Варяг отыскал взглядом Ангела, здесь же были Федул, Гуро и Граф.

Варяг давно готовился к этому сходу и где-то в глубине души понимал, что, возможно, этот день — самый главный в его жизни. И сейчас важно не сделать ложного шага. Варяг налил себе полный стакан водки. Надо выпить в три глотка — и тогда исчезнет предстартовое волнение. Неужели он так слаб, что не может обойтись без водки? Варяг отставил стакан. Взяв вилку, ковырнул закуску. В горле стоял ком.

— Люди, — подчиняясь импульсу, который существовал как бы отдельно от него, произнес Варяг и встал. Он стоял в полный рост, его видели все. — Долго ли мы еще будем ссориться? Если так дело пойдет дальше, то через полгода бандиты и легавые нас всех перестреляют.

Воры переглянулись. А это кто такой? Никто из нэпмановских воров Варяга не узнал.

— Вспомните, как убили Колуна и Гордого, а все потому, что мы грыземся между собой, как последние суки, и готовы рвать глотки друг другу из-за куска вонючего мяса.

— Кто ты такой, чтобы нас судить? — тихо спросил дядя Вася. — Ты что, законник? И вообще, как он сюда попал? Что это за фраер? Кто его привел? Его знает кто-нибудь?

Варяг обвел взглядом своих, Ангел замер, Граф напрягся...

— Я вор в законе! — ответил Варяг. — Такой же, как и ты, дядя Вася. И наши порядки знаю не хуже присутствующих здесь! Каждый урка вправе требовать созыва сходняка, я воспользовался своим правом.

— Кто ты такой? Тебя кто-либо из сидящих за столом знает?

— Я — Варяг!

— Я знал Варяга. Ты на него не похож.

— Мало ли что! Дядя Вася, мы были с тобой вместе в Казани, — напомнил Варяг. — Ты был тогда смотрящим, а я держателем общака.

— Было дело, — дядя Вася вскинул бровь.

— Вот видишь! — улыбнулся Варяг. — Помнишь, мы отстегнули часть денег Земеле на сходняк?

— Ну, допустим...

— А он эти деньги отдал своей бабе. А я как держатель воровской кассы приговорил его. Может, хватит? Или еще припомнить пару случаев? — Варяг продолжал улыбаться.

— Зачем? Я узнал тебя. — Дядя Вася прищурился. — Тогда где ты пропадал все это время? Почему тебя не было?

— Это отдельная история. Намек понял, но ты ошибаешься, дядя Вася! Знаю, что мои слова не уйдут дальше этих стен, поэтому объясняю. Сейчас я доктор наук, директор института, занимаюсь международными проблемами. Главная моя задача на ближайшее время — победив на выборах, пройти в Думу. Я надеюсь на вашу помощь. Поддержка избирателей в тех областях, которые под вашим контролем, необходима позарез. Если один из нас попадет наверх, он сумеет втащить туда и остальных. Вопросы будут? Думаю, все ясно. Повторяю, без вас мне не обойтись.

В дальнем конце стола Варяг увидел Гену Рябого. Они знали друг друга еще по колонии и крепко корешились, хотя Рябой бы помладше года на два. Потом судьба свела их еще раз на зоне, но Варяг уже был законником, а Рябой проходил ученичество у законного. После того как его наставника, нэпмановского вора, перевели в другой лагерь, Рябой занял освободившееся место.

Варягу хотелось подойти к Рябому, хлопнуть по плечу, как когда-то в юношестве, но их давно уже отделил друг от друга свод нэпмановских законов.

Рябой навсегда определил свою судьбу.

И то, на что не решился Варяг, сделал нэпмановский вор. Рябой подошел с полным стаканом водки, протянул Варягу.

— Помнишь колонию? — спросил он вполголоса.

— Такое не забывается, Рябой!

— Ты меня называл тогда братом. Я бы хотел, чтобы ты называл меня так и дальше... если ты не против

Рябой засучил рукав и показал наколку, которую они сделали, побратавшись.

— Братаны, давайте разберемся! — повысил он голос. — Чего нам делить со своими ворами? До недавнего времени у нас даже общак был один на всех. У каждого из нас голубая кровь, мы же законники! Это мужики могут между собой воевать, а мы крепче оттого, что — вместе, — продолжал Рябой. — Я не хочу никого обидеть, но более честного блатного, чем Варяг, встретить трудно. Если он просит нас мириться, значит, надо послушать его. На воровское благо старается человек. Если мы наверх попадем, от этого польза нам всем будет.

Рябого поддержали.

— Варяг дело говорит, дядя Вася! Пускай лезет в парламент! И нас всегда отмазать сможет. Времена неспокойные наступают, — подал голос авторитет справа от дяди Васи.

— Варяг, хотя мы по-разному смотрим на блатной мир, но пришла пора объединяться. Не век же нам ершиться, — поддакнул сосед.

Самым непримиримым оказался дядя Вася. Он помалкивал, и Варяг понимал, что без его согласия победа будет неполной.

— Что ты предлагаешь, Варяг? Не ходи вокруг да около! — наконец разомкнул уста и дядя Вася.

Варяг немного помедлил. Обвел глазами стол. Четыре десятка законников, так сказать, главный оркестр воровского мира — в полном составе. Вот только место первой скрипки пока свободно. Четыре десятка законников — это сила! Этой мощи подчиняются не только блатные и мужики, с ней считаются и начальники лагерей. Это спички, которые могут запалить грандиозный костер. В огне сгорят многие лагеря, а чадящие головешки еще долго будут тлеть по всей России.

Среди них есть старые урки, чьи кликухи с благоговением произносят в каждой зоне. Им, конечно, не по душе новые времена, размышлял Варяг. Но есть и другие — теперь уже полноправные законники — желающие делать свою жизнь с размахом, равняясь во всем на гангстеров в Америке. Ветер перемен просквозил затхлые мозги. Что ж, красиво жить не запретишь, особенно теперь. Старые урки его вряд ли поймут, а новые, молодые — наверняка.

— Все дело в том, — начал он, — что сейчас мы проникаем на Запад. Это Польша, Чехия, Словакия. Мы наладили регулярную доставку автомашин. Даже одиночки, осмелившиеся перегонять иномарки, не могут проехать, не заплатив нам налог.

На многих западных базарах нами отлажен рэкет. Именно по этим каналам к нам течет валюта. Но это еще только самое начало! Польша и Чехия слишком бедны — там много не возьмешь! Германия, Франция, Великобритания — это совсем другое дело. Наши люди налаживают кое-какие контакты с мафией в Америке. Обо всем я тебе расскажу, дядя Вася, чуть позже.

— Картину ты расписал впечатляющую, — подхватил дядя Вася. — В мое время не мыслили так масштабно. Больше думали о том, как навести порядок в собственном доме. Может, поэтому и жили тогда дружно, — не удержался он от укора. — Американская мафия — нам не указ! Правда, они чтут крестного отца больше, чем родного. Почти все кланы связаны друг с другом родством. Это семья! И мы когда-то считались одной семьей. Помню, когда я еще ходил под паханом... Яшка Кривой его звали. Авторитетный был вор. Ты помнишь его, Кузя?

— Как можно Яшку забыть? — обиделся старый вор. — Медведь да Яшка Кривой — вот два авторитета, с которыми считались все блатари!

— Верно! Блатные законы Яшка оберегал, как мать родную! Так вот, он всегда говорил, что законники — родня по крови. Родня по матери и отцу — это нечто другое. Так почему сейчас мы друг другу суем фиги?

— Золотые слова, дядя Вася! Какой бы вор в законе ни был — он всегда избранный. Он, как батюшка в приходе. Пастырь — одним словом! Законный может не только карать, но каждый вправе ему и душу излить. Он и судья на зоне, он же и вместо отца. Никогда не допустит, чтобы семья по миру пошла. Как бы ни жили, но вера у нас одна! — сказал Ангел.

— Варяг дельные вещи говорит. Пусть скажет,

чем помочь. В своей семье как-никак, — добавил дядя Вася.

Варяг видел уже совершенно другие лица. Казалось, что за столом собрались не законники, которые способны навести страх на любую тюремную администрацию, а обыкновенные мужики, собравшиеся вместе для того, чтобы почесать языки и попить винца. На Руси всегда так, усмехнулся он про себя, приходят на поминки, а потом забывают, зачем пришли. Он обвел всех взглядом. Такие лица можно встретить в каждом дворике — азартные и добродушные, забивающие костяшками домино. Их можно увидеть на лавочках. Сидят себе, покуривают ядреные папиросы. А там, где гремит модная музыка и где девочки сверкают голыми ляжками, такие лица — большая редкость.

Нэпмановские воры всегда были аскетами и не терпели праздного времяпрепровождения. Эдакие чернецы воровской веры. А вот поди ж ты! И их пробрало...

— Правильно говорит дядя Вася, мы не должны ссориться, — гнул свое Варяг. — Нам никак не обойтись без помощи нэпманов. Иначе за бугром нас всех просто выкосят, как сорную траву. И надо помнить, что мы одна семья, и, если поругались, пусть сор останется здесь, — ткнул Варяг пальцем себе под ноги. — Во-вторых, мы должны не только помогать друг другу, но смотреть и дальше, чтобы наше дело не стояло на месте, а постоянно развивалось. Движение — жизнь, остановка — смерть, в лучшем случае — инфаркт. Мы обязаны приспосабливаться к новым условиям, а обстоятельства диктуют, чтобы мы расширяли свои границы. Для этого есть все — деньги, база! Мы должны проникать во все структуры власти. Стало быть, придется стать бизнесменами, банкирами, учеными. И когда нас станет большинство, появится та точка опоры, которая позволит нам перевернуть мир. Но сначала придется сотрудничать с любой силой, которая будет служанкой нашей идеи, и нам все равно, как эта сила будет называться — социалисты, демократы, коммунисты, — главное, чтобы она была полезна нам всем.

— Варяг, ты среди своих. Давай конкретно! Что нужно для завтрашнего дня?

— Именно ради завтрашнего дня мы и собрались здесь. Скоро выборы в парламент. Я прошу не так уж много. Окажите поддержку! В списках кандидатов я прохожу как ученый, против меня ополчились все: и коммуняки, и демократы. Читаю листовки, и ум за разум заходит. Будто состоял на службе у КГБ, а теперь являюсь осведомителем, болтают даже о том, будто я пидер. Пусть говорят, что угодно, — важен результат. Если потребуются деньги, вы их получите. Там, где мои шансы на успех невелики, любым способом изолируйте других кандидатов, чтобы я остался в выигрышном положении. Не важно, в какой форме это будет подано. Шантаж, деньги, угроза — все сгодится. Работа предстоит ювелирная. Но помните: я должен, условно говоря, остаться весь в белом... Ищите в биографии моих конкурентов пятна, чтобы не возникало желания впредь теснить меня локтями.

— Варяг, я и раньше знал, что ты парень с головой, — заметил дядя Вася. — Это дело слишком сложное для простых воров. Нэпманы же никогда не лезли в политику и не работали на власть. Но ты прав, времена меняются, и мы поможем тебе. Мы даже согласны из своего общака отдавать деньги в общую кассу. Но если намечается дележ пирога, то нам бы не хотелось остаться в стороне.

— Столкуемся, дядя Вася. Чуть позже.

— Ладно! Ты теперь у нас ученый. При галстуке...

— Я уже говорил, что какой бы галстук я ни одевал, все равно остаюсь законником. И мне, между прочим,   по душе, когда всякая шелупонь бросает на нас тень.

— Что ты имеешь в виду, Варяг?

— Настоящий вор никогда не должен помогать бродягам, кем бы ему тот ни приходился. Иначе самому можно зашквариться. Всем бродягам нужно объявить войну. Они компрометируют нас, воров.

— Это самая мудрая речь, какую я услышал за сегодняшний вечер. Бродяги заняли все вокзалы. Одним только своим присутствием они ставят под удар рэкет, из-за них проверяют грузы, которые мы отправляем. Если менты не в силах справиться с этой чумой, тогда за это придется взяться нам. Я лично займусь этим и повымету всю шваль, которая отирается на вокзалах. Мы должны думать о пополнении наших рядов. Если воров отождествляют с бродягами, кто из молодежи после этого захочет податься в блатные? Равнять воров и бродяг — все равно, что законника сопоставить с чушкарем. Вор — это чистота традиций. Даже самый крепкий мужик не может стать вором.

— Я хочу кое-что добавить, — сказал Ангел и выдержал паузу. — На Печорских зонах перехватывают наши малявы, а вы сами знаете, что человек с малявой должен оберегаться всеми. На Печорских пересылках какие-то падлы изымают малявы. Переносчик малявы — это святой человек, а сама ксива — охранная грамота! На Печорских зонах беспредел!

— Ангел правильно говорит, — дядя Вася отметил про себя, что на многие вещи он с новыми ворами смотрит одинаково. — Я слышал, что там дела у законников перебивают беспредельные мужики. Злые, что псы, сорвавшиеся с цепи. Там нужен сильный смотрящий, чтобы навести порядок. На некоторых зонах заправляет администрация — крутит всеми, как хочет. Люди, кто может пойти туда и установить порядок? Со своей стороны мы сделаем все, чтобы законника перевели именно туда.

— Со своей стороны обещаю, что каждый день

пребывания его на зоне будет оплачен в валюте, — оторвал руку от стола Варяг, проверяя на законниках всепробивающую силу доллара.

— Сколько? — осторожно поинтересовался Гуро.

— Пятьсот тысяч баксов в год устраивает? — спросил Варяг.

Было понятно, что это не последнее слово.

— Я согласен пойти смотрящим, — качнул головой Гуро.

— Добавим небольшой процент от тех дел, которые мы будем проворачивать на Западе.

Разошлись под утро. Уставшие от долгих разговоров, охмелевшие от выпитого вина, законники разъехались каждый в свой угол. Последним уходил Варяг.

Сегодня он чувствовал себя почти счастливым. Ему удалось объединить новых воров и нэпманов. Теперь они, как и прежде, единая семья. Это ощутимая была победа. Теперь они представляли собой силу, способную перекроить по-новому не только Россию.

— Не боишься, что раскрылся? — подошел к Варягу Ангел.

— Нет. Когда я пошел по второй ходке, я был отцом семьи. Детей у меня было тридцать. Каждого из них я обязан был греть. Сейчас у меня тоже семья, с той лишь разницей, что стала она больше. И не такой уж болтливый народ законники. У Лиса есть родня?

— Осталась мать шестидесяти семи лет.

— Н-да! Несладко ей сейчас. Назначьте ежемесячное пособие, чтобы до конца своих дней она ни в чем не нуждалась.

— Я уже распорядился. Бедная женщина! Почти рассудка лишилась. Совсем одна осталась.

— Найми сиделку.

— Не волнуйся, Варяг, сделаем все как надо.

ГЛАВА 27

Варяг как бы поднялся на самую вершину, откуда была видна Европа, а за морями-океанами просматривалась Америка. Большевики дали маху в свое время, размышлял он. Пространства завоевываются не силой оружия, а традициями, размыванием идеологии — если точнее. Навязать свои традиции тоже непросто. Зато уж если что вошло в привычку — не вырубишь топором. Американцы — молодцы! Завладели половиной земного шара, когда одели всех в свои джинсы и заткнули рты жвачкой. Следовательно, нужно начинать со своих воровских традиций.

Необходимо привить миру воровские законы, которые живучи, как чертополох, — как его ни кромсай, а корень находит в себе все новые силы и дает еще более густые и злые побеги. Пусть весь мир матерится по-русски, а обыватель пусть страшится черной Колымы. Когда воры вместе, им бояться некого.

Варяг чувствовал, что у него получается все, что бы он ни задумал, словно кто-то всесильный опекает его, предостерегая от неверного шага. Варяг ощущал присутствие этого могущественного поводыря, который, казалось, вел его за руку. Раньше это был Медведь. Он постоянно его страховал, ибо издержки молодости прорывались в Варяге бурлящим фонтаном. Кто оберегает его теперь?

Эту заботу он чувствовал давно, но особенно сильно она стала заметна в последнее время. Так, например, перед встречей с избирателями с ним трижды отказывались встречаться председатели избирательных округов, но едва он успевал предпринять контрмеры, как они с повинной головой шли к нему навстречу. Как будто кто-то всесильный погрозил пальцем и наставил их на правильный путь. Примерно то же самое произошло с ним совсем недавно, когда он добивался аудиенции у высокого начальства для того, чтобы получить разрешение на отправку ценного груза за бугор. Дважды было отказано. И только в третий раз его встретили радушной, понимающей улыбкой.

Сразу после схода к Варягу подошел дядя Вася.

— Я вижу, ты парень с головой. Может, ты шагнешь даже дальше, чем это сделали мы. Но хочу тебе напомнить, что воры в законе никогда не залезали в политику! Даже во время войны они отказывались воевать. Что ты мне хотел сказать?

— Сейчас новое время, дядя Вася. У нас хватит денег и сил, чтобы потеснить и американскую мафию! Западные мафиози вообще обожрались, а наша каша-малаша только утраивает злобу. В Западной Европе много наших людей. Я говорю о тех, которые уехали давно и стали предпринимателями. Вот вам еще один источник доходов. Рэкет должен стать другим. Масштабным, если угодно. Хватит собирать мелочевку у торговцев. Те, кто оказались за бугром, помогут нам наладить подпольный бизнес. Я не исключаю и наркотики. Работа в этом направлении уже ведется. Мы не мелочимся, вкладываем деньги в казино, рестораны — словом, в индустрию развлечений. Процент, то есть дивиденды — ничего, вполне! Но, конечно, когда будем иметь все сто процентов, тогда можно говорить, что мы хозяева. А сейчас мы от компаньонов получаем как бы подачку. Основная задача — закрепиться и убрать тех, кто путается под ногами.

— И как же они убираются? — спросил дядя Вася.

— Мне от тебя нечего скрывать, ты меня понимаешь, — улыбнулся Варяг. — Год назад я набрал группу киллеров, которую готовил профессионал.

Он помолчал, собираясь с мыслями, и продолжил:

— Он живет на Западе, но сам выходец из России. У него в этом плане богатый опыт, и для нас он просто находка. Первую партию киллеров я уже отправил в Европу. Велел убрать с дороги тех, кто нам мешает. Помните, не так давно в газетах писали о том, что в Италии расстреляли в упор авторитетных мафиози? Это сделали наши люди. Правда, я потерял с этой группой связь, — откровенно признался Варяг. — Не исключено, что их могли уничтожить. Я выезжал за бугор, разобрался, что к чему. Там тонко работают. Но задание киллеры выполнили. Пока мафия соображала, что предпринять, мы проникли в портовые города, и сейчас ни одно судно не может выйти в море с контрабандой, не заплатив нам налог.

Дядя Вася пожал плечами.

— Пожалуй, ты прав. Конец войне? — улыбнулся он, обнажив золотые зубы, от блеска которых можно было ослепнуть.

— Хватит воевать, — согласился Варяг. — Мы сообща, дядя Вася, обязаны делать упор на экономику. Забираем у государства деньги, а потом с их помощью проводим в жизнь свои законы. Вот такая ближайшая задача.

Варяг и раньше знал дядю Васю. Немного осталось таких правильных воров. Трое или четверо на всю Россию. Не больше! Они никогда не колебались и никогда не изменяли воровским законам даже на каплю. И если сейчас дядя Вася поддержал Варяга, то это можно было понимать, как исключение.

Когда в первый раз, в свои четырнадцать лет, дядя Вася сел, он был просто Васькой. Уже тогда воры подмечали в нем характер. В обиде на необъективное следствие, он отказывался работать, не подчинялся приказам и скоро попал в ярые отрицалы. На свободу он вышел другим, это был не тот шалопай-подросток, слоняющийся без дела по парку, а вор, слову которого внимали даже преступники со стажем. В двадцать лет он уже сделался признанным авторитетом. Принципиальный и правильный, он во всем любил порядок. Мужики с восхищением вспоминали, как вел себя смотрящий дядя Вася, когда попадал на зону. Ему до всего было дело. Повара, к примеру, боялись его, как огня.

Никто не смел ослушаться всесильного вора.

Как-то в зоне ему не понравилась баня, он добился, чтобы выстроили новую.

Социальная среда потеряла в лице дяди Васи личность — он мог бы с успехом возглавить завод, министерство. Но судьба распорядилась иначе, зато преступный мир приобрел заступника.

Дядя Вася одинаково отстаивал интересы как воровской элиты, так и последнего обиженного.

— Все мы срок мотаем, — справедливо рассуждал вор. — Всем здесь не сахар, что ворам, что петухам.

Однажды, на Колыме, ему пришлось наказать вора, который, ошалев от лагерной скуки, стал лупить петухов. За справедливостью к дяде Васе обратился пахан обиженных.

Смотрящий — это как бы высший третейский суд, за которым всегда остается последнее слово.

Дядя Вася внимательно выслушал делегацию, потом велел привести беспредельщика.

— Сколько ты сидишь?

— Три года.

— Три года?! На зоне три года это не срок! У тебя еще домашний пирожок из задницы торчит! А те петухи, которых ты избивал, сидят десять лет! Они так же срок мотают, как и мы все. И притом столько видели, что тебе и не приснится! Тот, которому ты дал пинка, семь лет в отрицалах ходил, а такое не каждый может выдержать! Удивляюсь, почему они тебя не пришили! Что же это у нас на зоне будет твориться, если каждый случайный начнет петухов лупить? Да на зоне порядка совсем не будет! Сначала примутся петухов лупцевать, а потом воры друг друга резать начнут! Меня законные сюда прислали, чтобы беспредела не было, и я жизнь свою, если надо будет, положу, а всю заразу отсюда повыведу!

Вор стоял навытяжку, будто дядя Вася был генерал. Впрочем, на зоне порядки были армейские. А у дяди Васи вид был вполне боевой. На щеке шрам, губа рваная, а голос — такой хрипоты, что можно было подумать, будто он командовал в боях, перекрывая криком канонаду. Властью он обладал куда большей, чем любой из генералов: одного движения бровей законного вора было более чем достаточно, чтобы провинившегося изметелили до крови.

Дядя Вася удобно разместился на нарах: под спиной подушка, по обе стороны адъютантами застыли шестерки, готовые выполнить любое решение. Однако дядя Вася никогда не торопился с решениями. Бескорыстный, преданный только одному богу — воровскому лагерю, он больше всего боялся оказаться несправедливым и сейчас смотрел на молодого вора, чтобы в горячке не подвести под его жизнью роковую черту. Он как бы прикидывал, что из парня может выйти через десять лет, будет ли он полезен воровскому делу? И понял: дальше он не пойдет — для того чтобы стать большим вором, железных кулаков недостаточно, должны быть еще и мозги.

Дядя Вася пошевелился.

— Мне сказали о том, что ты в бане зацепил одного из петухов и трахал как хотел! Конец задымило? Согласно одному из наших воровских законов, должен подойти к пахану петухов и переговорить с ним о том, что конец загасить хочешь. Задница — это тебе не халява, она всем принадлежит, а лагерь не курорт! За кишку ты должен собственной пайкой расплачиваться! Что можешь сказать в свое оправдание?

— Виноват я, дядя Вася, — сказал тот законнику, который был старше его на каких-то три-четыре года. — Прости.

— А ты у петухов спросил? Захотят ли они тебя простить?

Петухи молчали.

— Вот то-то! Прощения тебе не будет! Крысятник в моей зоне разводить не позволю! Мне порядок нужен. Не хочу, чтобы потом все животы от смеха рвали. Ну, пацаны, определите его в петухи! Отправляйся к тем, кого ты презирал!

Шестерки резво бросились к виновному, будто дожидались именно этой команды. Мигом повалили, содрали штаны и обесчестили на глазах у всего отряда.

Дядя Вася был во всех отношениях законный вор. В колониях, где он появлялся, непременно организовывал группы неповиновения, собирал деньги на благое дело. Он не забывал один из главных законов нэпмановского вора: никаких разговоров с администрацией. И к хозяину его невозможно было привести даже силой — преодолеть сопротивление дюжины личных телохранителей было непросто. И даже если бы удалось их раскидать, трудно было сказать, как будет проходить беседа, — зона могла просто выйти из повиновения.

Дядя Вася никогда не расставался со своей охраной: шесть человек постоянно шли впереди, столько же следовало за ним. Всюду, где бы он ни находился, они неизменно составляли его окружение.

И все-таки однажды администрации удалось перехитрить опытного вора и изолировать его от остальных. Это случилось после работы на лесоповале, где дядя Вася согласился быть счетоводом. Его задержали на выходе у проходной, когда вперед прошли первые шесть человек, остальных под предлогом осмотра задержали на несколько секунд, и этого было вполне достаточно, чтобы группа захвата сокрушила законного вора. Дядя Вася от досады скрежетал зубами, глухо матерился и грозил, грозил. Ни одна из его угроз никогда не оставалась пустой: об этом знали не только ближние воры, но прекрасно была осведомлена и администрация. И если он говорил, что воркутинские лагеря поднимут бузу, значит, так оно и должно было случиться.

О беспределе, который сотворили с дядей Васей, узнали не только воркутинские лагеря, буза ураганом пронеслась от холодных вод Северного Ледовитого океана через всю Россию и аукнулась на зонах Тихоокеанского побережья — в лагерях Магадана и Сахалина. Зеки ломали станки, жгли бараки — это напоминало гражданскую войну. И только пулеметы сторожевых вышек сдерживали неуправляемую миллионную армаду. Бузу усмиряли силой, в зоны вводили войска, следственные изоляторы были набиты зеками до предела, но это лишь подстегивало бунтовщиков. Зеки пускали в ход заточки, инвентарь. Однако лагерная администрация, преодолевая сопротивление, твердо стояла на своем, намереваясь перевести законника в лагерь «Черный Аист».

Каждый вор в законе, едва только входил в ворота этой зоны, мгновенно лишался былого авторитета в уголовном мире.

Эта зона среди прочих числилась особой, она была создана для таких непокорных, каким был дядя

337

Вася. Там творила беспредел группа обиженных, которые прошли через мытарства лагерей, претерпели презрение и обозлились на весь воровской мир. Именно к ним на воспитание подбрасывали воров в законе. Они били законников, опускали их до своего уровня.

«Черный Аист». Во всей России не находилось вора, который бы не содрогнулся от этих двух слов. О «Черном Аисте» ходило множество историй, одна страшнее другой.

На очереди был дядя Вася. Связанного, но несломленного, его на носилках внесли во двор лагеря «Черный Аист». Вора в законе не стало.

Дядя Вася отказывался есть — его кормили насильно, он отказывался работать — его сажали в карцер. Оставалось единственное средство, способное усмирить его гордыню. Это была камера, где сидели пятеро воров в законе — такие же, как и он сам.

Начальником колонии «Черный Аист» был Сычев Валерий Павлович. Подчиненные его называли Гениальный Мужик. Зеки его звали просто — Сыч! И те и другие были правы. Первые потому, что Сычев додумался до таких методов, к каким до него никто не прибегал. Он создал целую фабрику по ликвидации воров в законе, которая работала по принципу отбраковки. Воров в законе сажали в одну камеру. Все они были равны, все они были признаны преступным миром, но каждый из них всегда помнил о том, что ни один из законников не смеет даже замахнуться на другого. Однако, оказавшись в замкнутом пространстве, они с трудом выносили друг друга. Раздражение скоро перерастало в откровенную ненависть, и частенько из камеры выносили кого-нибудь с раздробленным черепом. Секрет был прост. Каждый день требовалось выносить парашу, но достаточно было только притронуться к ней, чтобы потерять величие законного вора. Слух о

338

бесчестии того или иного законника молнией распространялся по всем лагерям. Пребывание законных в одной камере напоминало опыт с крысами, когда в клетке остается самая сильная. А потом сильнейших сводят вместе, и вновь остается только одна.

Блатные называли начальника колонии Сычом не только потому, что сокращали его фамилию. Он действительно напоминал своим обликом сыча. Круглолицый — точь-в-точь лесная сова — он вечно таращил большие и кажущиеся наивными глаза. Ушные раковины были маленькие и плоские. И повадками он больше смахивал на сыча — любил показываться в камерах по ночам, непременно засиживаясь допоздна. Невзрачный шибздик, он упивался властью. При одном его появлении вздрагивал самый матерый блатной.

Именно в колонию к Сычу и попал дядя Вася. Он прошел перековку по полной программе: сидел год в одиночке, был не раз бит, и, когда его поместили в одну камеру с законниками, остался до конца верен воровским принципам. Дядя Вася видел, как на его глазах один за другим падают идолы, те, на которых он всегда старался равняться: один хотел покоя, другой желал свежего воздуха, третий помышлял о свободе. Он видел, как плакали опущенные воры, видел, как они выносили парашу. Дядя Вася дал себе слово, что лучше умрет, чем притронется к пропахшему мочой ведру.

Слухи о бесчестии воров распространяла сама администрация, которая была заинтересована в падении авторитетов, однако наружу не просочилось ни одного слова, которое могло бы бросить тень на дядю Васю.

Гениальный Мужик назвал свое заведение «крысятником», себя ласково нарек Крысоловом, а камеры, в которых содержались законные воры, — «бочками». И когда Сычу доложили, что дядя Вася прошел через все круги ада, не замарав себя, даже он, скупой на похвалу, сказал:

— Крепкий вор, не часто такие встречаются. Интересно, за что он сел? Дело его поднять!

Через день ему доложили:

— Вообще-то он бывший карманник. Воровал с малолетства, но первый раз сел по наговору. Его обвиняли в грабеже, чего он не делал. Ошибка выяснилась позже, когда он уже отбывал срок.

— Вон оно что! Тогда понятно, откуда у него такая идейность. Вот из таких, как дядя Вася, и получаются неразгрызаемые орехи.

— Что с ним делать? — увивался за начальником зоны дежурный офицер, то и дело заглядывая в круглое совиное лицо.

— А чего с ним сделаешь? Ничего! Все уже сделано и так. Хоть он и остался единственным из законников, кто не испачкался, но воровской мир ему уже не поверит. Шумните по зонам, что он, как и прочие, драил сортиры.

Сычев был Гениальный Мужик, но ошибаться мог и он. Дядя Вася прошел «Черный Аист», но слабее от этого не стал. Порядок образцовой зоны закалил его настолько, что непризнание горстки авторитетов вызвало у него слабую усмешку. Именно после «Черного Аиста» в нем появилась непримиримость, которая сделала его знаменитым в уголовном мире. Он сумел сделать то, чего до него не удавалось никому, — из «Черного Аиста» он вышел тем, кем и вошел, — вором в законе, только характер его сделался еще более жестким. Он не прощал ни малейшего отхода от воровских принципов, любое неправильное толкование воровской идеи воспринималось дядей Васей, как предательство, и многие из прежних воров, перешагнувшие когда-то «Черный Аист», были объявлены им ссученными, и ничто не могло спасти их от праведного гнева. Бывших законников находили с распоротыми животами в подворотнях, с простреленной головой в притонах. Каждый из них когда-то занимал видное место в преступном мире, контролировал огромные территории и был маленьким мессией в своем районе. И освободившееся место вскоре занимало другое крыло преступного мира — нэпмановские воры.

Сообщество законников напоминало огромную сильную птицу, которая своими крылами закрывала половину России. Птица летела стремительно, парила над огромными пространствами, подхваченная мощными воздушными потоками. Однако птица была настолько сильна, что способна была противостоять любому ветру; задрав хищный клюв, она летела навстречу урагану, уверенная в своей устрашающей силе, непобедимости. Эти два крыла были одинаково сильны, и ни одно из них не могло перетянуть в свою сторону. И в то же время они служили друг для друга противовесом, и, лишись птица одного из них, наверняка разбилась бы о каменную твердь.

Варяг был как бы крылом, точнее — его ярчайшим оперением. Дядя Вася был одним из тех людей, которые рекомендовали Варяга в законники, ставя на кон свою репутацию и честь, и вот сейчас Варяг, как никогда, нуждался в помощи авторитетного вора, который даже в единоборстве с Гениальным Мужиком оказался победителем.

ГЛАВА 28

Синьор Валаччини любил свою яхту. Он гордился ею так же, как мужчина в годах может гордиться своим новым приобретением — молодой и красивой женщиной. Появляться с такой красоткой в обществе — одно удовольствие.

Синьор Валаччини не упускал случая, чтобы не показать яхту своим именитым гостям. А яхта действительно поражала воображение. Снаружи — медь, внутри — красное дерево и персидские ковры. В молодости у него тоже была яхта, правда, не такая роскошная, но зато он неплохо проводил время, приглашая на морские прогулки знойных подружек.

Однако главным делом его жизни был бизнес, который стал приносить ощутимые доходы. Его новым увлечением стала молодая Россия. Возможно, в его жилах бурлила русская кровь, которая досталась ему в наследство от дворянки-бабушки, уроженки Санкт-Петербурга. Что он сейчас знал о России? Мало. Знал, что есть у русских воровская каста — воры в законе, что эти воры напоминают сицилийцев.

Валаччини и раньше пристально всматривался в

своего соседа, он предвидел, что пройдет год-другой, когда многочисленные гонцы хлынут на европейские рынки и станут навязывать свои патриархальные законы. Сейчас Россия стала для него больше чем увлечением — это была страсть!

Валаччини внимательно следил за Щербатовым. Тот вырос, прошел в Государственную Думу — в России все газеты спешили тиснуть статейку о лидере новой партии. Делались прогнозы, что его партия получит большинство мест в парламенте, вот тогда он и начнет навязывать свои законы. Валаччини с нетерпением дожидался выстрела, который должен был прервать стремительную карьеру. Однако молодой щеголь оказался неуязвимым.

Люди синьора Валаччини докладывали, что доктор Щербатов успешно справляется и с другой задачей, мол, сейчас западные банки в его лице получили солиднейшего вкладчика.

Синьор Валаччини любил женщин, но всю жизнь его одолевали мучительные сомнения в их верности, потому что в каждом мужчине он видел потенциального соперника. Он вообще был ревнивый человек. Возможно, поэтому к старости он остался один. Он терпеть не мог, если кто-то наступал ему на пятки. Можно сказать, что на почве ревности он отправил в мир иной синьора Ромарио — цепкого и сильного врага, посмевшего тягаться с ним в могуществе.

И сейчас Валаччини вдруг неожиданно обнаружил в себе полузабытые чувства. Он ревновал! Ревновал так же страстно, как когда-то в далекой юности, впервые столкнувшись с настоящей любовью. Это чувство воскресило в памяти роман с молодой итальянкой, которую он когда-то взял прямо на берегу. Валаччини помнил вкус соленых брызг, которые, разбиваясь о камни, падали на его пылающее лицо. Когда он узнал, что она делила свое тело с его другом, смазливым и веселым Джованни, ревность привела его в ярость. Он столкнул Джованни со скалы, а потом принес исковерканное тело родителям. Это было его первое убийство. Он тогда искренне оплакивал смерть друга, убиваясь у могилы Джованни вместе с обезумевшей от горя матерью.

Сейчас Валаччини тоже ревновал. Он ревновал доктора Щербатова к успеху, который сопутствовал этому молодому мафиози. Синьор Валаччини мог бы освободиться от этого чувства, вытеснив его новыми ощущениями, но он сам не желал этого. Ревность поддерживала его дух и позволяла ощущать остроту жизни. У одних это выпивка, у других наркотики, а у него — ревность. Слишком долго он был впереди и уже стал забывать о том, что рядом могут оказаться не менее искушенные атлеты, способные обойти его в любую минуту. И сейчас синьор Валаччини как бы почувствовал на своем затылке горячее дыхание. Доктор Щербатов бежал быстро, и готов был оттеснить его с узкой дорожки, и уже напружинил свою атлетическую грудь, чтобы на финише первым разорвать ленточку. Нужно было во что бы то ни стало остановить этот стремительный бег. Синьор Валаччини желал покоя в собственном доме, а эти русские своим беспокойным темпераментом вносят в отлаженные отношения с властями беспорядок, который обязательно отразится на его кармане.

А сейчас он ревновал. Он нуждался в этом полузабытом чувстве так же остро, как раковый больной в болеутоляющих препаратах.

Синьор Валаччини любил женщин. Ему нравилось, как они хозяйничают в его большом доме, распоряжаются прислугой, заглядывают на кухню и ведут себя так, будто родились в богатстве и роскоши, но то, что он позволял женщинам, никогда не разрешалось мужчинам. Европа — его дом, его кухня. И хозяин в доме может быть только один. Это служанок может быть множество! А доктор Щербатов ведет себя по-хозяйски, он уже пинком распахивает дверь его виллы.

Синьор Валаччини допускал, что можно пойти с Щербатовым на компромисс и отдать часть своих территорий. Однако, поразмыслив, он скоро отказался от этой идеи, понимая, что его великодушный жест может быть расценен русскими, как проявление слабости. Через год они наверняка замахнутся на большее. Заставят его потесниться с территории, которую три десятка лет назад они брали большой кровью.

Еще Валаччини знал о том, что доктор Щербатов стал действовать активнее. Все российские газеты писали о загадочных самоубийствах бывших советских чиновников: кто-то вывалился из окна, кто-то пустил себе пулю в лоб. Странным казалось, что все они отправились на тот свет в срок, который не превышал двух недель. Валаччини знал, что именно этим людям были доверены деньги уже не существующей партии. Теперь не было ни денег, ни людей, которые могли бы поведать историю их исчезновения. Валаччини также удалось выяснить, что счета некоторых вкладчиков в швейцарских банках выросли сразу на несколько порядков. Он не сомневался в том, что в этом деле замешан доктор Щербатов.

Русская мафия, которая начала с того, что разбавляла на заправках бензин, теперь по-хозяйски плещется в Адриатическом море. Скупает виллы на Средиземноморском побережье, живет по-американски, не отказывая себе ни в чем. Если так пойдет дальше, то того и гляди русские проглотят сапог Италии и ее острым каблуком не подавятся. А «Коза Ностра» станет всего лишь небольшим подразделением могучей русской империи.

Если верить газетам, размышлял Валаччини, то в России господствует хаос: не работают заводы, закрываются школы и институты, бесконечные забастовки сильнейшими приступами сотрясают ее гигантское тело. В этой стране крепнет только мафия. Год от года она набирает обороты, подобно мотоциклисту на треке. Русские уверенно вошли в высшую лигу преступного бизнеса и готовы переиграть в решающем матче самого Валаччини, подвел он итог своим мыслям.

ГЛАВА 29

Тот день для Владислава Геннадьевича был удачным. Опросы общественного мнения показали, что вновь образованная партия набирает очки, а в некоторых регионах России она лидирует в первой пятерке. Газеты охотно печатали портреты молодого доктора наук В.Г.Щербатова. Улыбка шла Варягу, и он сполна использовал свое обаяние, расточая его избирателям и журналистам. Газеты пестрели его фотографиями, журналы охотно пересказывали его биографию, не упускали и того, что он — блестящий ученый и в свои тридцать с небольшим лет сумел защитить докторскую диссертацию, успешно возглавляет научно-исследовательский институт, который занимается проблемами Европейского Союза. Делались смелые прогнозы о том, что в парламенте молодая партия, возможно, сложится в сильный блок, который будет иметь в своем составе компетентных экономистов, выдвигающих крепкую аргументированную программу.

Варяг аккуратно пролистывал все газеты. Абсолютно для всех он был новым лицом, не успевшим засветиться в политических кругах. Таким людям доверяют всегда больше, на них взирают с на-

347

деждой, и нужно быть настоящим болваном, чтобы не использовать выигрышный шар.

Варяг неожиданно для себя обнаружил страсть к политическому вертепу, который по накалу напоминал азарт за карточным столом, вот только ставки здесь делаются куда крупнее, и счет ведется не на рубли, а на регионы. Но если в картах это везение, хладнокровие и шальные руки, то в политике важны внешность, умение подать себя и расположить окружающих. Здесь не может быть штрихов, это всегда крупные уверенные мазки, которые должны быть красивы и при самом пристальном изучении.

Порой Варяг подолгу выбирал выигрышную позу, намереваясь именно таким образом предстать перед телевизионными камерами. Он закреплял красивые движения. Они должны быть отработаны и действовать гипнотически. Все вожди начинали с жестов: один размахивал перед слушателями растопыренной ладонью, другой большие пальцы прятал за отворот пиджака, третий, подобно дирижеру, подкупал плавными помахиваниями. А у него должен быть выработан свой почерк и свои методы убеждения. Нужно уметь отличаться от всех горлопанов-политиков. Он слишком много кричал в юности, и нечего ему сейчас срывать голос, который становился его рабочим инструментом. Он будет выдержан, корректен, если и будет чем-то подавлять, так только своей интеллигентностью и эрудицией; еще избиратели любят юмор. Хорошо, будем шутить, острый язык свидетельствует о гибком уме.

В предвыборной кампании нужно часто обращаться к женщинам, они — самый главный союзник, и если будут отдавать свои голоса, то не за политическую и экономическую платформу, а подчиняясь чувству личной симпатии.

Нужно как можно меньше совершать промахов, никаких враждебных выпадов, обещать все, что попросят: «голубым» признание меньшинств, холостым — целомудренных невест, незамужним — мужа. Варяг не раздражался, когда некоторые газеты писали о нем плохо. Главное — пишут! Его имя должно без конца повторяться прессой, имя не пиджак, который может затереться на локтях от частого употребления. И чем больше о нем говорят, тем больше привыкает обыватель.

Пока не время высовываться с основными пунктами своей программы, но важно главное: он будет отстаивать интересы тех, кто его выдвинул. Он — вор в законе и клятву на могиле Фотона не забыл. Этот строй был бы куда более справедливым, если бы держался на порядке воровской субкультуры. Там все четко расписано: украл у своего, получи «крысятник» и стань петухом; не уважаешь посыльного с малявой, будешь таскать за всеми парашу. Конечно, эти правила в цивильной среде не должны быть черно-белыми, как в колонии, они должны иметь полутона. Как они будут называться? «Сильная рука»! Слово законное и чаще всего ассоциируется с порядком. А кто еще должен учить порядку, как не бывший зек? Если был смотрящим на зоне, то неужели не справится с должностью смотрящего в России?

Варяг перечитывал статьи и думал: насколько же мудр был Медведь, когда с точностью до дня просчитывал его биографию, и, если в ней пожелает покопаться даже самый придирчивый журналист, он не сможет отыскать ни темных, ни белых пятен. Он весь на ладони, как если бы на него смотрели через увеличительное стекло, а его «заграничное» появление на свет божий отдает неким модным щеголеватым лоском. С этих позиций легче объяснить знание английского, и незачем говорить, что выучил его благодаря дипломату, который оказался твоим соседом по нарам в зоне.

За предвыборной кампанией незаметно прошли сообщения о странных самоубийствах нескольких бывших государственных чиновников. Дотошные журналисты пытались докопаться до сути, и кое-кто из них даже намекал на то, что это были убийства, так как каждый из них был связан с партийными деньгами, но оставались предсмертные записки, магнитофонные записи с прощаниями, заставляющие закрывать дела. Однако золотой хвост партийных денег, который, как комета, прошел от Москвы через всю Европу, высвечивал все новые темные места. Варяг перечитывал эти статьи и видел, насколько они близко подбираются к истине. Создавалось впечатление, что достаточно только одного усилия, чтобы правда сломанной костью выперла наружу, но этого не происходило потому, что устранены были не только прямые участники, но и косвенные свидетели, а те, кто оставался жить, были напуганы размахом произошедшей трагедии, да и деньги, что они получили, действовали, как хороший кляп.

Всего этого не было в газетах, об этом знал Варяг и еще несколько человек. И вообще дело по переброске миллиардов Варяг считал своей лучшей операцией. Она была настолько тонко продумана и настолько четко выполнена, что напоминала блестящую шахматную игру, граничащую разве что с искусством. И нужно быть гроссмейстером высочайшего класса, чтобы отдать ряд серьезных фигур и одними пешками поставить мат.

В короткий срок были уничтожены ключевые фигуры, а общак увеличился на многие миллиарды. Даже представить трудно, какой масштаб будут иметь последующие акции, когда он уже будет опираться на рычаги власти. В его распоряжении будут не десятки, а многие сотни и тысячи государственных чиновников. Даже прежняя возня с общаком может показаться детсадовской забавой — копанием лопаточкой в дворовой песочнице. Это будет политический уровень, который сулит только суперприбыли.

Теперь, когда он сумел объединить всех воров и они отныне будут действовать, как одна семья, без этих радикальных и левацких движений, которыми, как заразной болезнью, страдают партии с большими амбициями, они станут значительно сильнее. И вряд ли может найтись сила, которая способна будет перевернуть такую громадину. Лагеря и колонии, разбросанные по всей России, отныне становятся его козырными тузами, которые он оставит под конец игры. Это будет некая дубина для горлопанов-политиков, а также охранная грамота для его команды.

Достаточно будет пустить малявы по зонам, и многомиллионная масса зеков поднимет такой кипиш, который, подобно льду, ломающему плотину, сможет снести и президента. Это будет бомба с часовым механизмом, подложенная под самое сердце власти, а ключ от этого «будильника» будет находиться у него в кармане. И если многие миллионы осужденных, поправ своими жизнями высокие заборы и колючие проволоки, вырвутся на городские улицы — это будет война обездоленных с сытыми. И трудно будет сказать: на чьей стороне окажется удача. Зеки — что солдаты, приученные к дисциплине, достаточно будет крика: «Хватай!», чтобы дать волю всеразрушающей страсти.

Вот так-то, господа парламентарии! И единственная сила, способная удержать их от неистового бунта, это авторитет вора в законе. И кто после этого не согласится с тем, что он возглавил самую сильную, самую организованную и самую многочисленную партию? Пусть эта партия не видна на улицах, не выступает на митингах и не выкрикивает

351

лозунги, но она всегда незримо присутствует и давит своим авторитетом, как атмосфера ненастной погоды на сердечные клапаны больного. А сила его партии удвоилась после того, как были устранены отцы семейств. Вместе с их уходом образовалась пустота, которая подобно вакууму засосала в себя многие отряды русских боевиков. Уже сейчас они «определяют погоду» на многих площадях Италии и Франции. Дайте только три года, и крупнейшие фирмы Западной Европы будут пополнять воровской общак миллионами долларов. Впрочем, не воровской общак — это партийные деньги. Если государство практикует рэкет, то почему этим не заняться на узаконенных основаниях.

Варяг взял газету, полистал. И вновь он увидел маленькую заметочку о самоубийстве бывшего начальника отдела. Если бы это случилось хотя бы пять лет назад, то некролог поместили бы во всех центральных газетах и за подписью самых влиятельных людей. Сейчас же просто зафиксирован факт. Таким же скупым языком можно было бы написать о закупке за рубежом крупной партии пшеницы или о прибытии посла из дружественного государства, да и мало ли еще о чем! Ни одного скорбного слова.

Варяг помнил его другим, стоящим на трибуне Мавзолея, с милостивой улыбкой вождя, помахивающего толпе, проходящей мимо. Сейчас на смену ему пришли другие люди, которые уже прочно позабыли о его величественных взмахах над головой и тем более не помнят улыбки.

Изменилось все. И никому в голову не приходило, что уход этих людей не что иное, как одна из составных частей многоплановой операции, имя которой — большой бизнес.

Гоша не раскрывал своих секретов, а в воровском мире не принято было спрашивать о них. Варяг мог только догадываться о его приемах. Под гипнотическим взглядом Гоши бывшая номенклатура бегала мальчиками на посылках. И никто не мог бы заподозрить их в том, что они действовали так, находясь в плену черных Гошиных глаз — приезжали в высокие инстанции; пользуясь прежними связями, собирали документы для отправки грузов; умело обходили таможенный контроль и отправляли золото за границу. Они напоминали роботов, запрограммированных на определенный режим работы, и достаточно было стереть эту запись, как они мгновенно забывали о проделанном, становились прежними служащими и совсем не помнили бестолковой суеты, в которой проводили время последние дни. И напомни им об этом кто-нибудь, они совершенно искренне выразили бы недоумение. Этот гипнотический сон был рассчитан Гошей на десять дней, вполне достаточно, чтобы осуществить намеченную операцию, а потом превратить их в шлак.

Их смерть была последней точкой в длинной и сложной программе, и нужно было выждать миг, чтобы экран дисплея засветился крупным счетом в банках Швейцарии и Америки. Этой точкой в программе было кодированное слово, Гоше достаточно было произнести его раз, чтобы каждый из них мгновенно прощался с жизнью. Чтобы не рисковать, Гоша произносил команду по телефону и немедленно клал трубку, а через день в газетах можно было прочитать о трагической гибели одного из номенклатурных работников. Они бросались через распахнутое окно, стрелялись из пистолета, совали головы в духовки газовых плит, и это разнообразие удивляло не только обычного обывателя, но и самого Гошу.

Сам же Гоша по-прежнему практиковал в своей лечебнице, и только два человека знали о том, что он — обладатель огромного состояния и один из главных авторов сухих газетных строчек о безвременной кончине бывших чиновников партийного аппарата.

Варяг и раньше не умел работать вполсилы, но сейчас он был просто одержим. Он отрешился от всего: ему не нужна была личная жизнь (тогда не оттолкнул бы Свету), ему не нужны были деньги (тогда он наполнил бы золотом не только собственные карманы, но и приумножил бы счета в банках); что его волновало, так это воровская идея. Воры — это семья Варяга, только плохой отец не заботится о своих детях. И главный его долг — это греть их: поить, кормить, заботиться. Он откажется от сна совсем, он будет работать по двадцать четыре часа в сутки, забудет про отдых, но что было намечено, выполнит!

Варяг одолеет не только планку, поставленную Медведем, он поднимет ее на такую высоту, от которой будет захватывать дух. А для того, чтобы это получилось, нужно отрешиться от всего второстепенного и сосредоточиться на главном. Бабы, гулянки, бесцельное времяпрепровождение — все это блажь, на которую не стоит тратить время. Что сейчас важно, так это не отступиться от намеченного пути. Если пожелаешь немного передохнуть или остановиться только для того, чтобы почесать затылок, тебя мгновенно обставят.

Варягу нравился этот бешеный темп, он не задыхался от быстрого бега, наоборот, с каждым днем все увеличивал и увеличивал скорость. Его совсем не беспокоило то, что дистанция не становится от этого меньше, а цель по-прежнему была бесконечно далека. Его тело было создано для того, чтобы выдерживать на себе колоссальные нагрузки и изнуряющий режим работы. Оно было тренировано таким образом, чтобы запаса его прочности хватило даже в том случае, если бы он удвоил или утроил нагрузки. Если бы в сутках было не двадцать четыре часа, а сорок восемь, то он работал бы с не меньшей напряженностью. Варяг уже просто не мог жить по-другому, не ощущая каждой клеткой своего сильного тела мощнейший прессинг времени и многих обстоятельств.

Он должен быть сильнее всех, Варяг обязан победить в этом неистовстве, которое называется политической борьбой. Он должен подняться на самый верх, чтобы из стратосферы посмотреть на грешный мир, любуясь открывшимися возможностями. Варяг нуждался в этом прессинге так же остро, как наркоман ощущает потребность в живительных ампулах. И лучшей участи он себе просто не желал.

Варяг никогда не чувствовал себя таким сильным, как сейчас. Он был защищен со всех сторон: за спиной чувствовал поддержку законников, в его распоряжении был неограниченный кредит их доверия и авторитета; он закрепился в политических кругах и на равных вел беседы с оперившимися лидерами, которые в парламентских баталиях успели набраться мяса. И за прошедший год выглядели куда массивнее, чем ранее. Ни один из его оппонентов не имел той поддержки, которая была у него, тайным могуществом которой он был силен.

А воровской мир опять сумел показать свои возможности, когда по приказу законников на территории, где они были господами, почти сто процентов населения отдали свои голоса молодому ученому Владиславу Геннадьевичу Щербатову. Его партия прошла почти во всех округах, оставляя в хвосте таких монстров, как Коммунистическая партия и лучезарный спектр демократических образований. А те немногие территории, где он не набрал нужного числа голосов, теперь у Варяга вызывали только улыбку. Это были периферийные округа, совсем ничего не значащие в предвыборной кампании. Они были настолько выжаты прежней властью, что сейчас не представляли никакого интереса для воров, предпочитавших селиться в более сытых районах. И если Варяг и проиграл там, то только потому, что в них не осталось ни одного авторитетного вора.

Подсчет голосов закончится через несколько дней, но Варяг уже предвкушал победу. Впереди ожидает серьезная работа: нужно будет привлечь на свою сторону людей, пользующихся поддержкой общественности, и не важно, кто это — ученый или социолог, экономист или артист, главное, чтобы они работали на нужный имидж.

Варяг, как и прежде, бывал в институте, но со стороны казалось, что он бывал там для того, чтобы посидеть в директорском кресле, сделать пару звонков и, улыбнувшись молоденькой секретарше, заказать крепкий кофе.

Теперь он был нужен всем: его искали сослуживцы, чиновники, преуспевающие бизнесмены, политики. Его звали на совещания и конференции, приглашали в президиум и комиссии, Владислав Геннадьевич был услышан и замечен, а одна из центральных газет неожиданно опубликовала список молодых политиков, наиболее популярных за прошедший год. В этом списке Владислав был третьим.

Жаль, Медведь не видит, не дожил, вот кто порадовался бы. Сбываются его пророчества.

Единственными, кто не тревожил его в эти дни, были воры. Они-то уж точно знали, что он принадлежит им до последней клеточки. Однако их незримое присутствие он ощущал всегда: в каких бы залах ни выступал и в каких бы президиумах ни восседал. Он знал, что в последних рядах сидят люди, которые ловят каждое его слово, люди, которые не прощают забытых клятв, и рискни он

356

пойти другой дорогой, она покажется ему шатким мостиком.

Нет, он не нарушит данных обещаний, он не сможет этого сделать, даже если бы и очень захотел. Он как тот муравей, который тащит в норку огромную соломинку, не в силах противостоять всемогущему инстинкту, и как бы ни было ему трудно, он обречен нести свою ношу до самого конца. А если ему суждено погибнуть, то наверняка от укусов своих братьев, которые затащат его в норку так же легко, как и неподъемную соломинку.

Сейчас Варяг спешил в институт, он должен побыть там недолго, нужно дождаться двух законников: одного из мэрии, другого из академии. У дверей его встретила красивая длинноногая секретарша. Варяг подумал о том, что года два назад он непременно занялся бы ею, но сейчас он не имеет права совершать неверных шагов, и так уж в его биографии такие пятна, что могли бы зачернить любое солнце.

И еще важно не допускать никаких лишних трат, теперь он будет находиться под пристальным вниманием, его стали узнавать даже на улице! Бюджет нужно умещать в строгую директорскую зарплату, которой при прежней воровской жизни хватило бы только на один ужин в ресторане. Вот перейдет в парламент, тогда можно будет и раскошелиться, а сейчас самое время, чтобы вспомнить про аскетичность нэпмановского вора.

Телефонный звонок настиг Варяга на пути к креслу. Откуда это? Мэрия? Академия?

— Я вас слушаю.

— Это ты, Владик?

Варяг узнал голос академика Нестеренко. Он тотчас вспомнил дачу, его дочку и ее неприкрытые ноги, отвечал сдержанно:

— Да, это я.

Теперь он стал настолько силен, что уже не

нуждался ни в чьей опеке. Академик Нестеренко всего лишь этап в его жизни. Возможно, самый яркий, но это уже прошлое. Впереди у него другая жизнь, непохожая на прежнюю, и Нестеренко был всего лишь трамплином, с которого нужно было совершить толчок для того, чтобы с лихвой наверстать упущенное время.

— Мне нужно с тобой встретиться, ты сейчас свободен?

Секунду Варяг колебался, а потом неожиданно для себя согласился:

— Хорошо. Я вас жду.

Получилось несколько суховато, но Варяг не терзал себя угрызениями.

— Буду через полчаса.

Академик Нестеренко. никогда не опаздывал. Это было его отличительной чертой. Он всегда приходил вовремя на всевозможные совещания, являлся аккуратно на лекции через минуту после звонка, и сейчас он появился в кабинете Владислава Геннадьевича точно с последним оборотом минутной стрелки.

Варяг поднялся, чтобы поприветствовать своего учителя, но сейчас это приветствие было иным. Варяг жил в другом измерении: через полчаса у него встреча с избирателями, в полдень выступление на телевидении, а к вечеру он должен положить на стол редактору одного из центральных политических журналов тезисы предвыборной программы. Он незаметно взглянул на часы, которые огромным ящиком висели прямо над головой академика. Стрелка на них сместилась еще на одну минуту, а Нестеренко не торопился. Он снял пиджак, аккуратно повесил его на спинку стула, ослабил узел галстука, и стало ясно, что он приготовился к обстоятельному разговору.

Нестеренко совсем не интересовало время Владислава, и если академик пришел поговорить, значит, так нужно. Кто может упрекнуть его в том, что он способен вести праздные беседы.

Варяг напрягся.

— Я вас слушаю, Егор Сергеевич.

— Твою работу выдвигают на государственную премию.

Варяг скупо улыбнулся. Если он пришел только из-за этого, то не стоило тратить драгоценное время. Варяг узнал об этом несколько дней назад, достаточно было только набрать нужный номер телефона, чтобы выяснить подробности. Впрочем, сейчас это интересовало его меньше всего.

— Спасибо, Егор Сергеевич, но я об этом уже знаю, — решил он остановить разговор.

Тяжелый день, просто так его не проживешь.

Однако Нестеренко по-прежнему не торопился.

— Теперь ты на самой вершине.

Владислав неопределенно пожал плечами.

— Я знал, что будет именно так. Ты умен, талантлив, организован, целеустремлен. Немного найдется людей со столь блестящими способностями, какими тебя наградил Господь.

Варяг явно нервничал, но Нестеренко будто не хотел замечать этого. Он как бы говорил: «Не так часто мы встречаемся, и уж если я пришел, так, будь добр, терпи».

— И ведь ты успеваешь всюду: занимаешься наукой, политикой. Тут одна прорицательница выступала по телевизору, сказала, что у тебя блестящее будущее. Потом твое интервью видел. Хорошо держишься, мальчик.

— Егор Сергеевич, извините меня, но мне надо спешить. Мне нужно в мэрию. Если у вас есть какое-то дело, говорите сразу.

— Браво, мой мальчик, браво. — Нестеренко даже хлопнул в ладоши.

Пиджак почти съехал со спинки стула и готов был упасть на пол.

— Именно так ты и должен отвечать. Сдержанно, интеллигентно и никакого высокомерия. Люди этого не прощают. Если ты хочешь сразу к делу, тогда пожалуйста. Не удивляйся, но я знаю о тебе все... Варяг. Я правильно назвал твое погоняло?

Варяг похолодел.

Откуда о его тайне мог знать этот человек, который далек от всего на свете, кроме науки? Совершенно исключено, чтобы кто-то из воров проговорился. Тогда каким образом? Уж не умеет ли он читать чужие мысли?

Варяг не знал, что ответить. Он был силен: в его руках была сосредоточена огромная империя, которая могла прийти в большое движение только от одного поворота его головы. Ему достаточно было произнести слово, чтобы где-нибудь за тысячу километров заключенные подняли бунт.

Ему не составляло труда устроить в любом городе России такой беспорядок, что на его укрощение не хватило бы вооруженного батальона милиции. Но сейчас Варяг чувствовал себя совершенно беспомощным под прицелом умных серых глаз. Оказывается, академик Нестеренко может смотреть и так. Чего же он от него хочет? Может, это шантаж? Нестеренко невозможно ничем испугать, он уже перевалил тот возраст, после которого мужчины кажутся детьми. Он философ, и сама смерть может показаться ему гениальным освобождением от многих условностей.

А Нестеренко миролюбиво продолжал:

— Не нужно пугаться, Варяг. Я твой союзник. Неужели ты никогда не замечал того, что находишься под моей постоянной опекой? И доктором ты не стал бы так быстро, если бы не моя поддержка. Все-таки кое-чего мы стоим в этом мире. Парень ты талантливый, но любой талант нуждается в поддержке.

— Откуда вы знаете обо мне?

— Я знаю о тебе все! И твоя воровская наколка на груди для меня не откровение. Я насмотрелся на них на Соловках.

Об этом Нестеренко говорил уже Варягу, но тогда тот посчитал неудобным об этом расспрашивать, а сейчас видел, что седовласый академик хочет говорить именно о своем прошлом. Варяг почувствовал, что он сделался ему даже как-то ближе.

— Однако ничего такого про меня ты в Большой Советской Энциклопедии не отыщешь. А надо бы! Кроме указов да наград, там больше ничего о нас и не пишут. И ни гугу о годах, проведенных на Соловках.

Варяг уже забыл про часы, забыл про мэрию. Разговор был интересен.

— Я ведь, к твоему сведению, еще и потомственный дворянин, может быть, посадили еще и за это. Кто теперь знает? Вот тогда я и насмотрелся Иванов. Все наколками друг перед другом щеголяли. Такое в картинной галерее не увидишь. Вот там я и повстречался с Медведем... Он был одним из Иванов.

Теперь Варяг понимал, что не ошибся тогда, когда ему казалось, что среди кладбищенских оград, во время похорон Медведя, он разглядел слегка сутулую фигуру академика Нестеренко.

— А на кладбище вы тоже были в день его похорон?

— Да. Это был я. Понимаешь, не мог не прийти, не попрощаться, нас с Медведем связывали годы дружбы.

— И как же все это началось?

— Началось именно на Соловках. Георгий Иванович уже тогда в паханах ходил. Все-таки медвежатник! Без его слова ничего не решалось. Посмел бы кто обойти его, он бы тут же расправился... — Странно было видеть Варягу растроганного и восхищенного академика. И таким он, оказывается, может быть. — Георгий Иванович на Соловках был как высший суд. Как только нас на Соловки привезли, так блатные нас всех обобрали. С меня сапоги сняли, плащ хороший отобрали. Кто-то посоветовал к пахану Соловков обратиться, а им был как раз Георгий Иванович. А когда я ему все это рассказал, он за меня заступился. Меня тогда с третьего курса университета забрали, он же и окрестил меня Студентом. До последних дней так и называл меня этой кличкой. Через год драка была с уголовниками, нас они «политическими» называли. Нескольких человек тогда блатные убили. Дрались чем могли, и профессора там были, и священники. Вот так людей доводили. А ведь я этих профессоров, как студент, помнил. Всегда такие чистенькие, с изящными манерами. А священники по фене крыли так, что, услышь их прихожане, наверняка у них отвалились бы челюсти. Иначе там просто было нельзя, съедят! Так жили все, так жил и я. — И Варяг представил академика Нестеренко, ботающего по фене. И на губах появилась невольная улыбка. Академик подходил к кафедре всегда достойно, красиво нес свою благородную голову, и слова его были изысканы и отточены. Конечно же, на Соловках он был совершенно другим. — Тогда он спас мне жизнь. Медведю было достаточно сказать: «Пошел вон!», как заточка из рук урки мгновенно выпадала. С тех пор он взял меня под свое покровительство, и мы с ним не расставались до самой его смерти. Если так можно выразиться, то я был научным консультантом у пятнадцати законных воров. У меня огромные возможности, и мне не составляло большого труда добыть для него нужную информацию. Вот так я всю жизнь оплачивал этот долг. Именно по его же личной просьбе ты был устроен в университет, защитил две диссертации в фантастически короткий срок. Что отличало Медведя, так это то, что он мог видеть перс-

362

пективу. Он сказал, что ты именно тот человек, о котором он мечтал давно.

Академик прокашлялся и так же горячо продолжал:

— Тот человек, который может усилить созданную им империю. И он не ошибся! Позже я и сам убедился в твоих незаурядных способностях. Если самодержавию требовались столетия, чтобы сколотить из огромных кусков единую империю, то Медведю понадобилось на это всего лишь двадцать лет. Если самодержавие держалось на армии, страхе, то Медведь отыскал более сильные рычаги — идею и деньги. Деньги и открывали любые двери и заставляли говорить даже самых молчаливых. Деньги подчиняли себе самых непокорных, а робких заставляли бунтовать. Георгий Иванович был гениальным человеком! Если бы он пошел по другой стезе, то наверняка достиг бы академических высот. Возможно, стал бы президентом! Впрочем, он и был президентом воровского мира и повелевал своей огромной империей с гениальной осторожностью, за все эти годы он ни разу не был выявлен. А эти его знаменитые похороны, когда он объявил себя покойником! Вы не представляете, молодой человек, как ликовали в комитетах, когда услышали о его смерти. У меня и там есть приятели. Они думали, что его детище, которое он создавал долгие годы, лопнет! Однако каково было их удивление, когда оно, наоборот, стало крепчать год от года. Пытались искать лидера, который заправлял общесоюзным сходняком, но его просто не было! Им было невдомек, что империя управляется, как и раньше, только сейчас это происходит из-за плотной занавеси.

Телефон уже звонил несколько раз, но Варяг не решался прервать рассказ академика. Сейчас телефон трезвонил особенно настойчиво, и Варяг отключил его совсем.

— Медведь был с фантазией, всегда умел находить самые неординарные решения из сложнейшей ситуации. Милиция брала воров, — качнул головой Нестеренко, — но все они были средней руки, след же всякий раз прерывался. Все они были связаны клятвой, нарушить которую — значило подписать себе смертный приговор. Все это делается очень просто: подсылают кого-нибудь на пересылке и выпускают кишки. Но подчас даже и они не знали, от кого получают приказ.

— Приказы не нарушались?

— Что ты, пойти против воли Медведя — это значит пойти против воли схода, а такие приговаривались немедленно.

— Когда произошло расслоение законников? — задал Варяг вопрос, который не давал ему покоя все последнее время.

— Расслоение воров произошло лет восемь назад. Это могло уничтожить империю, которую с таким трудом создал Медведь. Когда-то он стоял на стороне нэпмановских воров, которые придерживались старых традиций, потому что сам был таким, но в последние годы он поступился своими принципами.

— Почему он отошел от нэпмановских воров?

— Для меня это тоже загадка. Я даже думаю, для того чтобы спасти их от полного уничтожения. Новые воры плодились подобно тараканам, норовили заползти в самые отдаленные углы, диктовали свои условия и выделяли столько желчи, что могли отравить всю империю, на строительство которой у него ушли десятки лет.

— Медведь не мог добиться от них повиновения? — удивился Варяг.

— Они успели заразить многих, и болезнь уже была запущена. Для того чтобы добиться повиновения, нужно было перебить десятки воров, а это уже война. Для нового поколения воров прежние законники уже не пример. Кому не хотелось иметь дачи и машины, а не побираться жалкими крохами с общака? Каждому хочется иметь коттедж и «кадиллак», красивых любовниц и ужинать в дорогих ресторанах. Это совсем не то, что было даже пять лет назад. Прежние законники не желали выходить из колоний только потому, что им нужно воспитывать молодежь. Сейчас таких альтруистов осталось мало. Каждый рвется на свободу, чтобы вдоволь жрать и всласть пить. Вот тогда воровской мир и разделился. Мечтой Медведя было вновь соединить две половинки яблока, чтобы они навсегда остались единым целым. Медведь был гибок в своих поступках: он расширил сходняк и включил туда новых воров. Это было сделано для того, чтобы примирить всех. Потом Медведь подчинил своей воле большую часть новых воров и только некоторые районы оставались беспредельщиками. Ты же сумел сделать то, о чем в последние годы так мечтал Медведь: ты объединил новых и нэпмановских воров.

— Как вы думаете, какие дополнительные выгоды это может дать?

Нестеренко на секунду задумался.

— Это новое сообщество. Очевидно, будет какое-то взаимное обогащение, получится совершенно новый сплав, который не будет походить на старых воров, и в то же время у них будет много черт от новых. Видно, жизнь тоже берет свое, каждый из них хочет жить хорошо: иметь машину, дачу, отдыхать за границей. Каждый понимает, что жизнь одна. Много из старого теряется, но будут приобретены и многие преимущества. Когда-то нэпмановские воры и не помышляли о таких деньгах! Разве они думали о том, что можно будет брать под контроль банки, огромнейшие заводы, отчисления от которых составляют многие миллионы! Теряется главное — идея! Раньше законник был бескорыстным, сейчас он обрастает капиталом.

Варяг улыбнулся. Нестеренко был свой совсем. Он сумел понять больше, чем иной вор, и смотрел на проблему по-своему даже научно. Сумел обобщить то, что до него представляло собой отдельные лоскуты. Он умудрился даже сделать некоторый прогноз, постарался заглянуть в воровское завтра. И это у него получилось так же блестяще, как написание научных статей.

— Так ваш вопрос о моей наколке был не случаен?

— Милый мой Владислав, конечно же, не случаен. Моя научная карьера началась не с философских трактатов, она началась на Соловках с написания большой статьи о наколках уголовников. Если бы ты познакомился со всеми моими трудами, то натолкнулся бы и на нее тоже. Знаешь, я даже рекомендую тебе прочитать ее, мне кажется, она не устарела и на сегодняшний день. — Трудно было понять, говорит ли академик серьезно или все-таки шутит.

— Я обязательно прочту ее, — в тон Нестеренко отозвался Варяг.

— Так вот, в этой статье я первый написал о наколках воров в законе, тогда они назывались Иванами. Позже стали именовать себя урками. Но вот с этой наколкой, что находится у тебя на груди, — Нестеренко даже понизил голос, так он поступал всегда, когда хотел, чтобы обратили внимание на главную мысль, — я знаком особо, потому что ее имел Медведь!

— Конечно, он же законный.

Академик Нестеренко продолжал:

— Именно тогда я и заинтересовался наколками. Сам Медведь и объяснил мне тогда, что эта наколка — некое генеральское отличие от других воров. Ее разрешается накалывать по решению сходки, и если найдется желающий присвоить себе этот символ незаслуженно, то он будет немедленно казнен.

Такие наколки имели еще несколько человек на острове. По существу, все они были равны между собой, но Георгий Иванович был настолько большим авторитетом, что он мог один противостоять им. Но он никогда бы не пошел на это, тогда были просто другие правила. Все вопросы они решали сообща. Соловки напоминали тогда небольшое государство, которое повиновалось воле нескольких Иванов. Я думаю, что эта коммуна в пределах Соловков и натолкнула его на мысль построить потом воровскую империю в пределах России. Сначала она зародилась вокруг Москвы, потом взяла под свое влияние близлежащие города, а через десяток лет перешагнула через Урал и добралась до самых отдаленных уголков страны. И все это сделали люди вот с этими наколками в виде парящих ангелов. Так вот, в моей статье подробно описываются эти наколки, которые и до сих пор служат знаками отличия в воровском мире. Я еще сидел в лагере, когда эту статью опубликовали. Затем на нее наложили гриф «Для служебного пользования». Говорят, она пользовалась популярностью.

В словах Нестеренко Варяг услышал гордость. И этот академик, который написал сотни статей и целый ряд монографий, хвалился небольшой статьей о воровских наколках!

Видно, и вправду говорится, что первая любовь не забывается.

— В какой-то степени именно написание этой статьи послужило моим досрочным освобождением. С Медведем мы вышли в одном году. А потом я узнал, что в следующем году всех заключенных посадили на баржу и отправили в открытое море. Больше их никто и никогда не видел. И если бы не эта статья, спасшая мне жизнь, я бы мог стать одним из тех несчастных. Вот такие воспоминания я оставил о наколках. Веселенькая история, не правда ли?

Теперь Варягу становилось ясно, чье присутствие он ощущал постоянно. Академик оберегал его, был для него поводырем, переводящим слепого через оживленную улицу. Он относился к нему так же бережно, как молодой отец, впервые купающий своего сына.

И вот теперь, когда Владислав набрался сил, Нестеренко уходил, словно опасался, что своей гигантской тенью способен заглушить силу ростков, которые все увереннее пробивались к теплому солнцу.

Теперь это превращение не удивило Владислава, он даже недоумевал, как он не догадался о роли академика раньше, ведь Нестеренко всегда был рядом! И то, что подчас не удавалось осуществить даже с деньгами Медведя, можно было устроить при помощи авторитета заслуженного ученого.

Нестеренко был свой. Он был такой же законник, как и остальные из шестнадцати, и теперь только Варяг знал о том, что он всегда стоял рядом с Медведем. Академик Нестеренко был личностью масштабной. Похоже, многими своими достижениями Медведь был обязан именно седовласому профессору. Егор Сергеевич коснулся ладонью своих волос, а они у него были, несмотря на возраст, косматы, и густые пряди, сплетаясь, напоминали корону. Венец законника старику пошел бы. Даже осанка у академика была прямой и полной достоинства, а строгий взгляд смотрел прямо, как будто от его решения зависела судьба баталии.

— Значит, вы все время находились рядом?

— Вот именно, рядом.

Варяг привык Нестеренко видеть впереди. Он настолько был фундаментален, что невозможно было представить его идущим следом. Однако в империи Медведя он стоял за спиной удобного кресла и подавал величавому вору державу и скипетр. Браво, Медведь! И тут вдруг неожиданно Варяга ужалила мысль, что это Медведь был вторым! А Нестеренко, прячущийся в тени, создавал свое государство, где механизмы управления находились в его руках. Кому как не Егору Сергеевичу с его академическим мышлением под силу рассчитать те задачи, которые ставила перед собой империя? Может, его опека над бывшим аспирантом входит в стройную программу, где Варягу отводится роль статиста? Похоже, Нестеренко считает, что если Владислав ходил под его началом в стенах вуза, так почему ему тогда не продолжить свое покровительство и в бизнесе?

— Егор Сергеевич, можно задать вам один вопрос?

— Пожалуйста, Владислав, можешь не один, я весь в твоем распоряжении.

— Вот это и будет моим вопросом. Вы в моем распоряжении?

— Понимаю... о чем ты подумал. Бизнес не терпит многовластия. Не бывает двух королей, сидящих на одном троне. Я тебе еще не все сказал, Варяг. Я обещал Медведю не помогать его преемнику, а служить! И это слово я собираюсь сдержать.

Вот оно как повернулось. Чего здесь не хватает, так это ритуального целования рук крестному отцу.

— У меня еще один вопрос.

— Слушаю.

— Света?

Только такой человек, как академик Нестеренко, и мог поспорить с его могуществом.

— Да, это был я. Но ты меня должен простить, Владислав. Тогда было определяющее время. Никто из нас не должен был расслабляться. И к тому же я обещал Медведю, что буду оберегать от всего, что может помешать делу.

— Как же Света могла помешать делу?

— Все это время я наблюдал за тобой, ты бы мог наделать массу глупостей. Разве не из-за нее ты порвал с нэпмановскими ворами? Так же мог бы оставить и нас. Света могла бы послужить объектом шантажа. В этом случае ты мог бы просто попасться в ловушку!

— Где она?

— С ней ничего не случилось. Она находится за границей у наших друзей.

— Я хочу, чтобы она была здесь.

— Хорошо, она будет здесь через неделю.

— Нет, даю три дня.

И все-таки Нестеренко улыбнулся виновато.

— Она будет здесь через три дня, — и, предупреждая возможный вопрос, добавил: — С Викой все нормально, сейчас она не одна. Лучше будет для вас обоих, чтобы вы не встретились. Это я говорю как отец. Скоро у нее свадьба.

— Простите меня... Егор Сергеевич.

ГЛАВА 30

Еще не было такого, чтобы Юрьев не справился с заказом. Он был киллером высшей квалификации. Часто заказчик давал ему только фотографию будущего клиента, не называя при этом ни имени, ни фамилии, указывая предположительно только район, где он мог находиться. Юрьев справлялся и в этом случае. Тогда в нем раскрывались запрятанные резервы, как это бывает у стайера на длинной дистанции. И жертва тоже как будто сама искала с ним встречи: они напоминали двух бабочек, разделенных тысячами километров пути и, подчиняясь чуду, которое называется волей судьбы, спешили навстречу друг другу. А это куда труднее, чем идти ищейкой по следам, еще хранящим тепло ступней. Найти человека среди множества тысяч — вот задача, на которую способен не всякий. Здесь мало одних способностей, здесь нужен талант, чутье и немного везения. Очередной день сокращал между ними расстояние, которое всегда заканчивалось фатальной встречей.

Иногда на это уходил месяц, редко требовалось три, и только однажды на поиски своей жертвы Сержант потратил полгода. Он напоминал акулу, которая упрямо кружила вокруг своей жертвы, с каждым кругом все ближе подходя к цели, пока наконец не переворачивалась вверх брюхом, разрывая добычу многими рядами зубов.

Сейчас же Сержант возвращался ни с чем. Это было не в его правилах.

Однажды, нарядившись в потертый тулуп, он ходил по подвалам, выискивая нужного человека. Здесь, среди бродяг и бичей, глубоко запрятав в себя брезгливость, скрывался ссученный вор Циклоп. Кличка пристала к нему еще в далеком юношестве, когда в одной из мальчишеских драк он потерял правый глаз, оставшийся всегда смотрел настороженно и строго. Сходняк приговорил вора к смерти, но, умело перевоплощаясь в бродягу и следуя из одного города в другой, он уходил от преследователей, и вот тогда сходняк вспомнил про Сержанта. На эти полгода Сержант сам перевоплотился в бродягу: переезжал из одного города в другой, ночевал на вокзалах и в приютах и неизменно все ближе и ближе подбирался к намеченной цели. Глядя на заросшего, нечесаного Юрьева, верилось с трудом, что он является обладателем многомиллионного состояния. Он взялся за это дело из-за азарта, рассчитывая отшлифовать свой профессионализм. И у волка выпадают зубы, если он не ест мяса. В кармане пиджака лежала небольшая фотография, бережно завернутая в полиэтилен. Глянец на ее углах стерся — слишком часто он держал ее в своих руках, запоминая неправильные черты лица, форму пустой глазницы. Юрьев должен был безошибочно определить его среди тысячи похожих, не роясь при этом в карманах пиджака, чтобы извлечь нужный образ. Фотографию он доставал так часто, что могло показаться, что он молится безглазому богу. И когда на одном из вокзалов Сержант разыскал вора, то уже нисколько не удивился этой встрече — акула должна открыть пасть. Бывший законник уже не имел воровского лоска, всецело вжился в образ опустившегося бродяги — был сутул и грузен, и только глупец мог поверить в то, что вор не найдет силы для последнего броска.

Ночь. Вокзал. Полумрак. Циклоп сидел один в переполненном зале и был одним из многих. Он напоминал заброшенную клумбу, вид такой же жалкий и состарившийся, а кусты седых волос торчали из ушей и непокорно топорщились на остром затылке. Черная несвежая повязка делила его голову на две части.

Юрьев не смотрел в его сторону — устало пробирался между креслами. Вот он споткнулся о выставленный в проход чемодан, неловко упал на сидящих и, извиняясь, стал подниматься. Циклоп почувствовал слабый укол. Видно, этот бедолага, растянувшийся в проходе, зацепил его чем-то острым. Вор растер ладонью уколотое место и тут почувствовал, как сидящие в зале стали от него отдаляться, голоса их звучали все дальше и глуше. Прямо перед собой он увидел лицо бродяги, который неловко поднимался. Но вот его глаза! И тут Циклоп понял все.

— Ах ты, сука! — протянул он руки, пытаясь дотянуться до горла бродяги, но сил хватило ровно на столько, чтобы едва оторвать ладони от подлокотников.

Циклоп понял все. Вот она какая, его смерть: в грязном поношенном пиджаке, с трудом поднимающийся с колен, и только глаза, живые, дерзкие, указывали на то, что он полон сил. Глаза убийцы! Они смотрели так, как будто подглядывали за тем, как медленно из его тела вытекает жизнь. И последнее, что он увидел, — насмешливая полуулыбка.

Юрьев неторопливо поднялся. Циклоп что-то произнес, но Сержант не расслышал. Он смотрел на его лицо, наблюдая за тем, как быстро действует впрыснутый в тело яд. А потом, когда Циклоп закатил глаза и безвольно свесил голову на грудь, неторопливо засеменил к выходу.

Переполненный зал не обратил внимания на человека, сидящего в углу зала. Он напоминал пассажира, безропотно дожидающегося своего поезда. И уж совсем никто не мог предположить, что в переполненном зале почил известный законник по кличке Циклоп.

Через день сходка узнала о смерти Циклопа. Кто-то из воров рассказал о том, что труп Циклопа вытащили из зала на улицу, где он целый день со спущенными штанами пролежал под дождем. Бесстыдный и голый, опозоренный и после смерти, он сделался посмешищем бродяг, которые, не стесняясь, тыкая в него пальцем, признавали в одноглазом почившего вора.

Неловко стало на сходке — уж такого бесчестия Циклопу не желал никто. Хоть и ссученный, но все же бывший законник!

Циклопа похоронили в дальнем конце кладбища, там, где обычно хоронят бродяг — людей без имени и адреса. Ни креста, ни надписи на могиле.

* * *

Где-то Сержант допустил ошибку, и поэтому Валаччини сумел перехитрить его.

Эта встреча стала венцом всех нелогичных событий, которые с ним произошли в последние дни. К чему угодно, но вот к этому он просто не был готов. Однако действительность в виде высокой фигуры, которая выросла неожиданно перед ним, утверждала обратное.

Ствол, направленный в голову Юрьева, напоминал о том, что он тоже смертный и достаточно только одного движения пальца, чтобы из полубога сделать самый обыкновенный труп.

— Тебя же убили вместе со всеми, — было первое, что произнес Сержант.

— Как видишь, не убили. Ты сам учил нас этому простенькому трюку, вот и пригодился, — ответил Рыжий.

— Ученик ты оказался способный.

Выходит, Рыжий остался жить только для того, чтобы вот сейчас пристрелить его на темной итальянской улочке.

С моря потянуло прохладой, дышалось легко и свободно, но, видно, недолго ему еще осталось наполнять свои легкие кислородом, остатки которого вырвутся наружу через рваные раны на теле. Это убийство будет напоминать самое обыкновенное ограбление, встречающееся здесь каждый день. Сержант будет лежать под тенистым платаном с вывороченными карманами, пока утром на него не натолкнется грузовичок, развозящий по домам свежеприготовленную пиццу. Сержант даже представил лицо молоденького шофера, который со смешанными чувствами отвращения и страха будет заглядывать в его посиневшее лицо. Потом будет пронзительное завывание полицейской машины и носилки со следами запекшейся крови.

— Я всегда восхищался тобой, Сержант. И поверь, мне жаль это делать. Двойная несправедливость в том, что ты умрешь от руки своего же воспитанника. Мне никак не думалось, что именно я буду тем человеком, который поставит точку в твоей биографии. Признайся мне, Сержант, не обидно ли тебе умирать в этой итальянской глуши после того, что ты увидел и пережил?

Легкие буквально распирало от обилия кислорода. Странно, почему он никогда не замечал того, что у моря всегда дышится по-особенному легко? Воздух был разрежен, и пахло йодом.

— Умирать всегда обидно, — просто отвечал

Сержант. Теперь ответь ты мне, кто тебя послал?

— А ты не догадываешься? — криво улыбнулся Рыжий.

— Понимаю... — вымолвил наконец Сержант, — у нас с тобой один хозяин.

— Да.

Теперь все выглядело на редкость логично, и не было ничего удивительного в том, что он не разглядел его сразу. Ведь и первые мазки по холсту не могут сказать о том, что это будет за картина. Впрочем, он и раньше догадывался о том, что кто-то из них должен быть от Владислава Геннадьевича, но что этим человеком окажется именно Рыжий, предположить не мог. Такая игра больше подошла бы Лешему, может быть, поэтому он и старался держать его около себя, чтобы обезопасить себя от возможных сюрпризов.

Оказалось, ошибся.

Щербатов — тонкий игрок, вот это-то и невдомек рыжему юнцу: сначала он избавится от главного свидетеля, а потом настанет черед и его убийцы. Этот мальчик залез в большое дело, и он напрасно думает о том, что для него это просто романтическое приключение.

— Когда ты получил приказ убить меня? — не сводил Сержант глаз с махонькой мушки на стволе.

— Приказ убить тебя я получил еще до отъезда. Варяг — мудрый человек, он предвидел, что ты попытаешься переиграть его в двойную игру.

— Хвалю, ты неплохо держался все это время и совсем не нервничал.

Мушка напоминала насекомое, устроившееся на стволе, да так ей здесь понравилось, что она и осталась, сложив крохотные крылышки.

— Помнишь наш первый день, когда я рассказал вам про три правила? — спросил Юрьев.

Мушка смотрела ему прямо в живот под самую диафрагму.

— Такие встречи не забываются, Сержант, — качнул Рыжий пистолетом, словно хотел согнать досаждавшее ему насекомое. А надоедливая муха и не думала улетать, крепко уцепилась за ствол пистолета.

— Есть еще и четвертое правило.

— Какое?

— Никогда и никому не доверяй!

Прозвучавший выстрел согнул Рыжего пополам, а потом крохотный свинец, спрятавшийся у него в желудке, все больше наливаясь тяжестью, стал медленно стаскивать его под ствол платана.

— Глупец, неужели ты думал, что я просто так дам убить себя? Ты действительно меня удивил этой встречей, но я никогда не вынимаю руку из кармана, когда иду по безлюдным улицам, и, прежде чем ты успел бы в меня выстрелить, я продырявил бы тебя дважды. А теперь прощай, я тороплюсь, — и, обернувшись напоследок на скрюченное тело, неторопливо пошел по вымершей улице.

Сержант вышел к морю. Оно волновалось белой пеной, и осколки волн разбивались о скользкую поверхность скал и колючими иглами впивались в его разгоряченное лицо. Юрьев облизнулся, брызги были такими же солеными, как и пролитая слеза. Он снял с себя куртку, осмотрел. В месте выстрела — аккуратная маленькая дырочка с опаленными краями. Испорчена вещь, теперь уже не поносить. Юрьев набил карманы куртки камнями, а потом, взобравшись на уступ скалы, бросил куртку в воду. Море, благодарно хлюпнув, приняло подарок. Некоторое время Юрьев смотрел за тем, как куртка уверенно погружалась в глубинную темень, и рукава, взывая о помощи, помахивали ему снизу. Потом пропали и они.

Юрьев стоял неподвижно, как будто прощался с

почившим другом, так хоронят одну из своих надежд, а потом каменистым берегом пошел назад в город.

Это был тот редкий случай, когда Сержант не знал, что делать дальше. Он чувствовал себя свободным от обещания, которое дал Владиславу. И еще одна беда: в деле киллера существуют такие же правила, как и в воровской среде, и нарушить их — это подписать собственный приговор.

Море стучало в скалы и трескуче шелестело галькой под ногами, пытаясь намочить ступни. Возможно, самое разумное в его положении, это снять деньги в банке и затаиться в глухом уголке, покинутым даже Богом. И следить издалека, чем же закончатся эти тараканьи бега.

Раньше он получал заказ от множества воровских группировок, которые уверенно делили Россию на лакомые куски и с его помощью освобождались даже от потенциальных конкурентов. Сейчас, когда место патриарха занял Владислав Геннадьевич, выполнять работу будет куда труднее.

Он видит в Сержанте опасного свидетеля, от которого нужно избавиться во что бы то ни стало, и эта охота будет продолжаться всегда. Юрьев почувствовал себя зерном, которое вот-вот разотрут в пыль два огромных жернова: на Западе — Валаччини, на Востоке — блистательный доктор Щербатов, и, чтобы этого не случилось, нужно действовать самому. Нужно вернуться в Россию и сбросить Владислава с той вершины, на которую он вскарабкался. И тогда этот кусок льда, называемый айсбергом, рассыплется в студеную кашицу. Вместо одной силы появится несколько, вот тогда он точно не останется без работы.

И еще одна была причина у Юрьева, почему он хотел вернуться в Россию, — он искал брата. Этими поисками он занимался уже несколько лет, щедро выплачивая из своих гонораров гонцам, нанимал людей, однако все усилия оказывались тщетными. Оставалось предположить, что брат или изменил фамилию, или упрятан так далеко, где не в силах помочь не только огромное влияние, но даже и деньги. Возможно и третье — он мертв!

Юрьев покинул страну как раз в тот день, когда брат угодил в КПЗ за сопротивление властям, а это тянет лет на пять лесоповала. Единственное, на что тогда был способен Юрьев, так это пообещать: «Я вернусь к тебе, Рома. Вот увидишь, вернусь! Ты же знаешь, что у меня нет никого, кроме тебя. Я вытащу тебя, вот увидишь!»

Однако получилось все по-иному, жизнь у Юрьева потекла по другому руслу, а от того обещания его отделяло уже около двадцати лет. И если Рома действительно жив, то он уже не восемнадцатилетний мальчишка, а взрослый мужчина.

В свой первый приезд в Россию, воспользовавшись одним из своих паспортов, Юрьев безбоязненно входил в самые высокие кабинеты, и на его многочисленные запросы всегда был готов ответ: «Место пребывания неизвестно».

Возможно, на его месте другой оставил бы это безнадежное предприятие, только безумный мог верить в то, что Рома еще жив, но острое чувство одиночества заставляло его усиливать поиски.

И когда Юрьев наконец обнаружил след пропавшего брата, он не воспринял это как чудо — просто произошло то, к чему он так долго и терпеливо себя готовил. Рома содержался в одном из магаданских лагерей и вышел на свободу за несколько месяцев до его приезда. Юрьев узнал, что за это время он сделался «коренным обитателем тюрьмы», или просто КОТом, и только раза четыре ненадолго выглядывал на свободу. Он уже трижды менял фамилию, а сейчас жил под четвертой — в этом и состоял секрет, почему так долго его не мог разыскать Юрьев.

Исколесив и облетев половину страны, он так и не смог увидеть тогда брата. Он исчезал так же неожиданно, как и заявил о себе. И вот, прибыв в Россию в третий раз, Юрьев обратился за помощью к Варягу, который, внимательно выслушав Сержанта, твердо пообещал:

— Если он жив, мы его найдем. Наша связь куда надежнее, чем государственная. Через месяц ты получишь от своего брата весточку.

Варяг сдержал слово. Однажды он приехал на базу и положил синий конверт без марки на его гладко струганный стол.

— Здесь небольшое письмецо от твоего брата и фотография.

Некоторое время Юрьев внимательно рассматривал конверт. Он был слегка мятый, один из уголков немного потерт, на сгибах надорван, и Юрьев подумал о том пути, который прошло это письмецо, прежде чем попало к нему на стол.

Неторопливым движением извлек фотографию.

Рома изменился за это время немного, разве что похудел очень, и глаза на его тощем лице казались болезненно огромными. Письмо было коротким — обычное послание издалека:

«Здравствуй, брательник! Наслышан о том, что ты меня ищешь повсюду. Тут за меня хлопотали такие люди, что и представить трудно. Видно, ты и сам весовой, если держишься таких мастей. Очень хочу тебя увидеть, и побыстрее. Да вот небольшая беда приключилась — срок мотаю большой. Не можешь ли ты чего-нибудь придумать? И вообще, где ты был все это время?»

— Как он там? — бережно сложил в четыре раза весточку Сержант.

— Как все, — отвечал Варяг. — Ничем не хуже остальных, в блатные не лез и ниже мужика не опускался. Обычный зек, который мотает свой срок. Правда, он из крепких, в обиду себя не дает.

На зоне его уважают, из него мог бы получиться неплохой вор.

— За что он сидит?

— Опять за драку. Взрывной он у тебя. В одном из кабаков едва не перегрыз менту горло за то, что тот оскорбил его в присутствии любимой женщины.

— Узнаю своего брата, — разгладил ладонью конверт Сержант.

С какими только превращениями ни сталкивался Варяг, но чтобы мясник становился любящим братом, наблюдал впервые.

— Что сделать для него?

— Он пишет, что у него большой срок. Нельзя ли ему устроить побег?

— Можно.

— Все расходы я беру на себя, — заверил Юрьев, — я бы хотел, чтобы ему еще сделали два паспорта: отечественный и, если возможно, гражданина Турции. После окончания операции я заберу его с собой.

— Хорошо, но все это будет после того, как ты уберешь Валаччини.

— Договорились.

И это был еще один довод, чтобы избавиться от Варяга, теперь он сам займется освобождением Ромы.

ГЛАВА 31

Вот он и в парламенте. Но это не середина жизненного пути, а только ее третья часть. Варяг сидел в заполненном зале и прочитывал на лицах состоявшихся парламентариев причастность к чему-то великому, и достаточно только одного их указа, чтобы немые сфинксы заговорили, а идолы с острова Пасхи пустились в плясовую. Ему вдруг подумалось о том, как бы изменились эти чопорные лица, если бы судьба устроила испытание, поместив спесивых щеголей в переполненные камеры с обычными зеками. И единственное место, на которое они могли бы рассчитывать, — это у двери, а участь — вдыхать пары зловонной параши. Где познается человек, так это в каменном мешке, который не признает ни чинов, ни прочих причиндалов, а закон здесь один — «голос тюрьмы», против которого не посмеет пойти ни один пахан.

Варяг все больше пропитывался злостью к светской игре в любезность. Интересно будет посмотреть, как они будут рвать друг другу глотки, когда настанет черед делить портфели. Со спесивых физиономий слезет всякий лоск, тогда и познается человеческая природа. Но даже в этом случае унижение, которое они испытывают, будет ничто по сравнению с тем, какое он узнал, когда впервые входил в столыпинский вагон. И чем выше Варяг поднимался в уголовном мире, тем больше его воспоминания напоминали открытую кровоточащую рану.

Вагон. Зеки, стоящие на коленях. Направленные в голову автоматы. Смотреть нужно прямо перед собой, на самодовольного прапорщика, который, выкрикивая фамилии, отправлял дальше по этапу.

Варяг видел, как парламентарии достойно опускаются в мягкие кресла, примерно так законный вор устраивается на почетном месте перед тем, как провести показательное судилище. Эта мысль неожиданно развеселила Варяга. Интересно, кого они собираются судить, уж не его ли?

Владислав помнил все рекомендации Нестеренко, который, подобно светскому льву, крепко усвоил всю эту изысканную чопорную канитель. Нужно принять правила игры: быть со всеми любезным и улыбчивым, сотрудничать с теми, кто тебе полезен, и с теми кто тебе нужен, не исключено, что в дальнейшем может понадобиться и их помощь. Первая часть дела — это компромисс, вторая заключается в том, чтобы наступить на голову бывшим соратникам, для того чтобы забраться на самый верх. Однако при этом никогда не забывать, что ты отстаиваешь интересы той партии, которая изрыгнула тебя на самый верх. А для этого нужно почаще вспоминать прожекторы на вышках и колючую проволоку у длинных бараков. И всех людей нужно делить на две группы: на тех, кто выстаивает в ожидании на коленях, и на тех, чьи стволы автоматов толкают в спину.

Парламентский зал понемногу наполнялся народом. Даже людской гул здесь был какой-то деловой и напоминал жужжание пчел, атакующих улей. Варяг видел, что за этой внешней любезностью и дружелюбием зреют силы, которые должны изодрать в кровь друг друга. Важно не оказаться в этот момент посередине, тогда точно перемелют в муку, не отказываться от выгодного предложения, чтобы потом не жалеть.

Некоторых из депутатов Думы Варяг знал лично, с другими был знаком заочно, но большую часть он не знал совсем. Варяг внимательно разглядывал слащавые физиономии, именно так смотрит на своего соперника боксер, прежде чем отправить в глубокий нокаут. Совсем скоро ему предстоит схватка с каждым из них в отдельности и одновременно со всем парламентом. Теперь Владислав понимал, что он всю жизнь готовил себя именно к этой встрече. Но для предстоящей схватки нужно крепить не только тело, нужно закалять и дух.

Парламентарии утопали в мягких глубоких креслах, обтирали бархатные сиденья, деловито покашливали. Даже жесты их были грациозны, как у оперных примадонн, каждый из них верил в свою избранность. Лица отражали отпечаток истории даже в том случае, если они тихо посапывали во время заседаний или сидели с распухшими от пьянки носами.

Прямо перед Варягом сел мужчина лет сорока. Еще вчера вечером он клеился к двум смазливым девицам, обжимая их за острые плечи. На нем был тот же серый костюм, когда он неловко зацепил локтем бокал, и хмельной напиток обильно оросил его штаны. Сейчас костюм был отутюжен и свеж, и под напускной респектабельностью невозможно было заподозрить ночного кутилу, который к тому же провел героическую и бессонную ночь в объятиях местной путаны.

Варяг все больше пропитывался атмосферой зала. Никогда ранее он не чувствовал в себе что-либо похожего. Его просто одолевал политический зуд, и он верил, что ему удастся изменить существующий порядок по своему усмотрению, а обустроенный им воровской мир — это всего лишь небольшая модель, на которой он набирал опыт.

Этот день обещал быть непростым. К нему готовились все парламентарии и, повинуясь речам своих пастырей, сбивались в небольшие группки. Это позже им обрастать мясом и называть себя партией, сейчас же они шарахались из одной крайности в другую — были глупы и смелы одновременно. Каждый справедливо считал, что важно выиграть первый раунд, посадив в кресло председателя своего человека, который умело бы посылал политические мячи в нужную для них сторону. И мягкость в обращении по отношению к предполагаемым оппонентам должна была поглубже упрятать стальные пружины, которые острыми краями вылезут наружу при голосовании. Варяг вынужден был принять правила игры. Это не походило на игру влобовую, больше напоминало карточный пасьянс искушенных шулеров, которые, встретившись за одним столом, задались целью оставить без штанов один другого. В кулуарах без конца кучковались, говорили полушепотом, политические разговоры велись даже у писсуаров. Каждая из сторон склонялась к тому, что спикер должен быть, по возможности, нейтральным, фигурой не сильной, и последнее обстоятельство устраивало всех (каждая партия тешила себя надеждой, что в будущем будет управлять его политическими симпатиями). А еще никаких амбиций! Некая пластилиновая фигура, которая легко может менять свою пластику под пальцами искусного ваятеля.

Парламентское сборище — словно одна большая зона, где нельзя оставаться в одиночестве. Иначе заклюют! Сообщество мгновенно разбивается на множество фракций, каждую из которых возглавляет отец семейства, вот он-то и греет! Он-то и не дает пропасть, даже если уйдешь в отчаянные отрицалы. Если на зоне грев — это хорошие сигареты и крепкая водяра, то у парламентариев запросы пошире — зарплата, персональная машина и квартира в престижном районе. Но сначала нужно удержаться на плаву, потом скупить голоса и уже с парламентской трибуны руководить миром. А что касается грева, то его получит каждый, кто заслужил.

Выборы спикера должны пройти хорошо отрепетированным спектаклем. Сначала выдвигается одна кандидатура.

Известно заранее, что она обречена, но это один из шулерских приемов, и каждый из присутствующих будет сидеть с серьезным видом только для того, чтобы дать отрицательный голос. Потом нужно тянуть время, ударяться в долгие дебаты, по возможности отклонять заседание от повестки и под конец дня выдвинуть еще одного человека. Однако и он должен провалиться только потому, что в номерах ждут красивые женщины, а на столах расставлена сытная закуска! Вот это по-людски понятно, именно на это и нужно рассчитывать. Но это один из маленьких инструментов огромного оркестра, который зовется большой политикой.

А днем позже, когда даже самым безразличным станет понятно, что со спикером затягивать больше нельзя, и до сознания каждого дойдет то, что весь мир воспринимает русскую демократию, как большое клоунское шоу, следует выдвинуть того самого, кто потом победно опустится на спикерское кресло рядом с президентом.

И совсем не беда, что и он может не пройти сразу. В этом случае важно сделать перерыв, а уже потом выдвинуть его во второй раз. Измотать парламентариев долгими ожиданиями так, как это делает стайер, без конца наращивая темп, и, когда наконец усталость будет чувствоваться каждой клеточкой организма, пройдет тот человек, который будет нужен для предстоящего бизнеса.

К Варягу подошел человек и полушепотом произнес:

— Владислав Геннадьевич, наш договор остается в силе? В этот день не проходит никто?

Варягу этого человека рекомендовал Нестеренко,

386

он долгое время работал у него в приемной референтом и, уж конечно, знал о многих секретах старого академика. Звали этого человека Ярополк, это яркое имя совсем не вязалось с его кротким, почти телячьим выражением лица.

Варяг согласно кивнул:

— Да. Заседание нужно растянуть по возможности до конца дня. Пусть все выдохнутся так, чтобы от каждого валил пар, как от загнанной лошади. Договаривайтесь со всеми, заключайте сделки, выгодные и невыгодные. Все это окупится в ближайшем будущем. Спикер сегодня не должен пройти, это не наш человек. Выбор демократов все тот же?

— Да. На нем остановились не только демократы. Ему симпатизируют и правые. И если они надумают объединить свои усилия, то он станет спикером.

— Это не тот человек, который может устроить нас. Допускаю, что он может служить одновременно и правым и левым, но он никогда не будет нашим. У нас же пока одна задача — сделать легальным свой бизнес и расширить сферу влияния. И правым и левым это невыгодно, поэтому важно, чтобы он не мешался под ногами. Фотографии, надеюсь, готовы?

— Конечно, они будут распространены сразу, как только вы скажете.

— Их нужно будет пустить в ход сразу, как только будет выдвинута его кандидатура. Желательно в ближайший перерыв, чтобы все знали, кого они собираются выбирать. Эти фотографии у вас с собой?

— Некоторые из них я специально приготовил для вас. Мне подумалось, вам будет интересно взглянуть, — протянул он Варягу небольшой конверт.

Мужчина в сером костюме совершенно не подозревал о том, что в нескольких метрах от него решается его судьба. Сейчас он с удовольствием вспоминал прошедшую ночь, когда был свален в постель гигантской дозой шампанского, а юная путана умелыми ласками возвращала его в жизнь. Он вспомнил ее упругие ляжки и вновь ощутил в себе желание. И, глядя в лицо представительного мужчины, никто бы не смог поверить в то, что он думал о чем угодно, но только не о судьбе отечества.

Юная дева упорхнула совсем незаметно. Она не оставила даже телефона, но он тут же успокоился, вспомнив о том, что, когда он с ней знакомился, она сказала, будто бы она проводит в этом кабаке каждый вечер. Сразу после заседания нужно будет поспешить туда. А вообще это здорово — отрываться вот так, разок в неделю. Забыть о семейных условностях и почувствовать, что продолжаешь нравиться женщинам.

Варяг внимательно рассматривал снимки. На первой фотографии мужчина обнял обнаженную девицу и приник ртом к ее шее так, как будто хотел оторвать от ее нежной плоти лакомый кусочек. Наверняка эта фотография не прибавила бы радости его жене. На следующей карточке он был раздет совсем и так подмял под себя очаровательное создание, что из-под его массивного тела было видно только очаровательное личико соблазнительницы. От этих фотографий кто угодно придет в восторг.

Серый пиджак вдруг зашевелился, а его обладатель радостно закивал группе парламентариев, которые уже видели в нем будущего политического светилу и авансом раздаривали свою признательность.

Варяг улыбнулся. Интересно, окажут ли они ему почтение завтра, когда через полтора часа увидят на стенах фойе фотографии, где предполагаемый спикер лихим наездником оседлал хрупкую девицу.

— Эту девушку зовут Надя?

— Да.

— Хорошая работа. Выплати ей премиальные и держи при себе. Ее услуги могут понадобиться в любое время.

— Понял.

— Страсть — это хороший крючок, на котором можно держать несговорчивого мужика. Женщин подкладывать ко всем потенциальным лидерам.

— Мы уже приступили к этой работе.

— Впрочем, я не сторонник публичной казни. Вы предлагали ему отказаться?

— Два раза.

— И что же он ответил?

— Послал по-русски!

— Теперь наша очередь посылать.

В зале возникло небольшое оживление: вошел президент. Рослый, хорошо сложенный, он больше напоминал атлета, чем государственного мужа. Со всех сторон охрана — близко не подойдешь. Плотное окружение и чопорный вид лидера напомнили ему зону, где законный вор так же передвигался в окружении свиты приближенных, которая готова была рвать на клочки всякого, кто посмеет встать на дороге. Однако путь был свободен — впереди был президиум. Варяг задержал взгляд на охране. Примерно одного возраста и роста, они напоминали братьев, даже костюмы сидели на них одинаково элегантно. Он знал, что у каждого из них с левой стороны под мышкой удобно покоилась кобура из мягкой кожи. Парни лениво посматривали по сторонам, эдакий небрежный взгляд загулявшего молодца. И если не знать, с какой целью они находятся здесь, можно было бы подумать, что парни пришли поразвлечься и выискивают в собравшейся толпе красоток.

Президент шел грациозно, не оглядываясь, так атлет выходит к центру зала, зная, что сейчас к нему прикованы все взгляды и важно эти метры пройти достойно, красивым шагом, только вместо помоста — высокая трибуна.

И тут Варяг похолодел. На расстоянии одного шага от президента шел человек, которого он искал последние годы с того самого времени, как покинул зону. Кто мог предположить, что он находится в свите президента и так же недосягаем, как и лидер, которого охранял.

Варяг не мог ошибиться, это был именно тот, кого никак не ожидал здесь повстречать. Он совсем не изменился, несмотря на отпущенные усы. Он был по-прежнему все так же жилист, будто его тело было соткано из множества сухожилий, и поразительно молод, словно годы разбивались о его высушенную фигуру. Ленивой походкой победителя он шел рядом с президентом и внимательно наблюдал за руками парламентариев, ожидая, что кто-нибудь из них обязательно отважится бросить под ноги бомбу.

Вне всякого сомнения, это был он: точеный профиль кочевника, острые скулы, помнится, на его лице бесконечно играли желваки, то же самое Варяг наблюдал и сейчас. Руки уверенные — ни одного лишнего жеста, так на парадах строевик вышагивает по плацу, поражая сентиментальных дам красотой движений.

Пальцы Варяга крепко стиснули подлокотники. Оторви он их сейчас от кресла, хищной птицей взметнулся бы вверх, чтобы вцепиться в загривок скифскому вояке.

...Это было пятнадцать лет назад, когда Варяга вместе с другими отрицалами переправили в одну из экспериментальных колоний, затем рассадили по камерам и забыли.

Об этой колонии говорили много всякого.

И вот теперь все формы воспитания предстояло прочувствовать на собственных шкурах. В положенное время заносили жидкую баланду в алюминиевых мисках и цвета слабой ржавчины чай. Однако всех не покидало беспокойное чувство, что их готовят к чему-то худшему. Однажды, под вечер, дверь камеры распахнулась, и к ним вбежало несколько человек в масках и с дубинками в руках, с истошными криками они налетели на зеков и дубасили их до тех пор, пока последний из них не свалился на пол.

Тогда Варяг понял, что худшее только начинается. Потом появился кум — здоровенный, метра под два ростом, майор. Он пришел в сопровождении четырех солдат. Уверенно перешагнул порог камеры, оставив сопровождающих за спиной.

— Это для вас первый урок, но он не самый жестокий. Подобную профилактику я буду устраивать каждый день. Это для вас будет что-то вроде воскресных качелей. Думаю, что после этого профилактория вы будете вести себя куда более спокойно. Поймите меня правильно, я хочу жить с вами дружно, но на зонах, откуда вы прибыли, вы сумели доставить моим коллегам массу неприятностей. Теперь настала ваша очередь.

Кум не задержался, ушел, увлекая за собой зеленый выводок, а зеки так и остались в камерах размазывать кровь, ожидая, какой следующей оплеухой обернется новый день.

Свою карьеру законного Варяг начинал с отрицаловки, только через страдания лежал путь наверх. А отрицал он все: работу, тюремный режим, администрацию, зеков, продавшихся куму. Во всех зонах, где он появлялся, Варяг организовывал группы неповиновения, которые оказывали сопротивление администрации. Бывало, он находился в тени, а колонии сотрясало только от одного его слова.

— Братва, мы не должны дать себя убить, — начал Варяг, когда кум ушел. — Если мы и дальше начнем под дубинки подставлять головы, нас просто перестанут уважать. А потом им взбредет в голову посадить нас вообще к «девкам».

В словах Варяга таилась правда. Возможно, это было начало падения, стремительность которого с каждым днем может только все более увеличиваться. И сейчас, пока оно не стало катастрофическим, важно что-то предпринять.

— Что ты предлагаешь? — спросил один из отрицал, у которого через дыру на тюремной робе виднелась на плечах большая звезда. Из дерзких!

— Как только в камеру войдут эти сучары в масках, тут же дать бой.

— Чем? Руками?

— Кто руками, а кто и заточкой! — разжал Варяг ладонь, в которой пряталось шило.

Зеков трудно удивить: за годы, проведенные за колючей проволокой и забором, насмотришься такого, что самые удивительные вещи могут показаться обыкновенными безделушками. Но сейчас этот заточенный кусок железа сумел поразить всех. Прежде чем попасть в камеру, их обыскивали несколько раз, многократно перетряхивая одежду, осматривая от пяток до головы, спрятать его было невозможно! И тем не менее результат изобретательности Варяга лежал на ладони и магнитом притягивал взгляды. Впрочем, Варяг умел удивлять всегда, только безумцу может прийти в голову идея хранить у себя колющий предмет — обладателя такого имущества сразу ожидает срок. Варяг был настоящим отрицалом, и этот вид заточенного железа, который в обычных условиях воспринимался бы безделицей для прокалывания подметки, сейчас выглядел грозным оружием. Кум удивился, когда ему доложили о том, что в камере тишина — ни брани, ни крика. Затаились. Ладно, посмотрим, как вы запоете завтра.

Камера открылась неожиданно. Ни тяжелого шага в коридоре, ни продолжительного топтания у дверей, только звонкий щелчок замка, и в камеру ворвались шесть человек в масках.

— Лежать! Руки за голову! Всем на пол!

Варяг невозмутимо сидел на нарах.

— Да пошел ты!..

Со всех сторон на него посыпались удары. Варяг отбивался, как мог, размахивал кулаками и чувствовал, как заточенный железный стержень режет защитные комбинезоны, он еще успел заметить, как вместе с ним отбиваются и другие зеки, а потом свалился бездыханным.

Варяг очнулся через несколько часов, первое, на что он обратил внимание, — в камере он был один. К его сознанию через толстые стены пробивался слабый стук. Прислушался. Все ясно: всех растащили по камерам. Что они будут делать с ними дальше?

Варяг был наслышан о таких тюрьмах. Они создавались специально для того, чтобы спецназовцы отрабатывали на заключенных удары. Где, как не здесь, повышать профессиональный уровень. Зек стоит едва ли не навытяжку, а он, палач и судья в одном лице, шлифует и шлифует апперкот. Бывает и по-другому, когда драка проходит один на один в присутствии врача и прекращается только в том случае, когда кто-нибудь из них теряет сознание. Если спецназовец знает о своем противнике все, то зек не видит даже его лица, закрытого плотным куском материи. У спецназовца преимущество: он готовится к этой встрече, отрабатывает на мешках удары и пропитывается ненавистью к противнику. Для зека — это всего лишь один из зигзагов судьбы, когда к нему вводят в камеру человека и говорят, что он обязан с ним драться, что бой будет проходить без правил и что у него есть неплохой шанс выжить. Как правило, такой заключенный носит на себе полосатую одежду смертника, и тогда бой идет до тех самых пор, пока кто-либо из них не будет убит. Варяг помнил об этом еще с юношеской колонии из откровений подвыпившего кума, который был когда-то спецназовцем. Тот однажды дрался со смертником, у которого был шанс пожить еще несколько дней, если он сумеет расправиться с тренированным атлетом. Попыхивая сигаретой, кум с улыбкой сообщил, что порешил смертника, хотя случалось и такое, что с раздробленным черепом выносили спецназовца. В этом случае «казнь» смертника откладывалась до следующего боя. Никак Варяг не мог предположить того, что сам когда-нибудь окажется в роли тренировочного «мешка». Но когда дверь его камеры отворилась и на пороге застыл человек в маске, Варяг понял все. На очереди он.

Варяг приготовился к смерти. Они ошибаются, если думают, что нашли материал, который будет безропотно принимать удары. Он смотрел на плотную черную ткань, которая обтягивала узкий череп, на прорези, через которые на него смотрели темнокарие глаза. Появившийся из-за спины прапорщик почти торжественно сообщил:

— Вот таким образом мы выколачиваем дурь у особенно несговорчивых. Я и врач, — ткнул он пальцем в стоящего рядом коренастого мужчину, — будем наблюдать за поединком. Каждый из вас в драке может использовать все, что умеет, и все, что хочет. Единственное, что недопустимо, — это убивать! Поединок мы останавливаем только в том случае, если кто-либо из вас потеряет сознание.

Варяг не видел лица своего соперника, но это не мешало ему все больше пропитываться к нему ненавистью. Он ненавидел этот зловещий разрез глаз, презирал пятнистую защитную форму, переполнялся злобой при виде больших ладоней, которые должны будут принести ему боль.

Некоторое время они смотрели друг на друга, как два гладиатора перед тем, как проткнуть друг друга заточенным металлом. Легкий дымок любопытства сгустился до темных грозовых туч взаимной ненависти, которая должна была прорваться громкими раскатами устрашающих криков. И если в Колизее за мастерством гладиаторов наблюдали десятки тысяч, то здесь свидетелями чьей-то славы или бесчестия станут всего лишь несколько человек.

Черная материя непроницаемым панцирем укрыла от него врага, но эта «кольчуга» не станет для него преградой, даже если сил у него останется только на каплю, он сумеет дотянуться до нее.

Единственная причина, по которой они скрывают свою внешность, — это боязнь быть узнанными. Каждый из них знает о том, что в этом случае зеки сразу ставят на них крест. Они будут приговорены. И Варяг желал обнажить ненавистный профиль, хотя бы на мгновение, чтобы когда-нибудь вынести приговор. А прапорщик, как судья на ковре, сделал отмашку.

— Начинайте!

Оба были примерно одного роста, одного возраста. Варяг, вскормленный тюремными харчами, был суше, его противник, росший на вольных хлебах, наоборот, выглядел массивным. Но чего недоставало спецназовцу, так это той отчаянной злости, которую Варяг аккумулировал в себе с пятнадцати лет, и вот сейчас прорвавшейся лавиной она выплеснулась из него в диком крике и заставила на мгновение содрогнуться присутствующих.

Варяг дрался с обреченностью приговоренного, пытался дотянуться до маски, но спецназовец умело наносил ответные удары. Он чувствовал, что слабеет, скоро у него останется ровно столько сил, чтобы в последнем прыжке броситься на своего противника и сомкнуть челюсти на его гортани, да так, чтобы она захрустела раздавленной скорлупой.

Спецназовец дрался отменно, но и Варяг в колонии прошел солидную школу кулачного боя — умело уворачивался от ударов и бил сам.

Неожиданно для всех спецназовец снял с лица маску и швырнул ее в угол камеры.

— Ты хотел видеть мое лицо?! Так вот, смотри же! Еще не было зека, которого бы я не положил и которого бы испугался! Я могу даже назвать тебе свою фамилию, наверняка у тебя возникнет желание встретиться со мной! Я ненавижу вас! Я вас давил всегда, так буду поступать и впредь! Вы для меня не люди, а мешки, на которых я отрабатываю удары!

Даже если бы спецназовец снял маску только на мгновение, Варяг сумел бы запомнить его на всю жизнь, но здесь он смотрел на него так, как томящийся от жажды смотрит на дно высохшего колодца.

— Ты приговорен! Где бы ты ни был, я найду тебя! Вот увидишь! Ты умрешь!

И вот сейчас Варяг вспомнил и тесную камеру, и тот бой, где так и не был выявлен победитель. Обоих истекающих кровью гладиаторов унесли на носилках, и до сознания Варяга едва пробивалось:

— Как черт дрался! Вот достался Артуру зек. Кто бы мог подумать? Ведь Артур же никогда не проигрывал. Какое погоняло у того парня?

— Варяг.

— Да, этот Варяг стоит пятерых. Видно, далеко пойдет!

— Что с ним делать дальше?

— Он заслужил отдых. Больше над ним не устраивать таких судилищ. Отправить его обратно.

Сейчас Артур шел рядом с президентом, тень от величия которого неизменно падала на тех, кто его оберегал.

— Знаешь ли ты человека, который идет справа от президента? — неожиданно поинтересовался Владислав Геннадьевич.

— Конечно. В последнее время он отвечает за охрану президента.

— Так вот, я хочу, чтобы этого человека не стало!

— Владислав Геннадьевич, это невозможно. Его так же трудно убрать, как если бы это был сам президент.

— Меня это совершенно не интересует. У меня с ним старые счеты. Вам приходилось отсиживать срок?

— Нет.

— А я кое-что об этом знаю, — слабо улыбнулся Варяг. — Этот человек приговорен. Он должен умереть, и я не хочу больше возвращаться к этому вопросу. Вам все понятно?

— Да.

— У вас нет больше вопросов?

— Нет.

— Я вам позвоню, если вы мне понадобитесь.

Скандал разразился после второго перерыва, когда парламентарии увидели на стенах фотографии голой задницы возможного спикера. Фотографии были приклеены так крепко, что ничего другого не оставалось, как соскоблить их ножами. Кто же рискнул наклеить их в фойе? На это требовалось минут пятнадцать, однако никто не был замечен.

Предполагаемый спикер, как звезда порножурнала, предстал перед зрителями во множестве мыслимых и немыслимых поз, и всякий останавливающийся поглазеть отдавал должное творческой изобретательности политика. Уже с трудом верилось, что еще час назад каждый из парламентариев старался выразить ему свою признательность кивком или теплым пожатием руки. Сейчас он прятался в одной из кабин туалета, понимая, что когда-нибудь ему придется прервать свое добровольное заточение и появиться перед всеми.

Так умирал еще один несостоявшийся лидер.

Два дня спустя место старого знакомого занял высокий брюнет с кротким взглядом. Варяг уже знал, **что** спецназовца не стало. Все, что с ним произошло, смахивало на обычный несчастный случай: отравление угарным газом в собственном гараже.

Президент привычно устроился на своем месте. Даже непосвященным было понятно, что лицо его несло печать заботы о судьбах миллионов россиян. И совсем невозможно было поверить в то, что именно сейчас он думал о красивых ножках юной мисс, которую не далее как сегодня днем воочию лицезрел в Кремлевском дворце. Он думал о том, что в его время было очень мало стройных девиц, а если они и встречались, то под целомудренным платьем нельзя было рассмотреть не то что голые ляжки, не всегда возможно было увидеть коленки. Эх, если бы не президентский долг и не забота о соотечественниках, подмигнул бы крале да отвел бы в одну из пустующих комнат.

Сегодня утром президенту сообщили, что один из людей его охраны спьяну отравился угарным газом. Президент не чувствовал печали по усопшему, сам виноват! Это еще одно из напоминаний о том, что нужно пить в меру. Суть в хорошей закуске! Если выпил, тогда будь добр закуси, вот тогда и хмель не страшен.

Заседание началось с величественного взмаха президентской длани: в этом переполненном зале он был режиссер и художественный руководитель, однако он совсем не подозревал о том, что заседание шло уже по написанному сценарию. А автор скромно сидел в пятнадцатом ряду и ничем не выделялся из множества парламентариев, которые были справа и слева от него.

Уже была провалена вторая кандидатура, и было заметно, что президент начинает волноваться, а его нервозность понемногу передавалась окружающим, которые терпеливо сносили замечания, мудро подмечая — лидер мучается с похмелья.

Наступал тот самый момент, когда и президент, и сами парламентарии были готовы к тому, чтобы принять любую кандидатуру, только чтобы не томиться в долгих прениях.

— Владислав Геннадьевич, следующий кандидат должен пройти, вы сказали, что им будет...

— Нет.

— Почему нет? — смутился Ярополк. — Мы уже согласовали это с представителями других партий, и они дали согласие поддержать наш выбор. Наш отказ может вызвать у всех раздражение.

— Я всегда обожал сюрпризы.

— Но что это за человек?

— Этим человеком буду я.

— Вы?!

— Или ты думаешь, что из меня получится спикер хуже, чем тот, что красуется голой задницей в вестибюле?

— Я так не считаю, но нам нужно хотя бы время, чтобы переговорить с другими.

— У нас не остается на это времени. На все эти разговоры могут уйти еще несколько дней.

— Понимаю.

— Так вот. Вместе с другими кандидатурами должен быть выдвинут и я.

— Хорошо.

— Нужно будет предупредить всех, чтобы меня поддержали. Отправь записки и переговори с парламентариями, я должен пройти!

— Сделаем все, что сможем, Владислав Геннадьевич, хотя времени практически не остается. Вас пока мало кто знает, и это выдвижение вызовет, как минимум, недоумение.

— Если я вам скажу, что всю жизнь вызывал недоумение, вы мне все равно не поверите.

Президент ленивым взглядом смотрел в зал. Он напоминал разленившегося петуха, который с видимым интересом наблюдает за копанием кур в рыхлой грядке. Было видно, что многое на этой земле ему порядком надоело, и к чему он себя готовил, так это к воскресному супу, который скоро подадут на хозяйский стол, где он сам будет главным участником.

Варяг понимал, что сейчас счет может пойти на мгновения. Где гарантия того, что президент не ухватится за первую попавшуюся кандидатуру, изрядно подустав от этой выборной чехарды.

— Нас могут опередить, сейчас любая из партий вправе выдвигать свою кандидатуру.

— Вот именно, — согласился Варяг, — поэтому важно разговор направить в другое русло — вступать в дебаты, устраивать прения. Важно дотянуть до перерыва, чтобы потом сговориться с теми, кто поддерживает нас, тогда мы непременно выиграем и этот раунд.

— Я вас понял, Владислав Геннадьевич, — качнул телячьей головой Ярополк. — Вы опытный тактик.

— Тактика — дело сиюминутное, а я стратег, важно смотреть дальше.

Варяг и сам не смог бы объяснить себе, почему он поступает таким образом. Еще вчера, посоветовавшись с Нестеренко, он решил выдвинуть на спикера крепкого, знающего человека, который был бы послушен только его воле. Но сейчас, поддавшись секундному и очень сильному импульсу, понял, что не сможет оставаться в стороне. Нестеренко же видел выдвижение Владислава совсем по-другому: для начала он должен повращаться в парламентской среде, завести солидные связи, обрести союзников, а уже потом выйти из тени. Одно дело заправлять в преступном мире, совсем другое — в политике. Впрочем, приемы одни и те же — воровские! Может быть, и прав был Нестеренко, когда говорил, что нужно набраться политического опыта. Если сейчас он займет одно из лидирующих мест в парламенте, то ему наверняка не избежать многих ошибок, что так или иначе выведет на запасной путь в политической карьере. Варяг будет скомпрометирован, и каждый парламентарий посчитает своим долгом напомнить о допущенных просчетах. В этом случае он будет чем-то вроде плуга, который проходит по целине для того, чтобы разрыхлить почву для нового поколения выдвиженцев. А его потом в отвал. Однако Варяг ничего не мог с собой поделать. Баллотироваться должен он! Каким-то особым чувством он оценил ситуацию и почувствовал, что если выборы состоятся именно сейчас, то он проскочит. Россия — это вообще страна противоречий, если многие десятилетия ею управляли целые сообщества преступников, то почему бы тогда не попробовать законникам? Они-то уж точно сумеют навести порядок.

Варяг видел, как по рукам депутатов в разные стороны разбежались записки. Они напоминали ксивы, отправляемые из пересылочной тюрьмы по колониям, в них находилась его судьба. Пущенные ксивы заползали в самые дальние концы зала, вызывая у некоторых одобрительные кивки в ответ, у других — недоумение. Сюрприз удался. Через несколько минут должен кто-то встать и предложить его кандидатуру, выдвигать себя, как минимум, нескромно. А в России никогда не любили выскочек, и многоопытный урка не может стать законником, пока его не признает братва.

— Я предлагаю на место спикера Владислава Геннадьевича Щербатова, — вышел к микрофону один из парламентариев. — Он значительно усилит парламент. Несмотря на молодость, он успел многое сделать: доктор наук, сильный администратор. Спасибо, — кивнул он и пошел на свое место.

Председательствующий уже успел записать малоизвестную фамилию в протокол и готов был продолжить голосование. Он был удивлен не менее других, это имя не значилось в предположительном списке кандидатов. Однако те, на кого были сделаны ставки, уже сошли с дистанции, а эта «темная лошадка», судя по всему, не собиралась плестись, а рвалась в галоп! Председательствующий даже не мог бы отыскать сейчас Щербатова среди присутствующих, для него он был одним из многих. Впрочем, правды ради, его фамилию он слышал трижды, однако молодо-зелено, и нужно изрядно налиться соком, чтобы твое имя произносили с высоких трибун. Варяг внимательно следил за тем, как выдвигают других. Набралось пятеро. Кандидатуры были сильные, но двоих он в расчет не брал — против них были сильные компроматы, и, если события будут развиваться не так, как он рассчитывает, можно будет помахать фотографиями перед их носами. Вот один из кандидатов поднялся и с места прокричал в микрофон, что отказывается от выдвижения в пользу Владислава Геннадьевича Щербатова. Игра пошла. Осталось четверо. А председательствующий уже призывал голосовать, после чего останется только двое, вот из них-то и будут выбирать спикера. Что ж, он готов принять бой: осталось опустить забрало и поднять копье.

— Голосуем! Повторяю, голосуем сразу за всех четверых, — вещал он монотонным невозмутимым голосом. — Обсуждение двух кандидатур, набравших большее количество голосов, мы продолжим после перерыва.

По всему было видно, что председательствующий наслаждается звучанием своего голоса: никогда не звучал он так сильно и при желании мог заглушить рев разбушевавшихся парламентариев. А когда еще была такая аудитория? Всем своим видом он напоминал провинциального тенора, приглашенного спеть главную партию в Большом театре. На табло быстро замелькали цифры. Прошла секунда, другая, и скоро они застыли неоновым светом.

— Итак, по вашему решению, уважаемые коллеги, на место спикера могут претендовать только два человека, трое других не набрали нужного числа голосов. Это Киселев Виталий Борисович и Владислав Геннадьевич Щербатов. Я думаю, нам не стоит затягивать с выборами. Сразу после перерыва мы начнем обсуждение кандидатур, потом дадим слово Киселеву и Щербатову, а уже после этого проголосуем. — Председательствующий посмотрел на президента.

Его встретил спокойный и невозмутимый взгляд сфинкса. И трудно было понять, какие мысли роятся в крупной голове лидера: бесконечное радение о судьбах многих миллионов россиян или розовая рубашка очаровательной девочки, которую она не без лукавства показала ему, когда мягко присела на стул.

— Мне кажется, нужно согласиться с мнением нашего председательствующего, — заговорил президент, тем самым давая понять всем, кто здесь поет сольную партию. — Сейчас устроим небольшой перерыв, а уже через полчаса продолжим наше заседание. — И первым поднялся с места.

Киселева Виталия Борисовича Варяг лично не знал, хотя и ожидал услышать его, как возможного кандидата. Это был мужчина лет сорока пяти. Моложав, круглолиц и совершенно седой. Однако это совсем не портило его, а, наоборот, придавало его облику некоторую академичность. Его можно было бы принять за профессора, дипломата, юриста, но он был бизнесменом. Весь его сытый облик выражал готовность жить и работать. С лица не сходила улыбка, и, глядя на него, можно было с уверенностью утверждать, что нет более счастливого человека на земле, чем он, Киселев Виталий Борисович. Варяг знал о том, что Киселев начал заниматься бизнесом сразу, как это стало возможным. Начинал с подвального кооперативного магазинчика, а сейчас уже имел сеть заводов, которые были разбросаны по всей России. Варяг прекрасно был осведомлен и о том, что его заводы аккуратно пополняют воровской общак, а с недавнего времени он имеет большие поступления и в валюте. Виталию Борисовичу дали понять, что следует делиться и этими сливками, и немедленно в одном из банков Швейцарии был открыт счет, распоряжаться которым могли только два человека — одним из них был Варяг. Киселев часто появлялся на экранах телевизоров, давал бесконечные интервью, делился предложениями на ближайший год, и улыбался, улыбался, улыбался. Такой тип мужчин покоряет женщин, и Варяг был уверен в том, что если бы сейчас проходили президентские выборы, где одним из кандидатов был Киселев Виталий Борисович, то женская половина России безоговорочно отдала бы ему свои голоса. Видно, с такой мордой легко жить, каждая вторая баба оглядывается. Но, кроме седой головы и правильного профиля, Киселев имел и ясный ум. Чтобы понять это, достаточно было провести с ним в беседе пятнадцать минут: язык тренированный и такой же жгучий, как южный перец.

Киселев Виталий Борисович был неким флагманом, на который равнялись бизнесмены рангом пониже. Он был ледоколом, который пробивал рогатки бюрократических препонов и при своем движении вперед оставлял только разбитые льдины всевозможных запретов. Киселев Виталий Борисович занял весь фарватер и невольно оттеснил суденышки поменьше, тем самым забирая себе основную прибыль бесчисленных операций. При своей мягкой улыбке он был напорист, нагл и смел: три качества, которые составляли успех его везения. И там, где улыбка не срабатывала, появлялся крючок поважнее, который распахивал любые двери, — в деньгах нуждались все! Они давали иллюзию независимости и чувство силы, а в этом наркотике нуждались даже самые стойкие мужчины.

Киселева воспринимали, как бизнесмена нового типа, который запросто якшался на самых высоких уровнях, смело обращался ко многим из них на «ты», спонсировал телевизионные передачи, жертвовал в фонды милосердия, однако сколько он имел в результате многих сделок, для большинства людей оставалось тайной. Киселев запросто перекачивал сибирскую нефть в ряд европейских стран, совершал многомиллионные сделки, как будто перекладывал горсть мелочи из одного кармана в другой. Он был рожден победителем, и эта располагающая улыбка еще сильнее оттеняла его силу. Невольно он создавал вокруг себя ауру, под влияние которой попадаешь мгновенно, стоит только едва разговориться с ним, и уже не проходит и часа, как убеждаешься, что он начинает распоряжаться тобой так, будто ты являешься предметом его повседневного обихода. Эта аура распространялась далеко вокруг него, и через телевидение проникала в каждый дом и в каждую квартиру.

Когда он занимался делом, вокруг него все горело, приходило в движение, а он, словно аккумулятор, имеющий неисчерпаемый запас энергии, подзаряжал молниеносно всех, заставляя работать на свою фирму. Поговаривали, будто бы успех его дела зависит от того, что он тесно связан с теневыми структурами, которые взяли весь его бизнес под свое покровительство — некое крыло стервятника. Отчасти это соответствовало правде, и кому это не знать, как не самому Варягу. Вот поэтому и превратился подвальный магазин в современный универмаг, словно за дело взялась потусторонняя сила. Сначала он купил только дом, где когда-то организовал свое предприятие, потом потихоньку скупил все пустующие помещения за квартал от себя, а скоро, затмевая все имеющиеся в городе стройплощадки, к небу потянулся универмаг-гигант.

Киселев был так же привлекателен, как и его бизнес: отутюженный, подтянутый, под кадыком задиристо красовался алый кис-кис. Все было при нем: деньги, власть, женщины. Он был создан для победы, он был создан для бизнеса и гигантских проектов — так казалось еще год назад. Теперь для всех было ясно, что главным его делом была политика. Киселев в ней преуспел и действовал так же активно, как когда-то открывал сеть магазинов. Виталия Борисовича знали не только бизнесмены, о нем частенько заводили разговоры и политики. Он сумел сколотить вокруг себя таких же, как и он сам, предпринимателей, и если их нельзя было назвать пока партией, то уж как блок они сформировались вполне. Несмотря на постоянную улыбку, он успел прославиться как принципиальный политик и казался таким же стойким, как идолы на острове Пасхи. Это была сильная фигура, и Варяг предпочитал бы иметь таких людей в союзниках. Впрочем, нет, их всегда нужно держать на коротком поводке, как сильных сторожевых псов. Приручать куском мяса. Если этого не делать, пес одичает и заматереет, отобьется от рук, и вот тогда уже не справишься! Так и Киселев должен знать свое место, на какие бы высокие посты ни взлетал. Он и дальше часть заработанных денег будет отдавать в общак, и, как прежде, будет получать сильную поддержку во всех своих начинаниях. И если он начнет считать, что своим могуществом вполне может потягаться с коронованными особами, всегда нужно напомнить ему, что он всего лишь винтик огромной машины, которая называется воровская империя.

Вместе со всеми Варяг покинул душный зал. Захотелось на волю, на простор, к свету. Парламентарии, заняв узкие проходы между креслами, продвигались нестройной колонной к выходу, и Варяг невольно улыбнулся своим мыслям: «Идут, как зеки на прогулку!»

Через час предстоящее заседание воткнет в его биографию еще одну осиновую веху, которые, как столбы на магистрали, делили его жизнь на множество неровных отрезков.

— Владислав Геннадьевич? — услышал Варяг за спиной голос.

«Ага, все-таки решил подойти, — не сразу обернулся Варяг. — Интересно, что же он такое хочет сообщить?» Варяг не выражал нетерпения — улыбался так же широко, как радушен был и Киселев, осталось только обождать: кто же первый нанесет удар.

— Да.

— Можно вас на минутку? — выдернул он Варяга из круга почитателей, которые облепили его сразу, едва он покинул зал.

Варяг не противился и весело шагнул навстречу. Они остались одни. Как два величественных утеса. Так бывает в отлив, когда морская волна сходит с берега и там, где воображению рисовалась безмятежная голая равнина, показываются громоздкие валуны. Еще утром оба они не выделялись среди множества парламентариев, сейчас же напоминали островерхие скалы, которые можно было разглядеть даже издалека.

На них с любопытством озирались. их беззастенчиво разглядывали — сегодня один из чих начнет кроить большую политику. Никто из присутствующих не осмеливался подойти. Что разговор проходит напряженно, было видно всем, и в обратном не могли бы убедить даже благодушные улыбки обоих выдвиженцев.

— Так что вы хотели сказать?

Варяг отметил, что костюм на Киселеве сидит шикарно, видно, мастер отлично знает свое дело: сумел подчеркнуть и без того гордую осанку своего заказчика, его красивые сильные руки. Сколько же будет стоить такой наряд? Две тысячи баксов, никак не меньше! А не потребовать ли с него более высокий налог?

— Как бы нам с вами не разодраться из-за этого места спикера.

— Я думаю, все решит голосование и выбор упадет на достойнейшего, — в ответ отшутился Варяг.

— Но можно поступить по-другому. Если кто-нибудь из нас возьмет самоотвод, то другой автоматически занимает место спикера.

— Понимаю. Вы предлагаете отказаться мне? — Улыбка сделалась еще более доброжелательной.

Варяг тоже умел обворожить, если этого требовали обстоятельства.

— Это не совсем так, Владислав Геннадьевич, я предлагаю сотрудничество.

— В чем оно будет заключаться?

— Вы желаете откровенного разговора?

— Я даже настаиваю на этом!

— Не удивляйтесь, но я знаю о вас больше, чем вы думаете. Я знаю, куда идут деньги с моих предприятий, знаю, кто за этим стоит. Нет, что вы! Что вы!.. Поймите меня правильно, это не шантаж, меня устраивает мое настоящее положение. У меня только один желудок, который требует не такое уж большое количество пищи, и не такое огромное тело, чтобы напяливать майку размером с парашют. Я всегда обходился минимумом, а тех денег, что я успел заработать, мне хватит на несколько десятков обычных человеческих жизней.

— И что же вы тогда от меня хотите?

— Работы. — Так заявляет проситель, когда является к начальнику отдела кадров. — Я хочу, чтобы вы уступили мне место спикера. Это будет выгодно для нас обоих. Одно дело, если вы останетесь просто парламентарием, и совсем другое дело, если решите стать спикером, тогда и биографию станут копать гораздо глубже, чем раньше.

— Вы знаете, кто я такой?

— Да. Вы — законный вор.

— Откуда же вам это известно?

Киселев отвел глаза в сторону: так шаловливый ученик избегает взгляда строгого учителя.

— Знаю... Я не стану говорить от кого, но на последнем сходняке был законник, которому я щедро плачу из своей кассы за подобного рода информацию. Он служит мне! Вам нечего беспокоиться, дальше меня это никуда не пойдет. — И Киселев, уже не скрывая восхищения, добавил: — У вас удивительная судьба! Кто бы мог подумать.

Варяг едва улыбнулся.

— Может быть.

— Ну так как? Вы согласны? **Мы с вами одна команда, мы можем так прижать этих лощеных политиков, что с них сок потечет.**

Это был сильный ход, а Киселев, словно опытный гроссмейстер, наслаждался выигранной минутой. Но даже он с его экономическим мышлением, густо заквашенным на политических дрожжах, не мог знать об истинном могуществе Варяга. А за последние несколько лет он стал еще сильнее! Его малява могла отыскать и приговорить любого зека, где бы тот ни находился, в любой точке России! Его владения — это просторы от Мурманска до Владивостока. И ему достаточно вымолвить только слово, чтобы завтра Киселева Виталия Борисовича нашли в своей квартире задохнувшимся от газа. Однако Варяг знал, что никогда не поступит так. Все эти люди составляли огромную пирамиду его личной власти, и это строение было куда основательнее и величественнее сооружений египетских фараонов. Если Варяг стоял на ее вершине, то такие, как Киселев, были ее основанием, и что станет с пирамидой, если разрушить первый этаж?

Киселев был умен, он знал, что ответит Варяг, и не ошибся.

— Согласен. По правде говоря, я не испытываю особенного желания сделаться спикером. Это не моя стезя! Единственное, что я хотел, так это утереть нос этим избранникам. Представляю их удивленные рожи, если я с большой трибуны заявлю о том, что я — законный вор! Вот где можно было бы похохотать.

— Вы не имеете права рушить то, что было создано так добротно. Наоборот, мы должны укрепляться. Я не так давно наблюдал по телевизору момент, как наш президент утер нос американскому президенту, заставив его ждать перед дверьми Георгиевского зала целых три минуты! И это на церемонии, где выверяется каждая секунда! Здесь большая политика, видно, они сыграли вничью. Вот так и мы должны поставить на место всех этих лощеных мальчиков из элитных семей, и я на вашей стороне!

— Хорошо. Я откажусь в вашу пользу, но повторяю, что каждый серьезный шаг должен проходить только с нашего благословения.

За разговором прошли полчаса. Зал неторопливо заполнялся народными избранниками. Последним входил Киселев, и никто из присутствующих не мог предположить, что по мягкой ковровой дорожке ступал законный вор новой формации.

ГЛАВА 32

Света теперь постоянно была с Варягом. Она принесла с собой то состояние, которого Владислав никогда не знал. С ней было спокойно и хорошо. Одно дело барак, набитый мужиками, где у каждого выпирает свой характер, другое дело — женщина, которая под его ладонью становится такой ласковой, что готова кошкой выгнуть спину. И осознание своей силы перед ее беззащитностью делало его терпеливым и нежным. Именно этого домашнего комфорта ему не хватало всю жизнь. Вот где должна была быть нора — не среди галдящих мужиков, а рядом с женщиной, послушной и теплой.

Они никогда не предавались воспоминаниям, не сговариваясь, они забыли прошлую жизнь навсегда. Варяг относился к Свете так, как может относиться влюбленный парень к девушке в пору ухаживания. Словно их никогда и не соединял столыпинский вагон и не разъединяли годы ожидания.

Все забылось! Все умерло! Жизнь начиналась с чистых листов, куда им отныне вместе вписывать общую судьбу. И только иногда что-то похожее на недоумение застывало в глазах Светы, словно она до сих пор не могла привыкнуть к перерождению

411

Варяга из законного вора в блистательного доктора наук. И Варяг много бы отдал за то, чтобы узнать: о чем она задумывалась в эти минуты.

Часто Света сидела на диване, поджав под себя ноги. Варяг жалел в эти минуты, что Бог обделил его даром скульптора. Он создал бы ее в мраморе: голова слегка повернута в сторону, шея длинная, почти лебединая, а еще руки — ласковые и нежные.

* * *

Уже второй день все газеты писали о новом спикере: Киселев Виталий Борисович — талантливый бизнесмен, политик нового поколения, женат, имеет двоих детей. Его фотографии охотно печатали (он был фотогеничен), брали интервью (он был словоохотлив), и еще он улыбался, как голливудская кинозвезда, получившая «Оскара». Глядя в торжествующее лицо Киселева, охотно верилось, что морщины у него могут появиться только от счастья.

Еще вчера на первых полосах газет был Владислав Геннадьевич, сегодня же о нем забыли совсем, и крупная фотография Киселева закрыла собой великую фигуру законного вора.

Только единицы знали о том, что сход короновал Киселева Виталия Борисовича, приняв его в гранды преступного мира. Теперь он стал одним из них.

Особенно любили фотографировать спикера в окружении президента: вот они тепло пожимают друг другу руки, здесь они стоят плечом к плечу, как два соратника, вернувшиеся с последней войны, а вот они засели в президиуме и склонили головы друг к другу, и если бы не великосветские улыбки, то можно было бы подумать, что один пытается забодать другого.

На следующий день после утверждения нового спикера парламента с Киселевым пожелал встретиться академик Нестеренко и, беззастенчиво рассматривая лицо молодого и перспективного политика, в глазах которого уже читалось беспокойство о судьбе сограждан, честолюбие и еще какая-то гремучая смесь, с откровенностью, которую мог позволить себе только бывший зек, высказался:

— Видно, так оно лучше для нас всех. Владислав Геннадьевич слишком заметен, чтобы оставаться на таком посту. Это место должен занять именно такой человек, как вы. Не буду скрывать, что с вашим назначением мы связываем самые честолюбивые замыслы. Но это не все, мы попытаемся сделать так, чтобы вы стали президентом. Сейчас на настоящего президента мы усиленно собираем кое-какой компромат, и, надо сказать, не безуспешно. Он человек и, конечно, не безгрешен так же, как и все мы. Он любит женщин, вино, хорошую закуску. И еще мы не одни! Наши интересы совпадают с желаниями других партий. Весной будут перевыборы, и вы будете баллотироваться в президенты. Ваши шансы стать им будут гораздо предпочтительнее, чем у других. Мы выявляем всех возможных кандидатов и готовим на них досье, при опубликовании которого каждый лист будет равен взрыву мегатонной бомбы. Вы же в свою очередь никогда не должны забывать того, что все мы составляем единое братство. Мы вас поставили, мы же вас можем и убрать!

Вот уж этого Киселев никогда не смог бы забыть, даже если бы очень захотелось. И на его лице родилась улыбка, которая могла бы дать завидную фору любой телевизионной звезде.

— Теперь я ваш с потрохами!

Отныне заседания Думы вел моложавый председатель, седина в его густой красивой шевелюре

413

умело убавляла с пяток годков. Слушая его сильный уверенный голос, трудно было поверить, что многие решения исходили от человека в светлом строгом костюме, затерявшегося среди множества парламентариев.

Этим человеком был Владислав Геннадьевич Щербатов, известный вор с погонялом Варяг.

ГЛАВА 33

День был душный, город изнывал от жары, а прохожие, словно рыбы, выброшенные бурей на берег, с трудом передвигались по расплавленному асфальту. Единственное сейчас спасение — это лес! Вот где даже слабый ветерок может свежестью обласкать лицо и вдохнуть в ослабевшее от зноя тело живительную прохладу.

В один из таких дней Варягу позвонил Ангел. Неожиданный звонок заставил разжать объятия, в которые он заключил Свету, и, освободившись от ласкового плена, она спряталась под легкую простыню.

— Это я тебя беспокою, Владислав. Ты сейчас свободен?

— Что случилось?

— Дело весьма срочное, мне нужно с тобой встретиться немедленно.

Варяг посмотрел на Свету. Она подглядывала за ним из-под простыни, ожидая продолжения сладкого плена.

— Хорошо. Буду. В том же сквере?

— Да.

Свете уже давно не надо было ничего объяснять. Она поняла все в том вагоне, который отвозил ее суженого в пермские лагеря. Знала, что после того, как Владислав положит трубку, он не спеша оденется и уйдет, бросив на прощание свое обычное: «Скоро не жди!»

Так и случилось. Только в этот раз приласкал ее теплой ладонью по горящей щеке и на прощание хлопнул дверным замком.

Варяг увидел Ангела издалека. Он любил этот сквер за тишину и плотную густую тень и еще за то, что здесь можно было выкурить пару сигарет, предаваясь приятным воспоминаниям. И если кто и может потревожить покой в эти часы, так это смех редких парочек, наслаждающихся так же, как и он, уединением.

Только такая романтическая натура, как Ангел, могла назначать встречи в этом сквере.

На двух соседних лавочках сидели четверо парней — обычная охрана Ангела. На проезжей части, взобравшись рифленым колесом на тротуар, стоял ярко-оранжевый «седан». Ангел был одинаково неравнодушен как к красивым женщинам, так и к броским машинам. И цвета он выбирал такие же яркие, как ультрамодная помада у молодых женщин.

— Садись, — гостеприимно махнул рукой Ангел, будто приглашал не на скамейку, потемневшую от сырости, а усаживал в мягкое удобное кресло.

Варяг присел.

— Не надоела ли тебе эта игра в прятки? — не смог скрыть раздражение Варяг. — Мог бы зайти прямо ко мне, ничего страшного не случится. Мы уже поднялись так высоко, что трудно представить силу, которая посмела бы сковырнуть нас с этого Олимпа.

Ангел остался безмятежен, как утес перед беснующейся стихией. Варяг мог иногда вскипать, но потом делался мягким, словно воск, расплавленный солнцем. «Может, от теплой титьки его оторвали, — решил Ангел, — оттого и нервничает?»

— Все? Успокоился?

— Ну давай, что там у тебя? — спросил Варяг.

— От Сержанта давно вестей нет?

Умеет Ангел удивить, чего он не ожидал, так это разглагольствований о Сержанте.

— Давно, — умело скрыл раздражение Варяг. — Может, его убили?

— Так вот, что я хочу тебе сказать, Владик. Не убили! Живой и здоровый!

— И где он сейчас? Почему не объявился?

— Сейчас он где-то недалеко от Москвы и скоро будет здесь.

— Откуда тебе это известно?

— Среди людей Валаччини у меня есть купленный человек, вот он-то и сказал, что старик расколол и тебя, и твой план. Все это время он ждал у своего дома киллеров из России, вот поэтому неплохо подготовился. Валаччини убил всех, кроме Сержанта.

Теперь понятно, почему Рыжий не давал знать о себе.

— Тогда почему же он не убил Сержанта?

— А вот здесь и начинается самая главная хитрость. Валаччини расколол Сержанта, как полый орех. Он решил его использовать против тебя и отпустил его сразу, как только получил обещание, что тот убьет своего прежнего заказчика. То есть тебя, Варяг, — спокойно проговорил Ангел.

Владиславу показалось, что подул холодный ветер: холод забрался под рубашку. Черт бы побрал этого мясника! — вспомнил Варяг о том, как Сержант хладнокровно расстрелял Колуна и Гордого. Неужели следующий он?

— Но с чего ты взял, что Сержант бросится выполнять свое обещание? — Варяг отвел взгляд.

Парни на соседних лавочках безмятежно курили и совсем не подозревали, о чем говорили законники.

— Ты знаешь, кого мы нанимали на службу.

Сержант вообще непредсказуем! Он служит только одному богу — деньгам! Не исключено, что он затаил на тебя обиду. Ты же сам хотел избавиться от него, может, он это почувствовал? Может, он считает тебя виновным в смерти своих парней. Но скорее всего, он Валаччини боится больше, чем тебя. Не нужно забывать о том, что все его сбережения находятся на Западе, к которому он привязан и, уж конечно, не захочет менять сытое житье на прозябание в какой-нибудь глухомани.

— Что ты делаешь для того, чтобы убрать его?

— Мои люди уже видели человека, похожего на него. Каждый из них имеет его фотографию. Но он как оборотень, он постоянно меняет свое обличье. Мы контролируем все вокзалы, аэропорты, крупные перекрестки, и если он только попадется в поле нашего зрения, то сразу будет убит. Однако тебе, Варяг, нужно где-то отсидеться.

— Я никогда и никого не боялся, не собираюсь бегать и от какого-то Сержанта! Буду жить так, как и жил.

— Варяг, не горячись, не забывай, что ты принадлежишь не только себе. Точнее сказать, что ты вообще не принадлежишь себе! Сержант — профессионал высшей пробы. Вспомни, как он пристрелил Колуна и Гордого. Только два выстрела — и никаких следов. В милиции до сих пор думают, что это разборки. Точно так же он может подъехать и к тебе.

— Что ты предлагаешь?

— Ты должен залечь на дно и не показываться по крайней мере месяц-полтора.

— Это невозможно, Ангел, — покачал головой Варяг. — Я должен быть в Думе! Теперь это моя главная работа!

— Послушай меня, Варяг, — начинал терять терпение Ангел. — Все это может и обождать.

— Ситуация меняется каждый день, только од-

418

ним своим присутствием я придам уверенность многим. Без меня все развалится и полетит к чертям, тогда придется начинать все сначала.

Ангел понял, что это была точка в разговоре. Варяг умел быть упрямым.

— Ты рискуешь всем, Владик. Ты знаешь, что это за человек — Сержант. Для него пристрелить законного вора — все равно что пнуть в бок приблудную собачонку. Может, навести на него ментов? Я могу сделать так, что никто об этом из наших не узнает.

— Нет. — Варяг не мог допустить такого приема даже по отношению к врагам. — Мы должны справиться сами.

— Что ты предлагаешь?

— Если охота началась по-крупному, то ее не стоит останавливать, пусть наши ребята немножко порезвятся. В поимку Сержанта должны включиться все. Пусть его ищут везде, пусть разобьют город на квадраты и перевернут его вверх дном. Он может прятаться в многолюдных местах, и поэтому в универмагах и на базарах наших людей должно быть особенно много. Сомневаюсь, чтобы он был где-то на окраине, он где-то в центре, рядом. Объяви всем: кто его пристрелит, тот получит БМВ в подарок.

— Хорошо, Варяг, так и передам. К твоему дому мы все-таки приставим дополнительную охрану. Но ты и сам береги себя, будь внимательным.

Они оба понимали, что для Сержанта даже самая усиленная охрана не может быть преградой.

Именно сейчас Варягу и не хотелось умирать. По молодости было бы как-то легче, тогда у него, кроме воровского тщеславия, не было ничего — сейчас у него был дом.

— Мне больше ничего не остается.

ГЛАВА 34

Сержант рассчитал правильно: его искали повсюду. На вокзале он заметил двух скучающих парней, которые лениво осматривали каждого входившего и выходившего. Он сумел бы выделить их из сотни прохожих. Наверняка они помнили его фотографию. Сержант не сомневался в том, что они пристрелят его сразу, как только отыщут в многолюдной толпе. По всей видимости, они караулят его у всех дверей, и нужно обладать изрядным проворством, чтобы проскочить мимо мышеловок. Что ж, игра в кошки-мышки началась! Сержант почувствовал привычное возбуждение, только вот кто мышка, это еще предстоит выяснить.

Сержант прятался в подворотнях, укрывался в туалетах и все время обновлял внешность — наклеивал усы, надевал парик и терпеливо, метр за метром, пробивался к дому, в котором жил Владислав Геннадьевич Щербатов. В скромном «дипломате» покоилась оптическая винтовка. Он даже изменил походку — сильно сутулился и пригибался к земле, будто под непомерным грузом. И невозможно было признать в этом кряжистом старике профессионального киллера.

Он все время выступал против сильных соперников и готов был бросить целой армии свою полинявшую и потертую боевую перчатку. Возможно, именно это и позволяло ему чувствовать жизнь такой, какая она есть на самом деле, со всеми нюансами.

Москва за это время выросла, но он безошибочно, квартал за кварталом, подбирался к особняку, в котором прятался неприятель. На пути у него была некая цитадель, которую предстояло брать приступом. Сейчас он один составлял целую армию и одновременно был фельдмаршалом, и важно было умело провести операцию, потому что в случае поражения он потеряет не только армию, но и останется без командования.

Вот тогда и осиротеют счета в швейцарских банках.

Сержант имел полное право рассчитывать на успех. Варяг обладал бесшабашной храбростью, он не пожелал бы прятаться даже в том случае, если бы знал, что за углом его поджидает смерть.

Несколько дней Сержант изучал дом, в котором затаился Варяг. Самого доктора Щербатова за это время Юрьев так и не сумел увидеть, но зато в окнах, за полупрозрачной занавеской двигалась тень. Она могла принадлежать только законному вору Варягу: прямая спина, короткая стрижка, тот же профиль.

Сержант видел, что дом охраняется. Два человека постоянно дежурили у подъезда, по одному на перекрестках и еще двое на противоположной стороне улицы. Каждого входившего в подъезд изучало несколько пар внимательных глаз. Однако для Сержанта это не являлось домашней заготовкой серьезного соперника, ему было знакомо это продолжение игры. Он с мастерством опытного гроссмейстера разыгрывал эту партию не однажды: и после ферзевого удара должен состояться мат. Есть слабое место в охране Варяга — окна! Вот через них он и положит самоуверенного короля на клетчатый пол.

Варяг подолгу стоял у окна. Сержант видел даже струйку дыма, которая струилась у того между пальцами. Остается только выбрать удачную позицию, откуда следует произвести выстрел. Сержант наблюдал за фигурой у окна уже третий день. Варяг появлялся ненадолго. Курил, пуская узкую струйку дыма в форточку, после чего исчезал в глубине комнаты. Этого было достаточно.

Вот и пришло время, чтобы поставить мат законному вору. Варяг хотел обыграть такого непревзойденного гроссмейстера, каким является Сержант, но для этого мало одной наглости и везения, здесь необходим талант, который не купить даже за деньги.

В эти душные летние дни темнело быстро.

Вместе с приходом темноты в окнах зажигались огни. А потом Варяг подходил к окну.

Так было и сегодня. Вот она — фигура в окне. Бедняга! Он даже не подозревает, что от безмолвия его отделяет только несколько секунд.

Сержант отыскал оптическим прицелом голову Варяга, и скрещенные линии огромным крестом легли на выразительный профиль. Минуту, может, две Сержант наслаждался своей безграничной властью, а потом надавил на курок.

Беспомощно взмахнула руками за окном фигура и повалилась. Несколько секунд Сержант выжидал, а потом он уверенно отвернул глушитель, переломил надвое винтовку и, аккуратно завернув оружие в тряпицу, положил его в «дипломат». Окинув взглядом дом, Юрьев увидел, что парни по-прежнему стоят у подъезда. Сержант подумал о том, каково будет их удивление, когда они увидят распластанное тело хозяина, а потом неторопливо, стараясь не греметь, стал пробираться по крыше.

Вечерние газеты сообщили о том, что в своей квартире был убит молодой ученый, депутат Думы Владислав Геннадьевич Щербатов. Выстрел был произведен через окно поздно вечером. Очевидно, убийце хорошо был известен распорядок дня покойного, он знал и его привычки. Он прекрасно был осведомлен о том, что тот любил стоять у окна и курить. Вот эта привычка и стала для него роковой. В газетах печатались фотографии места, откуда стреляли, — крыша здания напротив окна с мелкой сеточкой трещин.

И никаких свидетелей.

По телевидению сообщали о том, что за любые сведения об убийце будет выдано вознаграждение в сто тысяч долларов. А уже утром эта сумма увеличилась вдвое. Было понятно, что это преступление попадает в разряд нераскрытых убийств.

ГЛАВА 35

Академик Нестеренко внимательно слушал своего гостя. По привычке он хлопнул себя по карманам в надежде отыскать пачку сигарет, но тотчас вспомнил, что решил бросить и уже держался дней десять.

— Мои люди заметили его еще на вокзале, когда он выходил на перрон. Потом он несколько раз менял свою внешность. Они позже признались мне, что едва его не упустили, когда он вошел в сортир крепким мужчиной, а вышел оттуда хромым, горбатым стариком. Сержанта не выпускали из виду ни на минуту. Несколько раз он подходил к дому. Очевидно, примеривался, а потом решил выбрать крышу.

— Так кто же там, за окном, был вместо тебя, Владислав Геннадьевич?

— Его брат. Сержант просил организовать побег для него. Мы это устроили так, как надо, и все это время брат Сержанта жил у меня. Мы его предупредили, чтобы он не распахивал занавески на окнах, вот Сержант и принял своего брата за меня. — И уже с сожалением, разведя руками, Варяг добавил: — Я не собирался это делать, но меня вынудили обстоятельства.

— Потом вы его не искали?

— Посчитали это ненужным. Он достаточно наказал себя. Скорее всего, он сейчас где-нибудь под Парижем, там у него дом. Мы решили оставить его в покое, только вышлем фотографию его брата с разбитым черепом.

— Это будет для него ударом, у Сержанта больше никого нет.

— Он сам этого хотел.

— Трижды он приезжал в Россию именно из-за него.

— Я знаю это.

— Он станет опасен вдвойне. Если раньше его что-то и сдерживало, то сейчас для него уже нет никаких преград.

— Он подготовил для нас профессиональную команду. В случае необходимости Сержантом займутся собственные ученики. Вы уладили все формальности моей кончины, Егор Сергеевич?

— Да. Но это было нелегко сделать. Ты должен был умереть так, чтобы в твою кончину поверили все. Ты вырос, мой мальчик, а таких людей, как ты, просто так не закапывают. Причину смерти устанавливают и документально фиксируют. Здесь задействованы все — от видных ученых-медиков до Федеральной службы контрразведки. В ученом мире у меня имеются кое-какие связи, я воспользовался ими. Труднее всего было договориться с ФСК, но и там есть свои люди, которые многим обязаны нам. Короче, хочу тебя заверить, Владислав, что все прошло удачно и никто не посмеет сомневаться в твоей смерти.

— Неужели никто не пожелал взглянуть на меня?

— Желающие находились, но я предупредил своих ребят, дежуривших в комнате, чтобы каждому объясняли, что череп так раскурочен, что лучше не

425

смотреть. Сейчас нам нужно время, чтобы перегруппировать свои силы, главные наши сражения еще впереди, а Западная Европа — лучшее место для поля брани. Ты будешь фельдмаршалом в этом сражении, а для этого тебе нужно исчезнуть. Тем более кое-какой опыт у тебя есть, ты исчезал один раз, можешь и во второй. Пусть в это поверит и Валаччини, а потом мы заявим о себе с новой силой. Ты можешь жить богато за деньги, которые мы тебе будем выделять из общака, и потихонечку присматривайся к новому рынку. Куда бы ты хотел уехать?

Варяг секунду размышлял, а потом ответил:

— В Англию.

— Пускай будет Англия. Знаешь, о чем я жалею?

— О чем, Егор Сергеевич?

— Если бы получилось все иначе, из тебя мог бы выйти блестящий ученый.

— Кто знает, может, еще не все потеряно, должен же я чем-то заниматься в Лондоне, — улыбнулся Владислав, — хотя бы первое время.

*   *   *

На молодых мужчину и женщину, стоящих у стойки регистрации, никто не обращал внимания. Они ничем не отличались от других пассажиров, терпеливо ожидающих посадки. Здесь же стойко томились и провожающие. Говорили обычные слова при прощании, желали удачи, обещали писать и надеялись на следующую добрую встречу. Все как обычно. И уж никто из стоящих рядом не мог знать, что в этом многолюдье затерялся известный вор Варяг, могила которого находится на центральном кладбище под номером 739/625 БЛ. Света смотрела на мужа и видела, что он наслаждается своей безымянностью, как король на карнавале, попавший в толпу простолюдинов.

Через несколько минут она с Владиславом поднимется на борт современного лайнера, который унесет их на другой конец планеты, оставив за порогом аэропорта былые раны. Предстоящий путь совсем не напоминал тот, который она прошла однажды от маленькой воркутинской станции до вагона, в котором к новому месту пребывания увозили вора в законе Варяга, тогда она его называла просто — Владик. А тот подъем по ступеням вагона больше напоминал восхождение на эшафот, где палачами и зрителями одновременно были мальчишки в защитных шинелях с автоматами за плечами. Словно и она была осуждена на долгое пребывание в старом расшатанном столыпинском вагоне. И если сейчас ее ожидала синева неба и безмятежные, как погожий день, улыбки стюардесс, то в тот день поезд беглым каторжником пробирался через чахлую тундру. Было сыро и слякотно. Света была готова к этой перемене: слишком долго счастье обходило ее стороной, и вот сейчас эту перемену в своей судьбе она восприняла как подарок.

Варяг курил, нервно смахивая серый пепел на мраморный пол. Он уезжал один, словно король, лишенный трона: ни былого великолепия, ни обычной свиты, ни светской любезности — все в прошлом! В длинном кожаном пальто, чадя дорогими сигаретами, стоял известный вор. И его отъезд был одним из ходов сильной комбинации, которая скоро должна закончиться матом не только синьору Валаччини.

Варяг мог бы подъехать в дорогом лимузине, презирая таможенный контроль, к самому трапу самолета, но он, сделавшись ненадолго простым смертным, вместе со всеми ожидал объявления о начале посадки на свой рейс.

Подошел Ангел. Сейчас он выглядел экстравагантно — красный пиджак и белые брюки делали его похожим на эстрадную знаменитость, и вряд ли кто-нибудь из присутствующих мог бы поверить в то, что этот фискал с золотыми зубами прибрал к рукам теневиков России.

— Как ты и просил, никакой торжественности. Все чинно. О том, что ты уезжаешь, знают только четыре человека. Кто ты сейчас по паспорту?

— Станислав Владимирович Мартынов, доктор юридических наук.

— Тебе подыскали приличный домик за городом. Из аэропорта вас отвезут прямо туда.

Приятный женский голос монотонно и привычно объявил посадку. Отъезжающие потянулись к стойкам, где за перилами таможенного контроля начиналась чужая территория.

— Свидимся ли? — спросил Варяг.

После паузы Ангел ответил:

— Должны.

Рукопожатие, улыбки сумели смягчить тяжесть расставания. В другой руке Варяг держал «дипломат» — это все, что ему нужно для жизни в Англии.

— Ты знаешь, куда мы полетим дальше? — спросил Варяг у Светы, когда они остались вдвоем.

— А разве мы не останемся в Лондоне?

— Нет.

— С тобой я согласна лететь куда угодно.

— В Лондоне нас должны встретить и отвезти в загородный домик, но мы не воспользуемся этими услугами. Во внутреннем кармане моего пиджака два новых паспорта — на меня и мою супругу.

— И кем же мы потом будем?

— Супругами Игнатовыми. В Лондоне для нас заказано два билета на Монреаль. Канада. Мне нравится эта страна, и остаток жизни я хотел бы провести именно там.

Варяг уезжал без всякого надрыва, расставался со своей Родиной так же просто, как рак освобождается от своего панциря. Так же просто ушла и его прежняя жизнь, в которой остались былые привязанности, «коронация» и столыпинский вагон.

Некоторое время до Ангела доносился приглушенный рев двигателей удаляющегося лайнера, а потом, когда бездна неба проглотила и его, он вернулся к машине и поехал в город.

Сухов Евгений Евгеньевич

Я — ВОР В ЗАКОНЕ

Редактор *Е. Николаева*
Дизайнер обложки *В. Пантелеев*
Технический редактор *Л. Каменева*
Компьютерная верстка *Г. Балашовой*

ИД № 02824 от 18.09.2000.

Подписано в печать 09.10.01. Формат 84 × 108/32.
Гарнитура Таймс. Бумага газетная. Печать высокая. Печ. л. 13,5.
Тираж 50 000 экз. Зак. № 1651. С-126.

Налоговая льгота — общероссийский классификатор
продукции ОК-005-93, том 2 — 953 000.

ЗАО «КОМПАНИЯ «АСТ-ПРЕСС».
107078, Москва, ул. Новорязанская, д. 8а, корп. 3.

Отпечатано с готовых диапозитивов
в Государственном Московском предприятии
«Первая Образцовая типография» Министерства Российской Федерации
по делам печати, телерадиовещания и средств массовых коммуникаций.
113054, Москва, Валовая, 28.

ЗАО «КОМПАНИЯ «АСТ-ПРЕСС»:
Россия, 107078, Москва, Рязанский пер., д. 3
(ст. м. «Комсомольская», «Красные ворота»)
Тел./факс 261-31-60, тел.: 265-86-30, 265-83-29
E-mail: ast_press @ col.ru

По вопросам покупки книг «АСТ-ПРЕСС» обращайтесь

в Москве: «АСТ-ПРЕСС Образование»

Офис: Москва,
Рязанский пер., д. 3
Тел./факс: (095) 265-84-97,
265-83-29
E-mail: ast-pr-e@postman.ru

Склад

г. Балашиха,
ш. Энтузиастов, д. 4
Тел.: (095) 521-78-37,
521-03-72

в Москве: «Клуб 36'6»

Офис: Москва,
Рязанский пер., д. 3
Тел./факс: (095) 261-24-90,
267-28-33

Склад:

г. Балашиха,
Звездный бульвар, д. 11
Тел.: (095) 523-92-63,
523-11-10

Магазин (розница и мелкий опт):

Москва, Рязанский пер., д. 3
(ст. м. «Комсомольская»)
Тел. (095) 265-86-56

Переписка:

107078, Москва, а/я 245,
«КЛУБ 36'6»

в Санкт-Петербурге и Северо-Западном регионе:
«Невская книга»

Тел.: (812) 567-47-55,
567-53-30

в Киеве: «АСТ-ПРЕСС-Дикси»

Тел.: (044) 228-01-88,
464-08-74

1/07

Герои и персонажи в романе вымышлены.
Совпадения с реальными лицами и событиями случайны.